日本の歴史 五

躍動する中世

五味文彦

Gomi Fumihiko

小学館

日本の歴史

躍動する中世

第五巻

アートディレクション　原研哉
デザイン　竹尾香世子
美馬英二

凡例

- 年代表示は原則として和暦を用い、適宜、西暦を補いました。
- 本文は原則として常用漢字および現代仮名遣いを用いました。また、人名および固有名詞は、原則として慣用の呼称で統一しました。なお、敬称は略させていただきました。
- 歴史地名は、適宜、（ ）内に現在地名を補いました。
- 引用文については、短歌・俳句なども含めて、読みやすさ、わかりやすさを考えて、句読点を補ったり、漢字を仮名にあらためたりした場合があります。
- 中国の地名・人名については、原則として漢音の読みに従いました。ただし慣習の表記に従ったものもあります。
- 朝鮮・韓国の地名・人名は、原則的に現地音をカタカナ表記しました。ただし、歴史的事柄にかかわる地名・人名などは漢音読みにした場合があります。
- 図版には章ごとに通し番号をつけ、それぞれの掲載図版所蔵者、提供先は巻末にまとめて記しました。
- おもな参考文献は巻末に掲げました。
- 五十音順による索引を巻末につけました。
- 本書のなかには、現代の人権意識からみて不適切な表現を用いた場合がありますが、歴史的事実をそのまま伝えるために当時の表記どおりに掲載しています。

1

中世の息吹

さまざまに表現された人々の思い

●歓喜の舞
土地を手に入れたお祝いの宴席。うれしさのあまり踊り出す人もいる。中世には、人々の喜怒哀楽が絵巻類にいきいきと描かれるようになった。（『絵師《えしの》草紙《そうし》』）

↓221ページ

2

◉遊ぶ童たち

竹にまたがって駆ける子供と、草履《ぞうり》を縄に結わえて引きずる子供。中世は、子供が大事にされ、子供への関心が増した「童《わらわ》の時代」でもある。（『法然上人絵伝《ほうねんしょうにんえでん》』）

↓203ページ

3

●食事の準備に追われる厨房

箸《はし》と包丁で鯉をさばく男や、味見をする老僧などが表情豊かに描かれる。厨《ちゅう》房《ぼう》や馬を飼う厩《うまや》など、日常の風景も絵巻の題材となっていった。(『慕帰絵《ぼきえ》』)

↓215ページ

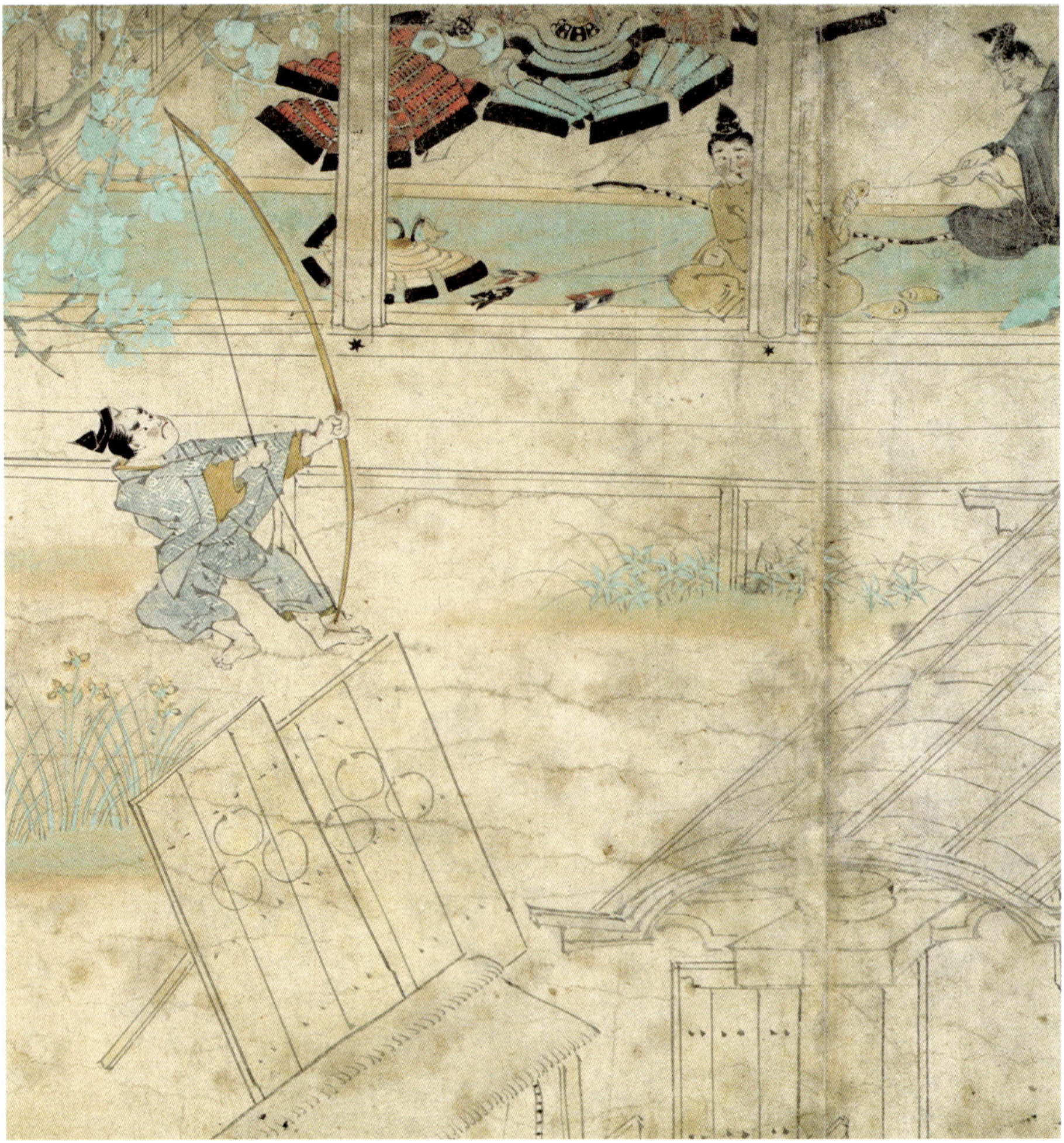

◉武勇の道

ここは武士の館。庭には弓を引き絞る武士。家の中にも弓の手入れをする武士が見える。武士たちはこうして武勇の道に励んだ。（『男衾《おぶすま》三郎《さぶろう》絵巻《えまき》』）

↓76ページ

5

◉武士の晴れ姿

武士の台頭とともに発達した鎧《よろい》冑《かぶと》は、祭礼や実戦用に、贅《ぜい》を尽くして豪華に装うものだった。そこには武士の誇りが込められている。（「赤糸威大鎧《あかいとおどしおおよろい》」）

→69ページ

中世びとに広まった
救済への思い

◉三十三間堂の千手観音像
一切衆生《いっさいしゅじょう》を救う存在とされた千手観《せんじゅかん》音《のん》は、広く信仰の対象となった。後《ご》白河《しらかわ》上皇のために平清盛《たいらのきよもり》が建立した三十三間堂《さんじゅうさんげんどう》は、中世びとの救済への思いを今に伝える。
↓116ページ

北側から撮影

5

◉武士の晴れ姿

武士の台頭とともに発達した鎧冑《よろいかぶと》は、祭礼や実戦用に、贅《ぜい》を尽くして豪華に装うものだった。そこには武士の誇りが込められている。(「赤糸威大鎧《あかいとおどしおおよろい》」)

↓69ページ

中世びとに広まった救済への思い

6

●笑う翁の面

能は、観阿弥《かんあみ》・世阿弥《ぜあみ》父子によって芸能として確立した。人間のさまざまな感情を象徴的に表現する能面は、能に欠かせない存在である。

↓295ページ

●三十三間堂の風神・雷神像
風神《ふうじん》（写真左）と雷神《らいじん》（写真右）は、ともに千手観音《せんじゅかんのん》に従って仏法と信者を守る存在である。制作には、運慶《うんけい》の子の湛慶《たんけい》が関与していたとされる。

↓140ページ

南側から撮影

7

●三十三間堂の風神・雷神像

風神《ふうじん》（写真左）と雷神《らいじん》（写真右）は、ともに千手観音《せんじゅかんのん》に従って仏法と信者を守る存在である。制作には、運慶《うんけい》の子の湛慶《たんけい》が関与していたとされる。

↓140ページ

●笑う翁の面

能は、観阿弥《かんあみ》・世阿弥《ぜあみ》父子によって芸能として確立した。人間のさまざまな感情を象徴的に表現する能面は、能に欠かせない存在である。

↓295ページ

目次

日本の歴史　第五巻

躍動する中世

第四章 中世の生活と宗教

第六章　政治と文化のかかわり　259

第七章　中世の環境と社会の変化　311

躍動する中世

はじめに

中世から現代を考える

中世の幕開き

中世という時代を考えるにあたって、手がかりとなる絵画作品をあげれば、三つある。ひとつはよく知られている『伴大納言絵巻《ばんだいなごんえまき》』。一二世紀後半に描かれた、大納言伴善男《とものよしお》をめぐる朝廷の政治的陰謀を描いた絵巻である。応天門《おうてんもん》の火事に集まった群衆に始まり、京の巷《ちまた》で起きた子供の喧嘩《けんか》や、冤罪《えんざい》の嘆き、流罪《るざい》の風景などを描いて、その見事な絵画表現から国宝に指定されている。

そこには中世の担い手である、下は巷に生きる人々から上は天皇までもが登場している。中世という時代が、こうした人々の動きとともに始まったことをよく実感させてくれる。中世の開幕を告げる絵巻といっても過言ではない。一一世紀に「京童《きょうわらわ》」という言葉が生まれたが、その京童の姿を躍動的に描いており、ここに中世が奔《はし》りはじめたのである。躍動する中世を象徴している。

二つ目は『一遍聖絵《いっぺんひじりえ》』。一四世紀初頭に制作された、鎌倉新仏教を代表する時宗《じしゅう》の祖師一遍が、念仏を広く勧めて全国を遊《ゆ》

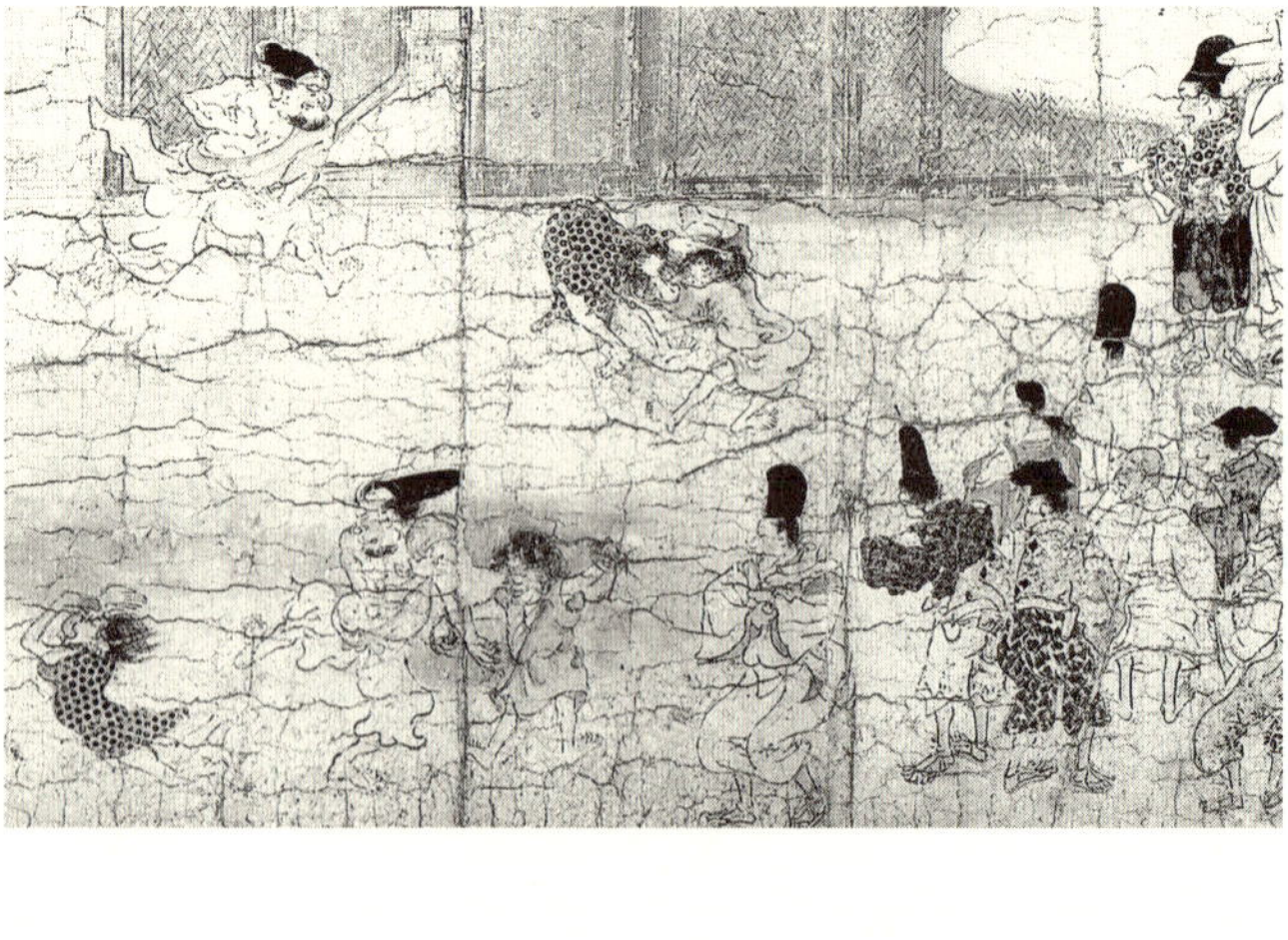

1

◉京童の登場を描く『伴大納言絵巻』

伴大納言に仕える男と舎人《とねり》（下級役人）の子供同士の喧嘩の場面。この喧嘩に怒った舎人の発言から、応天門の火事の黒幕が伴善男であることが発覚する。事件は貞観《じょうがん》八年（八六六）のことである。

行《ぎょう》する様子を描いた絵巻である。一遍は日本列島の各地を歩むなかで、信濃《しなの》の佐久《さく》で踊り念仏を始め、次いで相模国《さがみのくに》の片瀬《かたせ》で踊り念仏を行なったところ、花が降り紫雲がたなびく奇瑞《きずい》が現われ、ついに京都に熱狂的に迎えられることになった。

四条《しじょう》の釈迦堂《しゃかどう》の境内は京童であふれかえり、一遍は同行《どうぎょう》の僧の肩車に乗り「南無阿弥陀仏《なむあみだぶつ》」と書かれた名号札《みょうごうふだ》を賦《くば》る始末。近くには京都の治安を守るために設けられた篝屋《かがりや》があり、その守護を託された武士らしき姿も通りに見えている。ここでは京童が主役となっており、時代が大きく転換しはじめたことがうかがえる。婆娑羅《ばさら》の風俗が世の中を席巻《せっけん》するなか、それを身にまとった京童が、やがて幕府を倒してつくられた建武《けんむ》政権を「二条河原落書《にじょうがわららくしょ》」で風刺するまでに成長してきたのである。

そして三つ目が『洛中洛外図《らくちゅうらくがいず》』。いわずと知れた、一六世紀の中葉から広く描かれるようになった、「洛中洛外」という京都の市街地と郊外との風景を克明に描いた屏風絵《びょうぶえ》である。これは、多くある洛中洛外図のなかでも傑作として名高い上杉本《うえすぎぼん》で、織田《おだ》信長《のぶなが》が上杉謙信《けんしん》に贈ったとされる優品である。

2

◉時代の転換を示す『一遍聖絵』
弘安《こうあん》七年（一二八四）、京都に凱旋《がいせん》する一遍が受けた歓迎ぶりを描く。釈迦堂の境内には京童が立錐《りっすい》の余地もなくひしめき合い、屋根の上からも女性や子供が見物している。

これには洛中洛外が一望の下におさめられており、道行く人々や通りに並ぶ家々に始まって、そこで生活し、遊び、暮らす人々の様子、祇園祭《ぎおんまつり》の祭礼に興じる人々の姿、さらには周囲の山野や村の風景までもが描かれている。京童の生活誌を描いているのである。時代はここに大きく跳躍してゆくことになった。

ただ忘れてならないのは、いずれも京の風景を描いてはいるものの、『伴大納言絵巻』と『一遍聖絵』が絵巻であるのに対して、『洛中洛外図』が屏風絵であるという違いである。絵巻が空間のなかに時間の流れを取り込みながらストーリーを描くのに対して、屏風絵は大きな空間に全体像を鳥瞰《ちょうかん》

3

◉京を視覚的にとらえる『洛中洛外図屏風』
上杉本右隻《うせき》三扇目の部分。右上から左下に、斜めに山鉾《やまほこ》が巡行しているのが四条《しじょう》通。祇園祭に興じる京童の姿がいきいきと描かれている。狩野永徳《かのうえいとく》画。

して描く。その違いには、京に住む人間への関心が大きく異なってきていることがうかがえ、それは、京都をひとつの都市として視覚的にとらえようという意識が生まれたことを物語っている。

これら三つの作品の間にはそれぞれに約二〇〇年もの隔たりがあるが、いずれも日本列島に生きる人々の動きを精彩に富む筆致で描いており、中世とはここに描かれたような人々が活躍する時代であったことを知らしめてくれる。人々が東奔西走《とうほんせいそう》し、日本列島が躍動するエネルギーに満ちた時代、それが中世であった。

歴史を知ることの意味

これら三つの図にうかがえるように、同じく中世といっても歴史の流れとともに大きく変化してきた。さまざまなテーマから中世全般を見通す本巻では、その変化のさまを探るとともに、通底する要素を取り出し、そこから現代とのかかわりを考えてみたい。中世の時代と人には、現代に直接につながる要素が多くあるとともに、現代では忘れ去られていることも数多くある。それらを時に丹念に、時にざっくりと拾い集めて、現代を考える糧《かて》としたい。

人は時代に規制されていても、歴史を知ることによって時代を超えることができる。時代から多くのものを受け取り、そこから新たな力を身につけることも可能なのである。今という時点において、未来を見つめつつ、過去の世界の動きをきちんととらえてみよう。

中世を探るための材料は、ここに掲げた絵画作品をはじめとしてきわめて多様であり、多彩である。当然のこと、それらの史料を駆使しながら探ることになる。文書《もんじょ》・日記・文学作品・書籍・歌謡など文献史料のみならず、考古学の成果に基づくモノ史料も積極的に活用したい。

そこで本書の構成である。最初に一一世紀を中心にして、中世の人々がいかに社会的・文化的に登場してきたかを扱うが、ここでは歌が重要な史料になる。つぎの第二章では、一一世紀から一二世紀にかけて、日本列島に地域社会がどのように生まれてきたのか、その社会の特質は何か、といった問題についてモノ史料を軸にして考える。続く第三章は、一二世紀から一三世紀にかけての政治の流れを追いつつ、中世という時代の政治的特質を探る。ここでは記録や文学作品などの文献史料が豊富にあるので、そこから考えてみることになる。

以上によって、中世社会の枠組みがあらかたわかったところで、つぎの三つの章では一三世紀から一四世紀にかけての中世社会の新たな動きに注目する。まず第四章では、中世びとの言説に注目し、「鎌倉新仏教」と称される宗教運動を中心に取り上げ、中世びとの新たなものの考え方や行動を探る。第五章では、ビジュアル史料から、列島の各地での人々の活動やモノの流れのなかに、人々の新たな社会的結びつきを探る。第六章では、おもに芸能の展開を取り上げ、新たな文化が政治と深くかかわって展開してきたことを探る。

そして最後の第七章では、一五世紀の小氷期《しょうひょうき》という環境要因に注目し、それが中世の社会にどのような影響を与え、人々がそれにいかに対応したのかを考え、中世社会が大きく展開していった様相を探ることにしよう。

第一章

日本列島に広がる歌と人

歌の時代　京童と御霊会

京童の登場

一一世紀は歌の時代であった。和歌・和讃《わさん》・朗詠《ろうえい》・今様《いまよう》などの歌が流行し、歌が時代をリードしていたが、なかでも今様は、広く民間から朝廷の貴族まで流行した。

この今様に心酔し、その力に目をつけ、ついには自身が今様集『梁塵秘抄《りようじんひしよう》』を編んだのが後白河《ごしらかわ》上皇である。そこでまずは今様をはじめとする歌を通じて、この時代の社会の動きを眺めてみよう。多くの人々が口ずさむ歌は、時代をよく映し、しばしば時代を先取りする。

清太《せいた》がつくりし刈鎌《かりかま》は　何しに研《と》ぎけむ焼きけん作りけむ　捨てたうなんなるに
逢坂《おうさか》奈良坂《ならざか》・不破《ふわ》の関　栗駒山《くりこまやま》にて草もえ刈らぬに

(清太がつくった刈鎌は、いかに研いだか焼いたかつくったか。捨てたくなることよ。逢坂や奈良坂・不破の関、栗駒山で草も刈れないのに)

『梁塵秘抄』三七〇番に見える、清太がつくった刈鎌は京周辺の各地では使いものにならない、と詠んだ今様である。「清太」とは何者か。源太《げんた》といえば源氏の太郎、平太《へいた》といえば平氏の太郎、そう、清太とは清原《きよはら》氏の太郎のことである。一一世紀に文人の藤《ふじ》原明衡《わらのあきひら》が著わした往復書簡の雛型《ひながた》集『雲州消息《うんしゅうしょうそく》』に載る、稲荷《いなり》祭《まつり》見物に誘う書状にもこの名は見える。

稲荷祭は京の東南・深草《ふかくさ》に鎮座する稲荷社の祭礼で、その稲荷社の神輿《みこし》を京中に迎えて行なわれていた。その書状によれば、京の七条大路《しちじょうおおじ》に見物に出かけたところ、蔵人町《くろうどまち》から出てきた「村」（グループ）が馬長《うまおさ》の童《わらわ》に付き従っており、「町」の「清太」「黒観寿《くろかんじゅ》」などとの間に争いを繰り返していたという。ここに京童《きょうわらわ》はその姿をはっきりと見せはじめており、金銀をちりばめた衣装で身を飾っている。その風流《ふりゅう》の華美なさまは「十家」の財産を使いつくすようなものだったというのだが、「清太」はその京童を示す語であった。

京童の清太の鎌が使いものにならないと詠まれた逢坂（大津市）と栗駒山（京都府宇治《うじ》市）は、京の東と南の境界にあたり、奈良坂（奈良市）と不破の関（岐阜県関ヶ原《せきがはら》町）は、南都《なんと》と東国《とうごく》の境界にあたる。そこまでが京童の主たる活動の範囲であった。刈鎌とは男性性の象徴であって、今様の背景には京童の芸

1

◉馬長の童
馬長の童とは、美しく着飾らせた童を馬に乗せて練り歩いたもの。図は、一二世紀の宮廷の儀式や祭り、芸能などを描いた『年中行事絵巻《ねんじゅうぎょうじえまき》』の巻一一「稲荷祭」の、馬長の童。

能があったと考えられる。

　この祭りではさまざまな芸能が演じられており、とくに内藤《ないとう》太《た》の横笛や禅師の琵琶《びわ》、長丸《おさまる》の傀儡《くぐつ》、藤太の猿楽《さるがく》などの散楽《さんがく》は都の人々を大いに笑わせたというが、これらはその後の中世社会で広まってゆくことになる。同じ藤原明衡が著わした書物『新猿楽記《しんさるがくき》』には、京童の動きが詳しく描かれている。

　猿楽見物にやってきた右衛門尉《うえもんのじょう》一家の妻三人、女一六人、男九人を紹介するかたちで、さまざまな職能の人々の活動の様子をいきいきと描くが、そこで演じられている猿楽の演目に、田《でん》楽《がく》や傀儡子《くぐつまわし》、唐術《とうじゅつ》・品玉《しなだま》などの奇術、琵琶法師が物語を語る話術に交じって「京童の虚左礼《そらされ》、東人の初京上り《ういきょうのぼり》」という、京に上ってきた鄙《ひな》の人をからかう寸劇がある。

　そこでこれを見物した一家の構成を見ると、妻三人とは、六〇歳過ぎの年上の本妻、夫と同い年で家をよく切り盛りする次妻、年が一八の妖艶《ようえん》な美女であり、この時代の妻の三つの類型を示しているのであろう。糟糠《そうこう》の妻、家中の切り盛りをする賢い妻、若い愛妻である。一六人もいる娘たちは、遊女と巫女《みこ》の二人以外は特別な職能が記されていないのだが、娘の夫たちは「高名の博打《ばくうち》」「天下第一の武者」「大名《だいみょう》の田堵《たと》」のほか、「学生《がくしょう》」「相撲人《すまいびと》」「大

2
◉芸能の人々
明応《めいおう》九年（一五〇〇）頃成立の『七十一番職人歌合《しちじゅういちばんしょくにんうたあわせ》』に描かれた競馬組《けいばぐみ》（右）と相撲取《すもうとり》（左）。右は上賀茂《かみかも》社の競馬《くらべうま》の騎者で、左は神事相撲の相撲人。どちらも朝廷行事に由来する芸能である。

工」「医師《くすし》」、陰陽師《おんようじ》、管絃《かんげん》和歌の上手《じょうず》といった芸能の人々である。九人の息子たちも「能書《のうしょ》」「験《げん》者《じゃ》」「受領《ずりょう》の郎等《ろうどう》」「大名の僧」「絵師」「仏師」「商人《あきうど》の主領《しゅりょう》」、楽人の弟子など、いずれも芸能に携わっている。『二中歴《にちゅうれき》』という百科全書には、一一世紀に活躍したそうした芸能の名人・達人の具体的な名が載っている。彼らは、のちの中世後期に描かれる『職人尽絵《しょくにんづくしえ》』の職人の先駆をなす存在と知られる。

京童の活動は説話集『今昔物語集《こんじゃくものがたりしゅう》』にもうかがえる。祭礼で京童を取り締まり、京の警固をつかさどる検非違使《けびいし》の忠明《ただあき》が、京童との諍《いさか》いから東山の清水寺《きよみずでら》に追いつめられ、やむなく清水の舞台から谷底に飛び降りて、なんとか逃げおおせた、という話である。

このように一一世紀になると、京童は華々しくも登場したが、その活躍の場となったのが稲荷祭や祇園祭《ぎおんまつり》などの祭礼である。稲荷の神は、江戸時代になると、各地で繁栄をもたらす神、商いの神として広く勧請《かんじょう》されて多くの信仰を集めた。「江戸に多きもの　伊勢屋　稲荷に犬の糞」と川柳《せんりゅう》に詠まれたが、もともとは京の東南の深草に鎮座し祀《まつ》られていた。『今昔物語集』によれば、京の七条あたりで生まれた人々の産神《うぶすな》とされ、二月の初午《はつうま》の日に詣《もう》でるのが恒例になっていたという。

疫病と御霊会

四月の稲荷祭《いなりまつり》は、京の七条《しちじょう》周辺に住む人々が稲荷の神を東寺《とうじ》近くにある御《お》旅所《たびしょ》に迎えて祀《まつ》った祭礼で、この神輿《みこし》の行列には蔵人所《くろうどどころ》から童《わらわ》を騎乗させて行列に添える馬長《うまおさ》の童が出され、多くの人々が行列に従って御旅所へと向かった。そのさまは、院政期に成立した『年中行事絵巻《ねんじゅうぎょうじえまき》』に詳しく描かれているが、同じような祭礼を行なったのが祇園社《ぎおんしゃ》（八坂《やさか》神社）の祇園祭《ぎおんまつり》である。

祇園精舎《ぎおんしょうじゃ》のうしろには　よもよも知られぬ杉立てり
昔より　山の根なれば生ひたるか杉　神のしるしと見せんとて
（『梁塵秘抄《りょうじんひしょう》』二五五番）

（祇園精舎の後ろには、よくは知られない杉が立っている、昔から山の根であるから生い立っているのか、この杉よ。神のしるしを見せようとして）

祇園精舎は『平家物語《へいけものがたり》』の冒頭に見える天竺《てんじく》の寺院ではなく、「杉が立っている」という表現や、「神のしるし」といった表現などから、祇園林がある京の祇園社を指している。その祇園の「神のしるし」とは、疫病や飢饉《ききん》などの御霊《ごりょう》の祟《たた》りを鎮めるものであった。

京の東・八坂の地では九世紀に御霊会《ごりょうえ》が開かれていたが、そこに延長《えんちょう》四年（九二六）に興福寺《こうふくじ》の僧が大和《やまと》の春日《かすが》社の水屋《みずや》を移して祇園天神堂《てんじんどう》（感神院《かんじんいん》）となしたのが祇園社の始まりという（『日本紀略《にほんきりゃく》』『東大寺雑集録《とうだいじざつしゅうろく》』）。その祇園の神は御霊信仰の広がりとともに都人の信仰を広く集め、のちには各地の都市に勧請《かんじょう》されてゆき、都市の鎮守《ちんじゅ》として祀られ崇《あが》められるようになった。

祇園社の祭礼である祇園御霊会（祇園祭）の祭りの起こりは、高辻東洞院《たかつじひがしのとういん》を御旅所として神幸《しんこう》するので祀るように、という神託が天延《てんえん》二年（九七四）にあったことに始まるという。それ以来六月七日に神が御旅所に赴き、六月一四日に本社に還《かえ》るのが例とされ、それに向けて民間からさまざまな芸能が奉納され、朝廷からも馬長の童が神幸の行列に向けて献じられたのである。

一〇世紀後半から一一世紀にかけては疫病が頻発した時代であった。稲荷祭も祇園祭も、ともに疫病を鎮めるために行なわれた御霊会に源流をもつもので、その疫病の最大の被害者である都市の民の求めに応じて始められている。さらに正暦《しょうりゃく》五年（九九四）六月二七日には、鎮西《ちんぜい》（九州）から発した疫癘《えきれい》（悪性の流行病）が京に侵入してきたのに対して、京の北の「北野《きたの》の船岡《ふなおか》の上」に神輿二基を安置して疫神の祟りを鎮める御霊会が開かれている。「朝議にあらず、巷説《こうせつ》より起こる」とあって、これも民間が主導したものであった（以下、『日本紀略』）。

この年とその翌年は「大疫癘」の年で都鄙《とひ》の人が多く亡くなったため、疫神が横行するとのうわさから、「都人士女」は外出するな、という「妖言」が流れ、庶民はひっそりと門を閉ざし、そのため往来する人がいなくなったともいわれた。正暦五年に開かれた船岡山の御霊会では、神輿が難波《なにわ》の海に捨てられ

3

◉にぎわう祇園御霊会
『年中行事絵巻』に描かれた御霊会の神幸の風景。神輿の担ぎ手をはじめ、獅子舞や笛・太鼓を奏する者など、見物人も含めさまざまな人々が描かれている。

て終わったが、その七年後の長保《ちょうほう》三年（一〇〇一）五月に紫野《むらさきの》で行なわれた御霊会では、京童《きょうわらわ》の要求に押され、朝廷の木工寮《もくりょう》と修理職《しゅりしき》が神殿や瑞垣《みずがき》を、内《たく》匠寮《みりょう》が神輿をつくっている。「京中上下多く以《もっ》てこの社に集会す」という盛況を示し、これが紫野の今《いま》宮《みや》社の起こりとなる。この年も「道路の死骸《しがい》、その数を知らず。天下男女の夭亡《ようぼう》、半ばを過ぐ」という惨状だったが、七月以降に疫病はやんだという。

続いて設楽神《しだらのかみ》（志多楽神）と称される神が、長和《ちょうわ》元年（一〇一二）に鎮西から上洛《じょうらく》して二月八日に京の船岡・紫野に到着すると、同四年六月二〇日に、「京人」が花園のあたりに神殿を建立して疫神を祀り、同月二五・二六日には御霊会が開かれている。

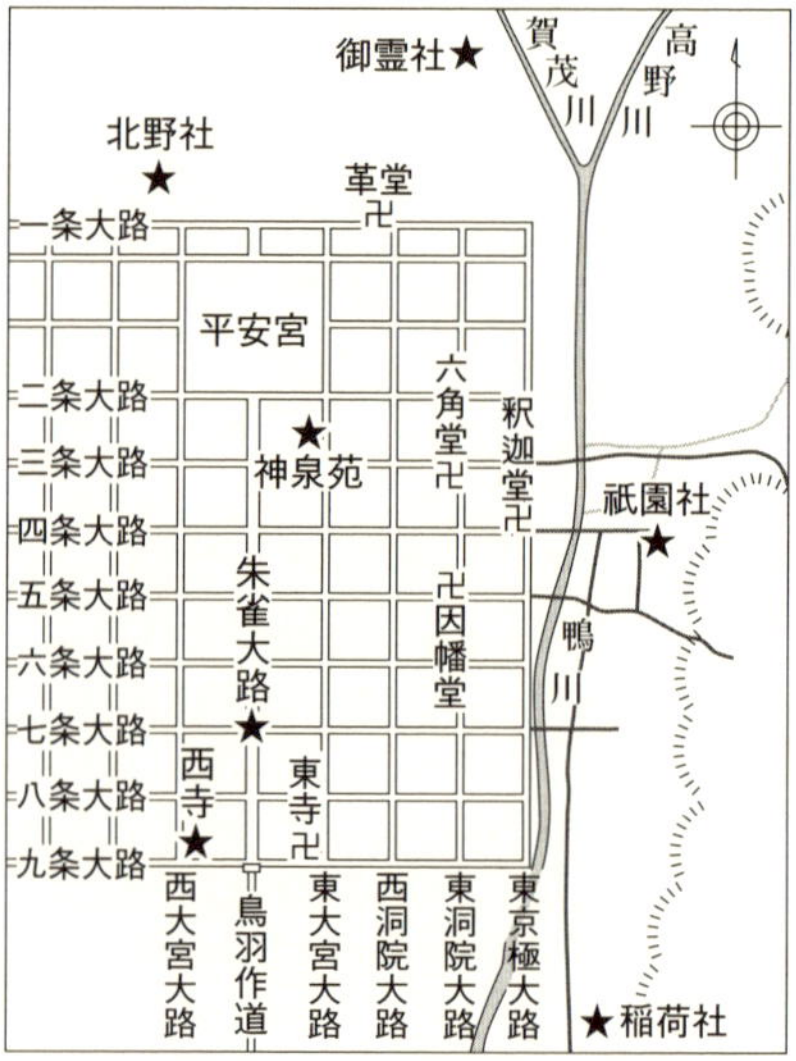

◉御霊会の開かれた場所
★印が、御霊会の開かれた場所を示す。御霊会は平安時代末期の院政期に形式が定着していくが、なかでもとくに盛大だったのが、祇園と北野であった。

こうして西からつぎつぎとやってきた疫病と御霊の神が、京の民衆を動かし、朝廷をも動かしたが、ではこれらの御霊とはどんな神だったのだろうか。祇園社の場合、天神や婆梨《ばり》、八王子《はちおうじ》などを祀ったとあるが、天神は牛頭天王《ごずてんのう》、婆梨は婆梨采女《うねめ》で、ともに天竺の神である。外部から侵入して祟りをなす神、つまり異国の神であった。政治の敗者も御霊として祀られた。貞観《じょうがん》五年（八六三）の神泉苑《しんせんえん》での御霊会は、崇道《すどう》天皇、伊予《いよ》親王、藤原《ふじわら》夫人（吉子《よしこ》）、橘逸勢《たちばなのはやなり》、文室宮田麻呂《ふんやのみやたまろ》という平安《へいあん》京《きょう》での政治的敗者を祀っている。また、大宰府《だざいふ》に配流されて没した菅原道真《すがわらのみちざね》を天神として祀ったのが北野社である。いずれも秩序を攪乱《かくらん》する存在を御霊として祀っていたのだが、この時期にはインドの天部《てんぶ》の神である弁財天《べんざいてん》などの信仰も入ってきており、そのことと大いに関係があろう。

御霊会が開かれた場を地図上に落とすと、いずれも京都の市街地の周辺であるから、そこから疫病が侵入するのを防ごうと考えたのである。ここに鎮座する神を京童が年に一度、町に迎えて盛大にもてなした、それが御霊会の祭礼にほかならない。疫病に悩む朝廷もその際に援助したが、そのひとつが馬長である。清少納言《せいしょうなごん》の『枕草子《まくらのそうし》』は、「心ちよげなるもの」のひとつとして「御霊会の馬長」をあげている。殿上人《てんじょうびと》や蔵人所から童をきらびやかな衣装に飾り立て、多くの従者を従えさせて、神幸行列の花として添えられたのである。

新たな神々の出現

都市の祭礼を担う御霊会《ごりょうえ》や疫病の神は、従来の神社に鎮座する神とはいささか異なっていた。天から降りてきた「天神《てんじん》」や、新たに神の境内に生まれた「若宮《わかみや》」や「王子」などと称された。

神の家の子公達《きんだち》は　八幡《やはた》の若宮　熊野《くまの》の若王子《にゃくおうじ》　子守御前《こもりおまえ》
比叡《ひえ》には山王十禅師《さんのうじゅうぜんじ》　賀茂《かも》には片岡　貴船《きぶね》の大明神
（『梁塵秘抄《りょうじんひしょう》』二四二番）

この今様《いまよう》は、新たに生まれた神々を列挙したもので、石清水《いわしみず》八幡宮《はちまんぐう》の若宮から貴船の大明神まであげている。歌に見える最初の「八幡の若宮」は、都の西南の地に鎮座している石清水八幡宮に生まれた若宮である。武士の源頼義《みなもとのよりよし》が奥州合戦《おうしゅうかっせん》の戦勝を祈って鎌倉の由比浜《ゆいがはま》に勧請《かんじょう》したのはこの若宮であった。のちに後白河《ごしらかわ》上皇がここに詣《もう》でて今様を捧げた話が『梁塵秘抄口伝《くでん》集《しゅう》』に見えるなど、今様とは深い関係にあった。

つぎの「熊野の若王子　子守御前」とは、紀伊《きい》の熊野三山《さんざん》に新たに生まれた神である。

大峰《おおみね》通るには　仏法修行する僧ゐたり　ただ一人
若《にゃく》や子守は頭《こうべ》を撫《な》でたまひ　八大童子《はちだいどうじ》は身を護《まも》る
（『梁塵秘抄』二九九番）

「大峰通る」とあるのは、吉野《よしの》から熊野に至る大峰山脈の修行のことで、ここは古くからの修験《しゅげん》の場であった。この歌は、道に迷った修行者を熊野の神や大峰の童子が守ってくれる、と詠んだもので、その守ってくれる「若や子守」こそ、熊野の若王子と子守御前という若い神である。

4

●山王十社懸仏
懸仏《かけぼとけ》は、柱や壁に掛けて礼拝の対象とする。銅板に日吉社の神々十社を鋲留《びょうどめ》しており、中央が大宮で、そのまわりを八王子、十禅師、三宮などの神が囲む。建保《けんぽう》六年（一二一八）作。

さらに「比叡には山王十禅師」とあるが、これは、延暦寺《えんりやくじ》の鎮守《ちんじゆ》である日吉社《ひよしひえ》（大津市）の山王社と十禅師社であり、「賀茂には片岡　貴船の大明神」とあるのは、京の賀茂社の末社で、片岡社は上《かみ》賀茂《がも》神社の境内に生まれ、貴船社は賀茂川《かもがわ》をさかのぼった貴船の地に鎮座していた。

貴船の内外座《ないげざ》は　山尾よ川尾よ奥深吸葛《おくふかすいかずら》
白石白髭白専女《しらいししらひげしらとうめ》　黒尾の御前《みさき》はあはれ内外座や
（『梁塵秘抄』二五二番）

このように貴船社の境内の内外には多くの「呪詛神《じゆそ》」が祀《まつ》られていた（『覚禅抄《かくぜんしよう》』）。この貴船社に詣《もう》でた歌人の和泉式部《いずみしきぶ》が、ここで敬愛の祭りを行なって夫の愛を取り戻そうとしたという話があるように、女性の祈りがよく捧げられた神である。

説話集『宇治拾遺物語《うじしゆういものがたり》』『古事談《こじだん》』は、和泉式部をめぐるおもしろい話を載せている。藤原道綱《ふじわらのみちつな》の子の道命阿闍梨《どうみようあじやり》が和泉式部のもとに通っていたある夜、目を覚まし読経していると、翁《おきな》が現われ、「自分は五条の斎《さい》（道祖神《どうそじん》）であるが、きょうは法華経《ほけきよう》を聞くことができてうれしかった。いつもは身を清めて読まれていたので、梵天《ぼんてん》や帝釈天《たいしやくてん》が聞いており、自分は聞けなかった」と語ったという。不浄の身で読経していたので、私のような者も聞くことができた、と喜んだというのである。

この話のように、巷《ちまた》には多くの神々が生まれていた。古代以来の神は、『延喜式《えんぎしき》』に記載された式《しき》内社《ないしや》にみられるように国家から保護されていたが、ここに登場した新たな神は、都市に成長する民衆とともにあってその信仰を獲得することで、旧来の神々の秩序を大きく変化させ、そこに新たな中世の神の信仰の世界が築かれたのである。それは明らかに現代の社会へとつながっている。

京童の住む都市・京都

京都は平安京《へいあんきょう》が山城《やましろ》盆地に形成されるなかで成長してきた。東西と北を山が囲み、南に開け、北から流れる鴨川《かもがわ》に沿うかたちで市街地が生まれてきた。

三方の山には延暦寺《えんりゃくじ》や神護寺《じんごじ》・鞍馬寺《くらまでら》などの寺院が、川の近くには賀茂《かも》上下社や石清水八幡宮《いわしみずはちまんぐう》などの神社が建てられ、都市を守ることが考えられたが、すでにみたように一〇世紀から一一世紀にかけての疫病の多発とともに、市街地の周辺部には御霊《ごりょう》を祀《まつ》る神社や寺が生まれ、都市の人々の信仰を獲得していったのである。

こうした神への信仰が広がるなかで、神を御旅所《おたびしょ》に迎えて盛大に祀ったが、この祭りが都市の人々を結びつけ、新たな都市社会を形成していった。院政

●神を迎える御旅所
室町時代制作の屏風《びょうぶ》に描かれた、「大政所《おおまんどころ》」と呼ばれる祇園御霊会の御旅所。烏丸《からすま》通に面しており、三基の神輿の うち大宮と八王子の二基が渡御した。(『祇園社大政所絵図《ぎおんしゃおおまんどころえず》』)

期に入ると、これに目をつけた白河《しらかわ》上皇は祇園祭《ぎおんまつり》に深くかかわるようになる。内裏《だいり》の殿上人《てんじょうびと》のみならず、院・女院《にょいん》の殿上人にも馬長《うまおさ》を献じるように命じ、受領《ずりょう》や院の北面《ほくめん》にも田植女《たうえめ》や田楽《でんがく》を出すように命じるなど、祇園祭の主宰者として臨むようになり、祇園社の神輿《みこし》も上皇の要請に従って院の御所の前を通るようになった。

このごろ京《みやこ》に流行《はや》るもの　肩当《かたあて》腰当《こしあて》烏帽子《えぼし》止《しとどめ》
襟《えり》のたつ型錆《さび》烏帽子　布打《ぬのうち》の下の袴《はかま》　四幅《よの》の指貫《さしぬき》
（『梁塵秘抄《りょうじんひしょう》』三六八番）

このごろ京に流行るもの　柳黛《りゅうたい》髪々而非鬘《えせかずら》
しほゆき近江女《おうみめ》・女冠者《かじゃ》　長刀《なぎなた》持たぬ尼《あま》ぞなき
（『梁塵秘抄』三六九番）

都を担った京童《きょうわらわ》の風俗をうたった今様《いまよう》である。前者は、男たちの衣装の流行が柔らかな萎装束《なえそうぞく》から硬い強《こわ》装束へと変わってゆくさまを詠んでおり、後者は、都で活躍している新しい女たちの姿を詠んでいるが、なかには男に負けない京女もいた。

男怖《お》ぢせぬ人　賀茂《かも》女《ひめ》伊予《いよ》女上総《かずさ》女
はししあかてるゆめなえの辻子《ずし》の人　室町《むろまち》わたりのあこほと
（『梁塵秘抄』三九八番）

この当時、よく知られた京の遊女や、遊女に近い女たちを列挙した歌である。なかに「辻子の人」とあるのは、大路・小路を結んで生まれた小さな道である辻子に居を占めていた遊女のことである。

京都は平安京を母体として生まれていたので、碁盤の目のように東西南北にまっすぐの道が走っていたが、そこに大きな邸宅をつくるのはよいにしても、小さな家に住む庶民の日常生活にはとても不便であった。そのため大路・小路を相互につなぐ辻子がつくられ、新たな都市の拠点となったのである。

京都の都市空間に変化が起き、土地の表示も律令《りつりょう》制の行《ぎょう》・門《もん》の条坊制《じょうぼうせい》に基づくものではなく、横小路と縦小路との辻《つじ》を基点にして表示されてゆくようになる。土地が分割され、道をせばめて耕地・宅地化した巷所《こうしょ》もつくられてゆく。

これらからみえてくるのは、京に新たな街区が生まれてきたことである。それは、神輿が通る祭礼空

6

間である道を中心とした変化とともに生まれてきたものと考えられる。幅の広い朱雀大路《すざくおおじ》は早くから衰退し、湿地の多い西の京も衰え、西は大宮大路《おおみやおおじ》から東は鴨川までの東の京を中心に宅地化が進んでいった。六角堂《ろっかくどう》や薬師堂《やくしどう》、祇園社御旅所などの庶民信仰の寺社の周辺に繁華街が生まれ、また東西の市《いち》がすたれて室町小路《むろまちこうじ》や町小路《まちこうじ》に沿って商売屋が広がっていった。

この京都の変化が、「はじめに」で見た『伴大納言絵巻《ばんだいなごんえまき》』によくうかがえる。京の巷《ちまた》の京童を描くなか、絵巻の核心部分は道で起こった子供の喧嘩《けんか》である。飛び出してきた二人の親のうちの伴大納言に仕える人物が、「舎人《とねり》のような公人《おおやけびと》」のくせして、と相手を難じると、これに応じて「高家《こうけ》」であると思うのは今のうちだぞ、と舎人が言い返す。口論に負けた舎人は夫婦して大納言の放火の悪行をうわさに流し、これを聞いた京童によってうわさは波紋のように広がって、ついには大納言を失脚に追い込んでゆくのであった。

●大納言を訴える舎人
大納言《だいなごん》伴善男《とものよしお》が応天門《おうてんもん》の火事の黒幕だと訴える舎人夫婦。そのまわりには人々が輪をつくって聞いており、波紋のようにうわさが広まる様子を表現している。（『伴大納言絵巻』）

国土に活動する人々

歩く女たち

新たに生まれた若宮《わかみや》などの神に、衆生《しゅじょう》の願いを届けたのは巫女《みこ》である。今も神社には巫女さんを多く見かけるが、その源流もこのころにあった。

わが子は十余《じゅうよ》になりぬらん　巫《こうなぎ》してこそ歩くなれ　田子《たご》の浦に潮《しお》踏むと
いかに海人《あまびと》集ふらん　正《まさ》しとて　問ひみ問はずみなぶるらん　いとほしや
（『梁塵秘抄《りょうじんひしょう》』三六四番）

（私の娘はもう十余歳になったことでしょう。うわさでは歩き巫女になって諸国をめぐっているようです。田子の浦にさすらっているとか。どんなにか多く漁師たちが集まって、娘の潮踏みの占いを、「当たっているのか」とばかり、あれだこれだとさんざん言って、なぶりものにしていることでしょう。かわいそうな子よ）

わが娘が「歩き巫女」となって東国に赴いたのを気遣う母の心情を詠んでいる。潮踏みとは、潮の状態を占うもので、歌は、漁師や海女《あま》たちが集まってその占いに難癖をつけるのを心配しており、うたう母もまた巫女であったろう。

　若宮と巫女との関係は、大和《やまと》の春日社《かすがしゃ》の霊験《れいげん》を描いた『春日《かすが》権現験記絵巻《ごんげんけんきえまき》』巻一〇の一段によくうかがえる。春日社は、常陸《ひたち》の鹿島《かしま》社（茨城県鹿嶋市）、下総《しもうさ》の香取《かとり》社（千葉県香取市）、河内《かわち》の枚岡《ひらおか》社（東大阪市）からそれぞれ勧請《かんじょう》した神と、在地の姫神《ひめがみ》という大宮四神からなっていたが、そこに新たに生まれたのが若宮で、それは長保《ちょうほう》四年（一〇〇二）の疫病が大流行していたころであったという。

　そのころ興福寺《こうふくじ》の林懐僧都《りんかいそうず》は、興福寺で開かれる朝廷の重要な法会《ほうえ》である維摩会《ゆいまえ》の講師を無事に勤め終えて、感謝の念から春日社に参詣《さんけい》した。そこで維摩会の論議の一節を唱え神に供えていたところ、「宮人《みやびと》」（巫女）らが鼓《つづみ》を鳴らし、鈴を振って祈りを妨げたのである。怒った林懐は、「法味《ほうみ》の供えを妨げるとはけしからん、興福寺の長官になったならば停止させよう」と誓って外に出た。その後、念願の興福寺の別当《べっとう》になったのでこれを停止させたところ、神の怒りに触れたため、以後、鼓を停止させないように命じ、こうして若宮の信仰は確かなものとな

7

◉神に怒られた林懐
林懐が春日社に参詣すると、春日の神が貴人姿で林懐の前に現れ、巫女の鼓を停止させたことを烈《はげ》しく咎《とが》めた。（『春日権現験記絵巻』）

っていったという。

大宮と違って若宮には巫女が付属しており、神楽《かぐら》を行ない、神のメッセージである神託を伝えていたのである。石清水八幡宮《いわしみずはちまんぐう》では、若宮が本殿の裏手にあるが、『一遍聖絵《いっぺんひじりえ》』を見ると、そこにも巫女の姿が描かれている。巫女たちは神との交信に今様《いまよう》をしばしば用いており、『春日権現験記絵巻』巻一三には、若宮に参詣した童《わらわ》に神が巫女を通じて今様をうたうように求めた話が載っている。

今様といえば、忘れてならないのが遊女である。『新猿楽記《しんさるがくき》』は「歌の声は和雅《わげ》にして、頻鳥《びんちょう》の鳴《さえず》るがごとし」という巫女とともに、「声は頻伽《びんが》のごとく、貌《かお》は天女のごとし」という「遊女《うかれめ》・夜発《やほっ》の長者、江口《えぐち》・河尻《かわじり》の好色」などの遊女の存在を記している。摂津《せっつ》の淀川《よどがわ》の河口の江口（大阪市）や神崎川《かんざきがわ》の河尻（大阪市）にはこの遊女たちが住み着いて、往来する客をもてなしていた。

大江匡房《おおえのまさふさ》の著わした『遊女記《ゆうじょき》』は、藤原道長《ふじわらのみちなが》が「小《こ》観音《かんのん》」という江口の遊女を愛したことを記し、歴史物語の『栄花物語《えいがものがたり》』は、長元《ちょうげん》四年（一〇三一）九月に道長の娘上東門院《じょうとうもんいん》が住吉《すみよし》社に詣《もう》でたときに、江口の遊女たちがやってきて、今様をうたったと記している。

8

●旅する女性
石山寺に向かう菅原孝標女の一行を描く。馬に乗った女性は侍女で、菅原孝標女は車に乗っている。（『石山寺縁起《いしやまでらえんぎ》絵巻《えまき》』）

衆生《しゅじょう》の熱い望みが込められた今様をうたう巫女や遊女の存在がはっきりと見えてきたこの時代は、よく知られるように『源氏物語《げんじものがたり》』や『枕草子《まくらのそうし》』に代表される女流文学全盛の時代でもあった。その作品のひとつである『更級日記《さらしなにっき》』には、作者の菅原孝標女《すがわらのたかすえのむすめ》が上総《かずさ》から上洛《じょうらく》する途中の足柄山《あしがらやま》（静岡県小山町《おやま》）で遊女三人に会って、その歌を聞いたことが記されている。遊女の活動は列島の各地に広がっており、巫女にも、歩き巫女のように各地を旅する巫女が多くいた。

菅原孝標女のような京の女性たちも各地へさかんに旅をしていた。ひとつには、父や夫が国司《こくし》になって赴任した国への旅である。菅原孝標女は上総に、『源氏物語』の作者紫式部《むらさきしきぶ》は越前《えちぜん》に、歌人の赤染衛門《あかぞめえもん》は尾張《おわり》に赴いていた。大和の長谷寺《はせでら》（奈良県桜井市《さくらい》）や近江《おうみ》の石山寺《いしやまでら》（大津市）など、畿内周辺の観音《かんのん》霊場に詣でる女性たちも多かった。また『源氏物語』には、筑紫《つくし》に下って肥後《ひご》の大夫監《たゆうのげん》からしつこく求婚された玉鬘《たまかずら》という女性が造形されている。

この歩く女性たちの活動にみられるように、女性の動きがさまざまな面で活発になったのが一一世紀である。それは男たちが担ってきた制度や慣習に揺れが生じ、女たちがそのもつ力を発揮する場を得るようになったからである。歌の時代は女の時代でもあった。

京に集まる諸国の物産

紫式部《むらさきしきぶ》や赤染衛門《あかぞめえもん》など女流文学を育てた要因は、ひとつに、その父や夫が学者や諸国の受領《ずりょう》（国司の長官）であったという学問的・経済的環境に求められる。たとえば赤染衛門の父は赤染時用《ときもち》で、夫は藤原道長《ふじわらのみちなが》のためにしばしば願文《がんもん》を記すなどした大江匡衡《おおえのまさひら》であって、衛門が尾張《おわり》に赴いたのは、夫が尾張守《おわりのかみ》となって赴任したときのことである。つぎにあげるのは、その衛門の知人が安芸守《あきのかみ》になったのを知って送った和歌である。

さも言ひつべき人の安芸守になりしに、使ふべき用ありて、榑《くれ》をこひたりしに、ただ少しの下文《くだしぶみ》をしたりしかば、書き付けて返しし、

なかなかに　わが名ぞ惜しき　杣川《そまがわ》の　少なき榑の　くだし文かな　(『赤染衛門集』四七九番)

安芸榑を用立ててほしい、と依頼したところ、安芸守から届いた下文にはわずかばかりの量しか記されていなかったので、この歌を詠《よ》んで送ったという。安芸榑とは、安芸国で産出される材木の規格製品のことで、杣川とは、材木を伐《き》り出した山から流れてくる川、下文とは受領《ずりよう》が振り出した小切手や切符のことで、受領の荷を管理する納所《なつしよ》にそれを持参して見せると、現物を得る仕組みとなっていた。

ここからは諸国の富を握っていた受領のあり方がよくうかがえる。赤染衛門の夫も尾張守に任じられた折には、知人たちから尾張の土産品である米を期待されたことであろう。『新猿楽記《しんさるがくき》』は、こうした諸国の特産物を扱う受領の郎等《ろうどう》の動きを描いている。それは「五畿七道《ごきしちどう》にいたらざる所なく、六十余国に見ざる所なし」と、全国をあまねく渡り歩き、そのために「諸国の土産を集めて、貯《たくわ》へ

はなはだ豊かなり」と称されるような裕福な存在であったという。
受領やその郎等などを媒介にして諸国の富は京にもたらされたのであるが、その交易していた土産の「贄菓子《にえくだもの》」は、つぎのような物産であった。

衣料　阿波《あわ》絹・越前《えちぜん》綿・美濃《みの》八丈・常陸《ひたち》綾《あや》・紀伊《き》縑《いかとり》・甲斐《か》斑布《いまだらぬの》・石見《いわみ》紬《つむぎ》

工芸品　但馬《たじま》紙・淡路《あわじ》墨《すみ》・和泉《いず》櫛《みくし》・播磨《はりま》針・備中《びっちゅう》刀《かたな》・伊予《いよ》手筥《てはこ》・出《いず》雲《も》筵《むしろ》・讃岐《さぬ》円座《きわろうだ》

金属製品　上総《かずさ》鞍鞦《くらしりがい》・武蔵《むさし》鐙《あぶみ》・能登《のと》釜・河内《かわち》堝《なべ》

原材料　安芸榑・備後《びんご》鉄《かね》・長門《ながと》牛・陸奥《むつ》駒《こま》

食料　信濃《しなの》梨子《なし》・丹波《たんば》栗《くり》・尾張粔《こめ》・近江《おうみ》鮒《ふな》・若狭《わかさ》椎子《しい》・越後《えちご》鮭・備前《びぜん》海糠《あみ》・周防《すおう》鯖《さば》・伊勢《いせ》鯯《このしろ》・隠岐《おき》蚫《あわび》・山城《やましろ》茄子《なすび》・大和《やまと》苽《うり》・丹後《たんご》和布《め》・飛驒《ひだ》餅《もちい》・鎮西《ちんぜい》米

これらの産物は、一四世紀の南北朝《なんぼくちょう》期に著わされた往来物（往復書簡集）の『庭訓往来《ていきんおうらい》』にも多く見えるもので、のちのちにまで継承される特産物であったことがわかる。

9

◉京都に向かう馬借
逢坂関《おうさかのせき》にたどり着いた馬借の一行。馬の背に積んでいるのは米荷である。逢坂関は東国《とうごく》と畿内の境界だった。（『石山寺縁起絵巻』）

一〇世紀後半から一一世紀にかけてのこの時代の政治は、藤原道長や頼通《よりみち》などの摂関《せっかん》（摂政《せっしょう》・関白《かんぱく》）が天皇の政治を支える摂関政治であるが、この体制では、中国のような皇帝に権力が集中する政治体制とは異なり、官僚貴族が諸国の国司《こくし》に任命され、受領としてその国の経済を請け負う国司《こくし》請負制《うけおいせい》がとられていたので、諸国からのあまたの物産は受領のいる京をめざした。東国《とうごく》の物産は近江国に集まり、西国《さいごく》の物産は摂津《せっつ》国に集まって、そこから交通業者である「馬借《ばしゃく》・車借《しゃしゃく》」によって京へと運ばれた。

そうした交通路を活動の場としていたのが、『新猿楽記』に描かれている「商人《あきうど》の主領《しゅりょう》」である。彼の取り引きしていた「唐物《からもの》」は沈《じん》・麝香《じゃこう》といった香料をはじめとして五四種類、「本朝の物」は金・銀・阿久夜《あこや》ノ玉《たま》（真珠）など二四種類を数え、妻子をも顧みず、商売に明け暮れ、旅の途中で命を失う危険と隣り合わせの生活だったという。

その活動の場は「東は俘囚《ふしゅう》の地にいたり、西は貴界《きかい》が島に渡る」というものであった。俘囚の地とは蝦夷《えぞ》との境界の地にある現在の東北地方、貴界が島とは九州の薩摩《さつま》国の南西の島々である。その範囲が当時の日本の国土として意識されていたのである。ここに古代国家の支配の領域とは違った、日本列島を活動の場とする人々にとっての国土が生まれていたことがわかる。なお、こののちに国土はやや拡大していったが、鎌倉時代になっても、東北地方では津軽《つがる》の外ヶ浜《そとがはま》（青森県陸奥《むつ》湾岸一帯）まで、西南では奄美《あまみ》諸島までであった。

国内の名士たち

諸国の経営が受領《ずりよう》による請負《うけおい》体制に基づいて行なわれてゆくなかで、都に基盤をもっていた受領が鄙《ひな》の地の支配で依拠するようになったのが、武者である。

上馬《じようめ》の多かる御館《みたち》かな　武者《むさ》の館《たち》とぞ覚えたる
呪師《じゆし》の小呪師《こずし》の肩踊り　巫《きね》は博多《はかた》の男巫《おとこみこ》

（『梁塵秘抄《りようじんひしよう》』三五二番）

（立派な馬のたくさんいるお屋敷だな。これは武士の屋敷と思われる。呪師や小呪師が肩踊りを演じて、神楽舞《かぐらまい》の巫は、博多の男巫だよ）

武者の館を訪れて芸能を披露する呪師や男巫をうたった今様《いまよう》で、呪師は軽業《かるわざ》を、男巫は神占《しんせん》を業とした芸能者であって、ここで男巫がとくにあがっているのは、めずらしい存在だったからであろう。彼らの訪れたのは武者の館とあるが、『新猿楽記《しんさるがくき》』では、武者が中君《なかのきみ》の夫として造形されていて、彼は合戦や夜討《ようち》、笠懸《かさがけ》、流鏑馬《やぶさめ》などの武芸の達者であったという。

京都の高山寺《こうざんじ》に伝わる『高山寺本古往来《こうざんじぼんこおうらい》』と称される一一世紀成立の往復書簡集は、国司《こくし》周辺の書状の文例を載せており、そこに松影《まつかげ》という武者からの書状が見える。官米を京に運上する押領使《おうりようし》を国司から命じられた松影は、「武者の子孫ではあっても、その業《なりわい》を継いでいない」と断わっている。すると国司は、武者が代々の運米の押領使として公事《くじ》をつとめてきたことは広く知られていることであると述べ、松影につとめるように命じている。また鹿岡《かのおか》という武者の書状は、自分は国内で射手《いて》としての誉れがあり、今度の国司主催の狩りにはぜひ召してほしい、と訴えている。

このように、武者は国内にあっては国司の館や国庁《こくちょう》の警固をし、国司の命令で国内の警察や軍事にあたるとともに、官物《かんもつ》を京に運上する護衛もしていた。彼らの多くは『今昔物語集《こんじゃくものがたりしゅう》』や『将門記《しょうもんき》』にその活躍が記されている、九世紀の東国《とうごく》などで活躍していた「兵《つわもの》」の子孫であった。

こうして武者が受領の軍事的基盤であったのに対し、その経済的基盤となっていたのが、『新猿楽記』に三君《さんのきみ》の夫・出羽権介田中豊益《でわのごんのすけたなかのとよます》として造形された大名田堵《だいみょうたと》、つまり規模の大きな農業経営者である。彼は天気や地形などの自然条件を熟知し、農具・耕地を整え、農業労働者（「田夫農人《でんぷのうじん》」）を育成して農業の上手《じょうず》を育て、田の稲、畠の麦などに始まってさまざまな作物を収穫し、租税を滞りなく納める、有能な農業経営者であったとされる。

『今昔物語集』巻二八の三一に登場する、山城《やましろ》・大和《やまと》・伊賀《いが》三か国に田をつくって「器量の徳人《とくにん》」と称された藤原清廉《ふじわらのきよかど》が、まさにこの大名田堵である。清廉が官物を国司に納めなかったので、大和の国司は一計を案じて清廉を一室に閉じ込め、清廉の大嫌いな猫を放って責めたてた結果、ついに官物を納めさせたという話である。清廉は大蔵丞《おおくらのじょう》から従五位下《じゅごいげ》になって「大蔵大夫《おおくらのたいふ》」と称され、その権威を借りて官物を納めなかったのだが、じつは官物をいかに納めずに経営を行なうかという税金対策こそが、大名田堵にとっては重要であったことをこの話は伝えてくれる。

これに対して受領は、国内で農業振興を促す「勧農」によって、いかに田堵に耕作をさせてそこから官物を納めさせようかと腐心していた。裕福な大名田堵たちが、荒れ地を嫌ったり、官物を納めなかったりして抵抗したから、なんとかして大名田堵から官物などを納めさせようと意を注ぎ、また小名《しょうみょう》の田堵や浮浪《ふろう》には田を割り当てて耕地を開かせるなどして収入の確保を図ったのである。

このように諸国では、武者と大名田堵とが国内の「名士」として国土の担い手となり、新たな社会をリードしていった。

開発領主の風貌

天慶《てんぎょう》八年（九四五）に鎮西《ちんぜい》から上洛《じょうらく》してきた「しだら神」（志多楽神）を奉じる群衆は、つぎの「童謡《わざうた》」をうたっていた。

月は笠着る　八幡は種蒔《ま》く　いざ我等は　荒田《あらた》開かむ
しだら打てと　神は宣《のた》まふ　打つ我等が　命千歳《せんざい》志多良米
（『本朝世紀《ほんちょうせいき》』）

八幡の神が荒田を開き、富と千歳の命をもたらすとうたっている。一〇世紀から広がるこのような開墾の動きとともに、大名田堵《だいみょうたと》は登場してきたのであった。

藤原清廉《ふじわらのきよかど》の場合、猫を恐れて官物を納めさせられ、ついには伊賀国《いがのくに》の東大寺《とうだいじ》の荘園《しょうえん》に逃げ込んでしまったが、その清廉の子が、石母田正《いしもだしょう》の名著『中世的世界の形成』に詳しく描かれた藤原実遠《さねとお》である。実遠は伊賀国の諸郡に所領を有しており、郡ごとに「田屋《たや》」をつくり、「佃《つくだ》」を耕作させ、「国内の人民」をその従者として服仕させていた。「当国の猛者《もさ》」と称されたように、各地の田屋に人民を駆使してその経営にあたった、大名田堵の典型である。

天喜《てんぎ》四年（一〇五六）二月にその実遠は甥《おい》に土地を譲る譲状《ゆずりじょう》を作成しているが、そこには伊賀郡（三重県伊賀市周辺）の猪田《いだ》郷、阿我《あが》郷比奈《ひな》村といった郷単位や村単位、さらに条理の坪単位の土地が合わせて二八か所以上も載っている。実遠を、石母田は「私営田領主」と規定して、その繁栄と没落とを描いたが、実遠は開発《かいほつ》領主となることで新たな方向をめざしていた。土地を開発すれば、その土地の領主として認定され、田を開いてから三年の間は地利が国司《こくし》から免除される。ただそのあとには租税を納めなければならないので、地利免除の権利を長年にわたって確保するべく、土地を権門《けんもん》（権勢のある貴族や寺社）に寄進したり、その庇護《ひご》下に入ったりして、保護を得ようとした。このように開発を推進した存在を開発領主と呼ぶ。

ひとくちに開発領主といっても、その中身はさまざまであった。第一には、朝廷の官職や国衙《こくが》の職を帯び、その権威を利用して土地を開いて

10

◉長者の家に集まる富
縁側に座っている長者の家司《けいし》が、つぎつぎと届けられる、山の幸や海の幸など貢物の目録を手にしている。（『粉河寺縁起絵巻』）

権利を確保する存在である。藤原清廉や実遠などの下級官人《かんじん》、また国の官衙《かんが》である国庁《こくちょう》につとめる在庁官人などであった。その姿は『粉河寺縁起絵巻《こかわでらえんぎえまき》』に描かれている河内《かわち》国の讃良《さらら》郡（大阪府寝屋川《ねやがわ》市周辺）の長者にうかがえる。

この長者の館は、門が警固の侍によって固められており、山野河海《さんやかかい》の産物がつぎつぎと運ばれてきて、館の中の米倉には米が積まれ、蔵には財宝が満ちている。話は、不治の病に冒されていた長者の娘を救った童形《どうぎょう》の行者が、じつは粉河の千手観音《せんじゅかんのん》の化身であって、それを訪ねていった一家が出家を遂げるという、粉河寺（和歌山県紀《き》の川《かわ》市）の縁起にまつわるもの。長者の住む讃良郷は、河《かわ》内《ち》江《え》と称される湖沼が周囲に広がっており、長者は内蔵寮《くらりょう》が管轄する大江御厨《おおえのみくりや》（東大阪市）の開発領主という設定と考えられる。朝廷に産物を貢納する供御人《くごにん》となって、土地を開発して富を築いてきたのであろう。

第二には、山野河海に挑んで土地を開いてゆくために未開の神と戦う宗教的力を所持し、また文書を扱って土地を経営する技能を有した僧侶である。『今昔物語集《こんじゃくものがたりしゅう》』巻二六の八には、深山で道に迷って入った豊かな家に寄宿するうちに、そこの娘と夫婦になった僧の話がある。神の生贄《いけにえ》とされるために夫婦にされたのを知った僧は、その神とみられていた猿をこらしめ、ついに「郷《さと》の長者」として崇《あが》められるようになり、郷の人々を進退《しんたい》して仕えさせたという。豊後《ぶんご》の国東《くにさき》半島の六郷満山《ろくごうまんざん》では、修行の僧が岩屋にこもって「大魔所《ましょ》」「荒山《あらやま》」と呼ばれる未開の山間地を切り開いて山野を開発していったことが明らかにされている。

第三には、武威に頼って開発を進めた武者である。開発領主というと、すぐにこの武者に限定して考えがちであるが、それは鎌倉幕府の裁判の手続きなどを解説した『沙汰未練書《さたみれんしょ》』に、「御家人《ごけにん》とは開発領主として幕府の下文《くだしぶみ》を得たもの」という規定があり、開発領主はすなわち武士であると考えられてきたからである。しかしこの規定は、開発領主となり、幕府から下文によって安堵《あんど》（土地所有権を認めること）された武者が御家人であると理解すべきものであり、開発領主がすべて武者ではなかったのである。

『粉河寺縁起絵巻』に登場する河内国讃良郡の長者は、侍を雇って警固を行なわせていたのであって、その風貌《ふうぼう》は武士ではない。しかし彼らの子孫はやがて武士となっていったのであろう。たとえば河内の大江御厨の源季忠《みなもとのすえただ》は、天養《てんよう》年間（一一四五年頃）に「開発」した水走《みずはや》（東大阪市）の土地を国司から認められたが、源平の合戦で源義経《よしつね》が進駐してくると、季忠の子康忠《やすただ》が、義経に兵士役をつとめるので本宅を安堵してくれるよう訴え、その訴えを受けた義経から「開発の相伝や当時沙汰の次第など、申す所は尤《もっと》もな根拠があるので、早く本宅を安堵し、御家人兵士役をつとめるように」と命じられている（『平安遺文《へいあんいぶん》』）。

こうした開発領主の活動とともに荘園《しょうえん》や私領が列島の各地に生まれてきたことから、荘園整理令が国司の要望によって出されていった。そのうちでももっとも大きな影響があったのが、後三条《ごさんじょう》天皇が延久《えんきゅう》元年（一〇六九）に発した延久の荘園整理令である。開発田や再開発田を、それまでは国司が荘園として認定してきていたのを改め、中央で強力に整理することをおもな目的として発された。

荘園は朝廷や国衙から官物《かんもつ》・公事《くじ》や雑役《ぞうやく》の免除を認められた土地のことで、その他は公領（国衙領）として国衙が直接に管轄していたのであるが、その荘園を中央の記録所において審査し直し、改めて太政官符《だいじょうかんぷ》により認定し、または停止したのである。

この延久の荘園整理令を契機に、諸国では朝廷の命令（宣旨《せんじ》）で国内の田地から一律に徴収する一国平均役《こくへいきんやく》を課す体制が敷かれ、その課役賦課《かやくふか》のための帳簿である大田文《おおたぶみ》が作成された。そして郡や郷・名《みょう》・保《ほう》・院《いん》・牧《まき》などが並列的な別名《べつみょう》のかたちで、官物や公事・雑役を徴収する体制が整えられた。これらの別名は、官物や公事などの徴収の地域単位であり、そのまま領有の単位ではなかったのだが、開発領主の所領がこの別名に組み込まれてゆき、やがて受領《ずりょう》の交替を契機にして国から荘園として認められたり、また権門に寄進されて荘園化の道を歩んだりしてゆくことになった。

このような体制、すなわち荘園的土地所有と国衙的土地所有の複合とその下に私的領有を内包する重層的土地所有の体制を荘園公領制と称している。そしてこの体制がしだいに整うにつれて、しだいに受領は地方に下ってゆかなくなる。都にいて労せずして官物などが手に入るシステムがつくられていったのであり、それとともに地方での実権はほかに移っていった。

中世文化と信仰の枠組み

唐風と和風

『枕草子《まくらのそうし》』や『源氏物語《げんじものがたり》』を生んだ摂関《せっかん》時代の文化は、これまでしばしば大陸文化の影響を脱した「国風文化」としてとらえられてきた。和歌や仮名文字、寝殿《しんでん》造りの建築などにみられる文化を総称したものであるが、しかしそれはつぎの今様《いまよう》のように、大陸文化との決別を意味するどころか、深いかかわりをもっていた。

狂言綺語《きぎょ》の誤ちは　仏を讃《ほ》むるを種として　麤《あら》き言葉もいかなるも
第一義《だいいちぎ》とかにぞ帰るなる
（『梁塵秘抄《りょうじんひしょう》』二二二番）

（道理に合わぬ言葉や巧みに飾った言葉は誤ちではあるが、それでも仏法を賛嘆する機縁となる。荒々しい言葉やどんな言葉でも、完全な真理に帰一するということだ）

唐《とう》の詩人白居易《はくきょい》の『白氏文集《はくしもんじゅう》』の「香山寺白氏洛中集記《こうざんじはくしらくちゅうしゅうのき》」に見える、「願はくは今生《こんじょう》世俗文字《もんじ》の業狂言綺語の誤りを以て翻《ひるがえ》して当来世《とうらいせ》世讃仏乗《せさんぶつじょう》の因転法輪の縁と為さん」という句を朗詠《ろうえい》に詠んだのを、さらに今様にうたったものである。

ここにうかがえるような、文芸を「狂言綺語」と見なす考え、つまり文芸は真言《しんごん》（仏道）に背く営みであるという観念は、中世文芸に連綿として受け継がれて大きな影響を与えてゆくことからも、大陸文化の影響がこの時代にいかに濃かったのかがわかる。『枕草子』にしても、『源氏物語』にしても、大陸文化の教養のうえに築かれていたのである。たとえば『枕草子』にはつぎのような話がある。

「雪がすこぶる降ったある日、中宮定子《ちゅうぐうていし》に仕えていた女房たちが、いつもとは違って格子を下ろして炭櫃《すびつ》に火を起こし、集まって物語などをしていた。そのとき、定子から『少納言《しょうなごん》よ、香《こう》炉《ろ》峰《ほう》の雪はいかならん』という仰せがあったので、清少納言はすぐに格子を上げさせ、御簾《みす》を高く上げたところ、それを見た中宮がほほえんだ」という。

白居易の『白氏文集』に見える、「遺愛寺《いあいじ》の鐘は枕を攲《そばだ》てて聴く、香鑪峯の雪は簾《すだれ》を撥《かか》げて看《み》る」という詩をふまえたやりとりであった。『梁塵秘抄』に載る今様のなかには、藤原公任《ふじわらのきんとう》が大陸の漢詩文を朗詠のために翻案してつくった『和漢朗詠集《わかんろうえいしゅう》』の詩句からとられたものが、数多くある。

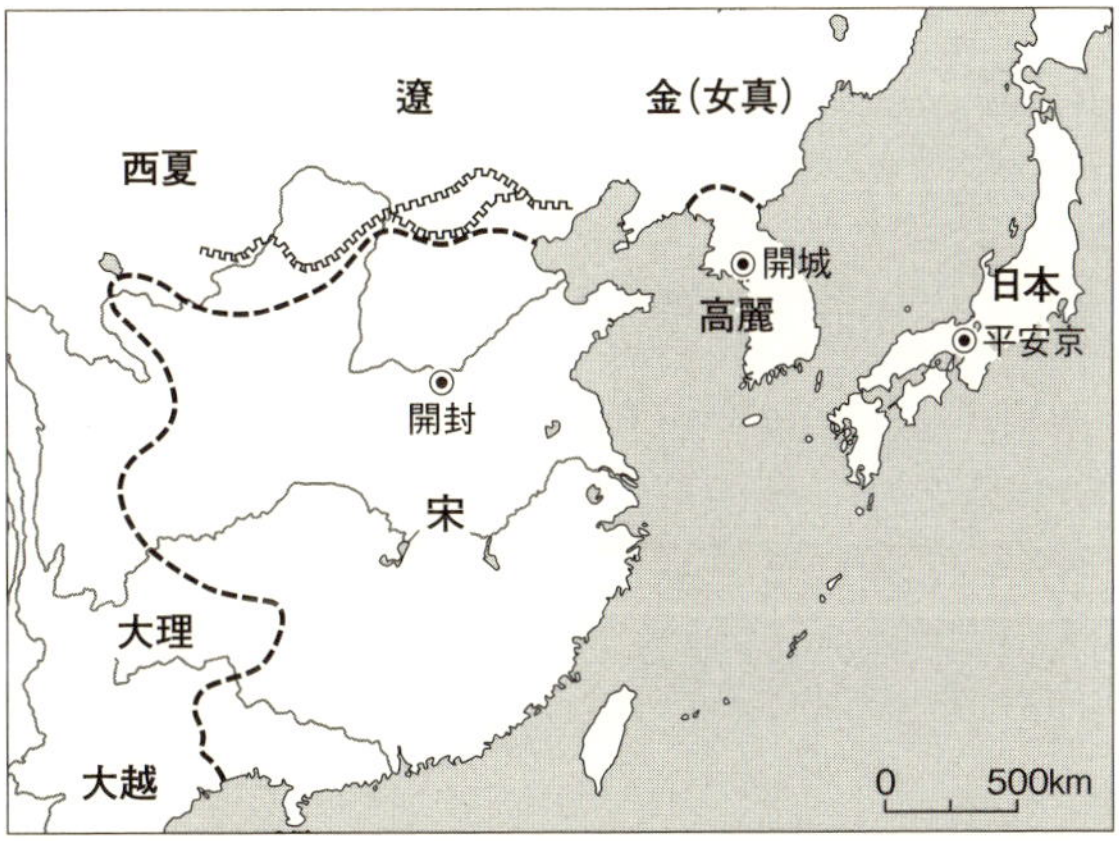

◉宋建国（九六〇年）後の東アジア
唐の影響の強い地域ほど、唐の滅亡（九〇六年）による混乱は大きかったが、それが新たな政治体制や文化を生み出す原動力ともなった。

大陸では唐王朝が滅んだのち、五代の諸国が生まれては衰退を繰り返した末、九六〇年に宋《そう》王朝が建てられたが、それとともにその周縁地域では新たな国家や王朝が続々と建設されていった。朝鮮半島では高麗《こうらい》が、中国の北辺では西夏《せいか》・遼《りょう》・金《きん》などの諸国が建国され、中国の南部でも、ベトナムに大越《だいえつ》、雲南《うんなん》に大理《だいり》が建国されている。これらの国々でとくに注目されるのは、西夏・遼・金の三国がそれぞれに西夏文字・契丹《きったん》文字・女《じょ》真《しん》文字などの独自の文字を使っていたことで、それぞれの国に応じて「国風」文化への取り組みのあったことがうかがえる。

日本の文化の「国風化」の傾向も、中国の周辺諸国と同じような動きとともにあった。それは圧倒的な中国文明の直接の影響から抜け出し、独自につくりあげてきた文化という側面を有していた。日本列島では新たな王朝の形成こそなかったものの、それに対応した動きが「国風化」としてあり、それは周縁の地におけるミクロコスモスの形成をなすものであった。中国風のものを「唐風《からふう》」「唐様《からよう》」と見なし、それに対する「倭風《わふう》」「和風」「和様《わよう》」を対置させて文化を解釈し、演出する試みがなされたのは、その動きにほかならない。漢字に対して、倭字《わじ》の仮名が生まれ、漢詩には和歌が対応して成長していた。また美術の世界では唐絵《からえ》に対して倭絵《やまとえ》が生まれている。

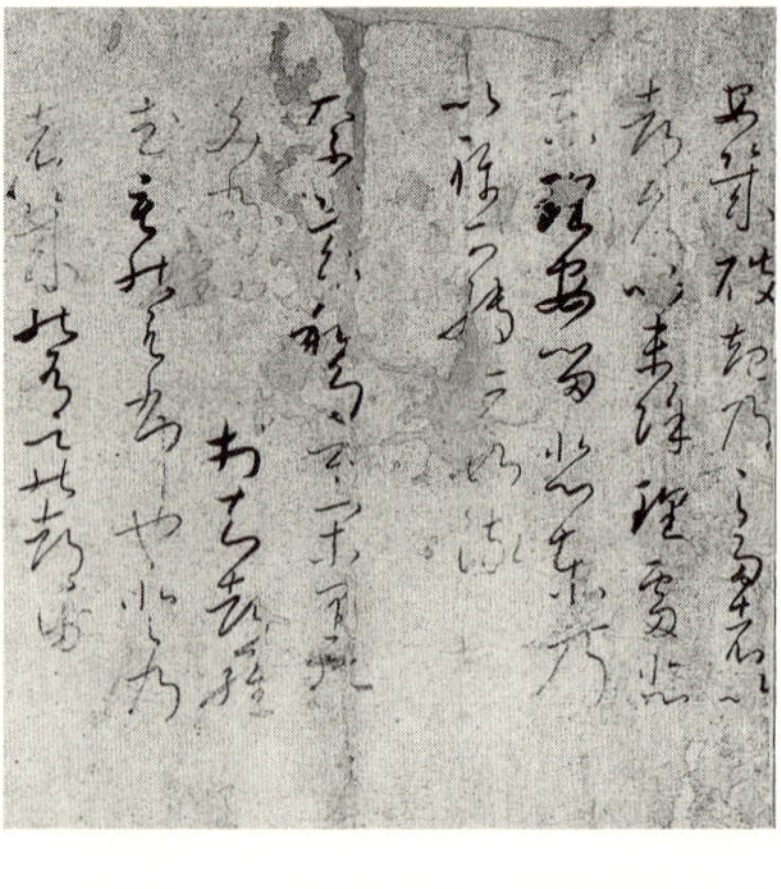

11

◉漢字から仮名へ
草仮名《そうがな》（漢字と仮名の中間の草書体の仮名）で記された『秋萩帖《あきはぎじょう》』。書き出しは漢字で、そのあとの歌を草仮名で記している。一〇世紀の作品で、三蹟《さんせき》のひとり小野道風《おののみちかぜ》の作と伝わる。

しかし「唐風」「唐様」とあるように、唐（中国）そのものではなく、唐のごときもの、唐に似せたもの、唐のものと理解された観念であって、イメージのなかでの唐にほかならない。日本列島がもう少し中国の近くに位置していたならば、同化と反発という相克も大きかったであろうが、海を越えて離れていたぶん、距離を置いていたため、唐のモノを受容するなかでそれを変容させることとなった。これが唐風であり、その唐風に対置させて、和風の意識が形成されていったのである。したがって和風といっても、その淵源《えんげん》を探ると大陸に発するものが思いのほか多い。

この摂関時代に形成された自然観や人間観・文化的価値観はその後の中世の文化や思想を強く律することになった。そのことをよく物語るのが清少納言の『枕草子』の冒頭の、自然の動きを鮮やかに切り取って描写したつぎの文章である。

春はあけぼの。やうやうしろくなりゆく山ぎは、すこしあかりて、紫だちたる雲のほそくたなびきたる。
夏は夜。月のころはさらなり、闇《やみ》もなほ、蛍のおほく飛びちがひたる。また、ただ一つ二つなど、ほのかにうち光りて行くもをかし。雨など降るもをかし。

この文章は最後の跋《ばつ》に記されているように、「徒然《つれづれ》なる里居《さとい》」から見える風景を描写したものである。鎌倉時代末期の遁世《とんせい》者である兼好法師《けんこうほうし》は、この『枕草子』に倣って『徒然草《つれづれぐさ》』を執筆しており、そこでもっとも重視していた古典は『源氏物語』である。鎌倉前期の歌人藤原定家《ふじわらのさだいえ》も『源氏物語』の研究から古典の学習を始めている。

神仏習合の思想

天竺《てんじく》・唐《から》から渡来した仏教をわが国が受容するにあたり、在来の神の信仰と結びついて生まれたのが神仏習合《しんぶつしゅうごう》思想である。仏はその威光を和らげて世俗に交わり、教えを広めるために、神の姿をとって現われたとする「和光同塵《わこうどうじん》」の主張や、神に詣《もう》でることはその本地《ほんじ》の仏に詣でるのと同じであると説く本地垂迹説《ほんじすいじゃくせつ》がとなえられ、神仏習合の考えが浸透していった。

八幡《やはた》へ参らんと思へども　賀茂川桂川《かもがわかつらがわ》いと速し　あな速しな
淀《よど》の渡りに舟浮《う》けて　迎へたまへ大菩薩《ぼさつ》（『梁塵秘抄《りょうじんひしょう》』二六一番）

京から石清水八幡宮《いわしみずはちまんぐう》に参詣《さんけい》するためには賀茂川か桂川かのどちらかを渡らねばならないが、きょうは川の流れが速くてどうにも渡れない、それならばいっそ八幡大菩薩にお迎えにきていただきたい、とうたう今様《いまよう》

12

である。神に迎えにきてくれとは、図々《ずうずう》しいようにも思うであろうが、八幡大菩薩は阿弥陀仏《あみだぶつ》と見なされており、その八幡大菩薩（阿弥陀仏）に彼岸へと渡してほしい、という救いの意味を込めて詠んだのである。

八幡信仰の始まりは、豊前《ぶぜん》の宇佐宮《うさのみや》（大分県宇佐市）に生まれた八幡信仰にあった。宇佐では早くから外来の信仰を積極的に受け入れてゆく傾向が強く、神からの託宣と神の勧請《かんじょう》とを通じてその八幡信仰は各地に広がっていった。養老《ようろう》四年（七二〇）の大隅《おおすみ》・日向《ひゅうが》の隼人《はやと》の反乱が八幡神に祈請《きせい》して平定されたことから、供養のために生き物を野や池に放つ放生会《ほうじょうえ》の祭礼が始められるようになり、神亀《じんき》二年（七二五）には神宮寺《じんぐうじ》として弥勒寺《みろくじ》が建立され、仏教を本格的に受け入れていった。

天平《てんぴょう》一三年（七四一）に聖武《しょうむ》天皇が「八幡神宮」と称して三重塔を寄進し、宇佐宮の宮寺《ぐうじ》八幡宮という位置づけが確定すると、同二〇年には国家鎮護の東大寺《とうだいじ》の鎮守《ちんじゅ》のために八幡神が勧請され、東大寺鎮守八幡が祀《まつ》られた。さらに天応《てんのう》元年（七八一）の桓武《かんむ》天皇即位に際しては大菩薩の尊号が奉られ、やがて平安京《へいあんきょう》の鎮守神として八幡大菩薩が勧請されてゆく。まず京の西北に位置する高雄《たかお》の神護寺《じんごじ》であるが、神護寺の呼称の「神」とは八幡神のことであった。続いて京の西南の男山《おとこやま》にあった石清水寺に迎えられて成立したのが石清水八幡宮である。

八幡神のこうした動きとともに、神仏習合の考えは広がっていった。藤原《ふじわら》氏の氏《うじ》の社である春日《かすが》社《しゃ》にも神仏習合の信仰の波が入っていった。そのさまは『春日権現験記絵巻《かすがごんげんけんきえまき》』の最初の話が伝えて

◉八幡神の勧請
天文《てんぶん》四年（一五三五）制作の『八《はち》幡縁起絵巻《まんえんぎえまき》』に描かれた、東大寺への宇佐八幡神《うさはちまんじん》の勧請の場面。図は、東大寺の鎮守八幡社に神輿《みこし》三基が迎えられたところ。

いる。承平《じようへい》七年（九三七）二月二五日、春日社の神殿が鳴動して風が吹いたそのとき、中門《ちゆうもん》に参籠《さんろう》していた橘氏女《たちばなのうじのによ》に託宣が下り、氏女は神殿守や預《あずかり》、僧らを集めてその託宣を述べた。自分は菩薩なのに朝廷から菩薩号が与えられないのはおかしいと語り、「慈悲万行菩薩《じひまんぎようぼさつ》」と名のったあと、太政大臣《だいじよう》や大臣などもろもろの公卿《くぎよう》も、自分が判ずるところであるなどと告げたという。

こうして神仏習合が進むなかで、春日社の大宮の四神や若宮《わかみや》に、それぞれ本地として具体的な仏が考えられるようになっていった。それは時代とともに変化するが、後白河《ごしらかわ》院政の時代の安元《あんげん》元年（一一七五）、蓮華王院《れんげおういん》（三十三間堂《さんじゆうさんげんどう》）の鎮守の惣社《そうじや》（総社）に神々を勧請するにあたって、本地仏の注進を求められた春日社では、一宮が不空羂索観音《ふくうけんじやくかんのん》、二宮が薬師如来《やくしにょらい》、三宮が地蔵菩薩、四宮が十一面観音、若宮が文殊《もんじゆ》菩薩であると報告している（『吉記《きつき》』）。このときには畿内周辺の主要な二五社から神が勧請され、本地がはっきりしていればその仏像の図を、はっきりしない場合は鏡を正体《しようたい》として差し出すことが命じられると、賀茂《かも》・松尾《まつのお》・平野《ひらの》・熱田《あつた》社などは鏡を提出したが、多くは本地の図像を提出したのであった。

浄土への憧れ

神仏習合《しんぶつしゆうごう》とともに、信仰面で忘れてならないのが、阿弥陀仏《あみだぶつ》の本願を信じて極楽浄土への往生を願う信仰である。一〇世紀になって空也《くうや》が阿弥陀信仰と念仏を民間に勧め、源信《げんしん》が寛和《かんな》元年（九八五）に『往生要集《おうじようようしゆう》』を著わして念仏の方法や阿弥陀仏の観察、往生の作法などを説いてからというもの、大きく広がりはじめた。

われらは何して老いぬらん　思へばいとこそあはれなれ
今は西方《さいほう》極楽の　弥陀《みだ》の誓ひを念ずべし
（『梁塵秘抄《りょうじんひしょう》』二三五番）

（自分はいったい何をしてきて老いてしまったのだろうか。思えば、たいそう悲しいことである。今となっては西方極楽浄土の阿弥陀如来の誓願におすがりするのみだ）

老いを迎えて極楽浄土への往生をひたすら願うさまが、よく伝わってこよう。栄華を極めた藤原道長《ふじわらのみちなが》も、寛仁《かんにん》四年（一〇二〇）に京に壮大な法成寺《ほうじょうじ》を建立した際に、丈六《じょうろく》（一丈六尺〔約四・八五メートル〕）の阿弥陀如来《にょらい》像を安置して、浄土を希求し、やがてこの御堂《みどう》である無量寿院《むりょうじゅいん》で栄華の幕を閉じている。

こうした浄土への信仰は、仏の法がすたれる末法《まっぽう》の時代が到来するという末法思想の広がりによって深く浸透していった。釈迦《しゃか》の入滅後、仏教は正法《しょうぼう》・像法《ぞうぼう》からさらに末法へと衰退してゆき、末法の時代に至ると、仏の教えしか残らないというのが末法思想であり、その末法の時代が永承《えいしょう》七年

13

◉平等院鳳凰堂
近年行なわれた平成の整備作業に伴う発掘調査で、鳳凰堂が建つ中島の洲浜《すはま》は、創建時は小さな平石を敷き詰めていたことが判明した。現在はその洲浜が復元されている。

（一〇五二）に到来すると考えられた。

それもあってこの年に、道長の子頼通《よりみち》は、宇治《うじ》にあった父の別荘を寺として平等院《びょうどういん》と称し、現世の極楽浄土をめざして浄土庭園をつくっている。その翌年三月四日に池の中島に建てた堂に丈六の阿弥陀仏を安置したが、これが鳳凰堂《ほうおうどう》の名で知られる阿弥陀堂である。その定朝《じょうちょう》作の仏像の荘厳《しょうごん》は古今無双であったといわれた。その趣意はつぎのとおりである（『扶桑略記《ふそうりゃっき》』）。

平等院は水石幽奇《すいせきゆうき》な池に、ほかとは異なる風流《ふりゅう》を凝らしており、前には「一葦《いちい》の長河」である宇治川《うじがわ》が流れている。それは生類を彼岸に導くような存在であり、そのかなたには二つの嶺《みね》のある朝日山《あさひやま》がそびえるが、これは諸善の積み重ねられた山のようなものである。そこで別業を改めて仏家となし、さまざまな意匠を試みて精舎《しょうじゃ》を構え、阿弥陀如来の像を安置して、極楽世界を移したからには、月輪《がちりん》を礼拝

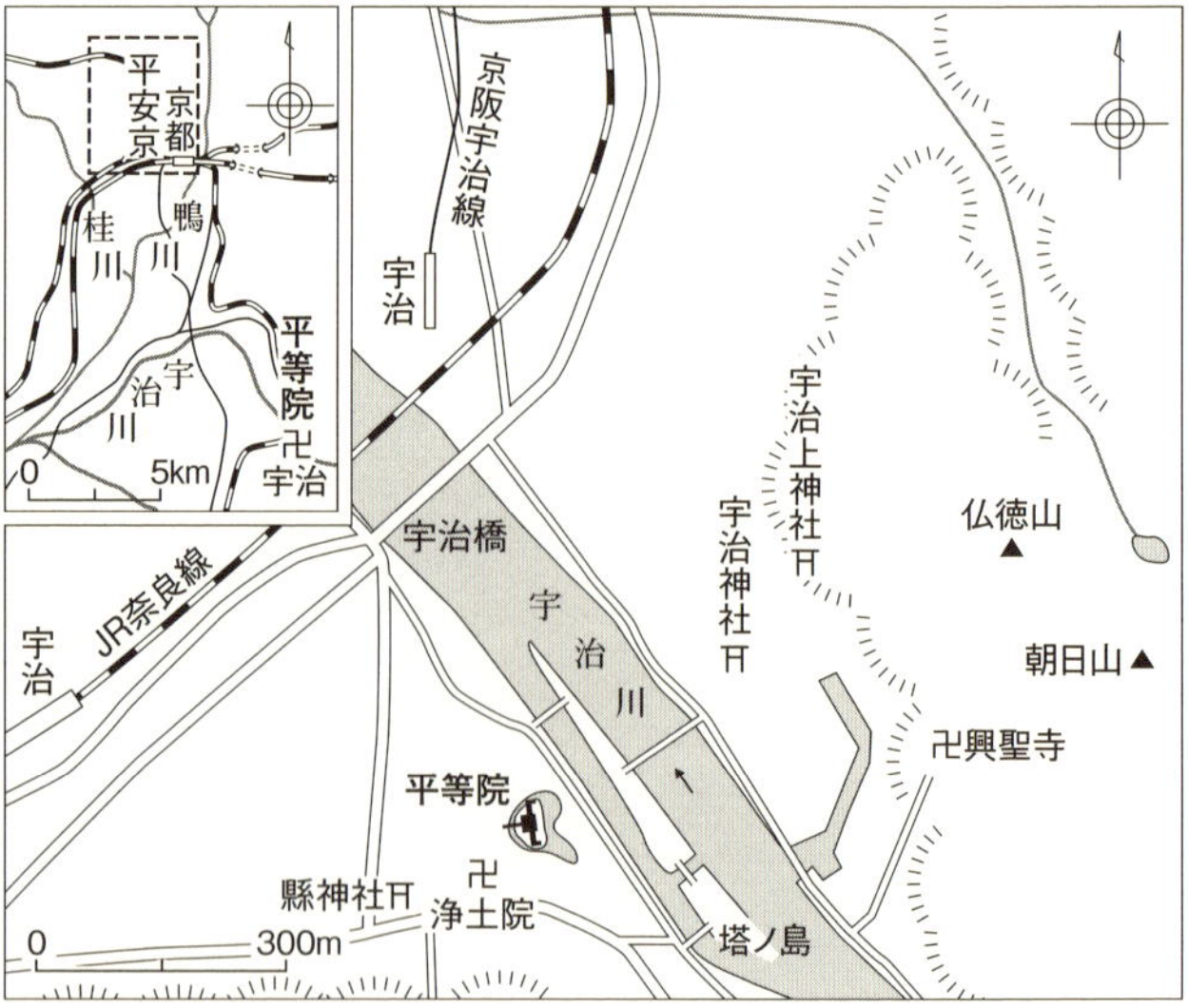

●平等院周辺図
現在の平等院の周辺。鳳凰堂と朝日山は、宇治川を挟んで向かい合う位置にある。平等院には、治暦《じりゃく》三年（一〇六七）の後冷泉《ごれいぜい》天皇をはじめ多くの人々が、浄土を実感すべく訪れている。

して挙手すれば、八〇種の光明がもたらされ、露地に臨んで歩けば、十万億土の刹土《せつど》を詣《もう》でたようなものである。

まさに極楽の世界を移すことが構想されていたのだが、発掘調査によって創建時の姿が明らかにされるなかでも、その点が裏付けられている。堂の前側の池も、後ろ側の池も、現在よりもずっと広くとられていて、その中島に堂が浮かぶような様子であったという。池の前面には、あとになって池を埋め立てて小御所《こごしょ》が建てられ、そこから阿弥陀仏を拝するようになったが、当初、池は大きく広がっていて、堤もなく、そのまま宇治川へと庭園は続いていたのである。

この宇治川が彼岸と此岸《しがん》を結んでいることを実感させてくれたのであろう。その川の向こうには二つの嶺がそびえており、朝日山と称されたように、そこからは朝日が昇り、また夕月も昇った。阿弥陀仏はそれらと対置されていたのである。したがってここを訪れる人々は、庭園をめぐり、夕月が山から昇るのを見て、鳳凰堂にこもり、阿弥陀の救いを求め、やがて朝ともなれば、朝日が昇るのを見て、その救いを実感したに違いない。

しかし、じつはこうした構想は、道長が造営した無量寿院にすでにうかがえる。この御堂は、鴨《かも》川《がわ》の西岸に位置しており、真東には如意嶽《にょいがたけ》がそびえて、そこから朝日が昇り、夕月が昇るのを道長は御堂から見ていたことであろう。無量寿とは阿弥陀仏の別名である。

同じ浄土信仰でも、寛弘《かんこう》四年（一〇〇七）に道長が吉野《よしの》の金峯山《きんぷせん》（奈良県吉野郡）の蔵王権現《ざおうごんげん》に詣でて埋経《まいきょう》を行なったのは、弥勒《みろく》信仰に基づくものであった。弥勒菩薩《ぼさつ》は兜率天《とそつてん》におり、将来は釈迦《しゃか》仏《ぶつ》を継いでこの世に現われるとされたため、その弥勒の世に往生する、または弥勒が出現した理想的な世界に生まれ合わせたい、という信仰であるが、道長の埋経は前者の弥勒の世に住生することを求めてのものであった。

信仰を求める旅

仏教信仰は各地に広まり、定着していった。それぞれの地域の属性にあった信仰が根をおろしていったのである。

淡路《あわじ》はあな尊《とうと》　北には播磨《はりま》の書写《しよしや》をまもらへて　西には文殊師利《もんじゆしり》　南は南海補陀落《なんかいふだらく》の山《せん》に対《むか》ひたり　東は難波《なんば》の天王寺《てんのうじ》に　舎利《しやり》まだおはします
（『梁塵秘抄《りようじんひしよう》』三一五番）

淡路国が四方の霊験所《れいげんしよ》に見守られている国であることを詠んだ歌で、霊験所のうちの北の「播磨の書写」とあるのは、性空《しようくう》が開いた観音霊場《かんのん》として知られる播磨国の書写山円教寺《えんぎようじ》（兵庫県姫路市《ひめじ》）のことである。書写山は聖《ひじり》たちが住む霊験所であり、淡路はそれに見守られている、と歌はまずうたったのである。

つぎの「西には文殊師利」と見える霊地は、とくに場所が指定されていないので、中国の文殊の聖地である五台山《ごだいさん》を指すものと考えられる。『梁塵秘抄』二八〇番には奝然《ちようねん》聖が文殊菩薩《ぼさつ》像を伴って中国から帰国したことをうたった歌が見えている。続く「南の南海補陀落の山」は、インドの南海岸にあるという観音菩薩が住む観音浄土であって、つぎのような今様《いまよう》がみえる。

観音大悲《だいひ》は舟筏《ふねいかだ》　補陀落海にぞ浮かべたる
善根《ぜんごん》求むる人しあらば　乗せて渡さむ極楽へ
（『梁塵秘抄』三七番）

（観世音菩薩は、人々を救う船筏を、補陀落海に浮かべている。善根を求めてやまぬ熱心な人があるならば、乗せて極楽浄土へ渡そうという）

このような観音の浄土である補陀落島への往生を祈る信仰は、やがて四国や紀伊《きい》半島などから補陀落渡海をめざして船出する信仰を生み出していった。

こうして歌は、まず淡路を見守る霊験地として近くの書写山をあげ、つぎに一転してはるかかなたの中国の五台山をあげたあと、さらにもっとはるか遠くの補陀落島をあげている。それを聞く人は、つぎはどこかなと思う。そう思わせておいて、最後に「東は難波の天王寺」をあげて、オチとしている。ここは言うまでもなく摂津《せっつ》難波《なにわ》の聖徳太子《しょうとくたいし》建立の四天王寺《してんのうじ》（大阪市）であり、そこには新羅《しらぎ》から献上された仏舎利《ぶっしゃり》が納められていて、その舎利が淡路国を見守ってくれているというのである。仏舎利信仰がその背景にはあった。

この「淡路は」の歌からは、当時の社会に広がる観音信仰に基づく霊験巡礼の旅、文殊信仰に基づくはるかなる大陸への憧《あこが》れ、観音信仰に基づく浄土への往生、そして釈迦《しやか》への帰依に基づく舎利信仰などがうかがえるが、なかでも観音信仰の広がりは大きかった。

これは、『法華経《ほけきよう》』に説かれている、観音菩薩が三三の姿をとって衆生《しゆじよう》救済のために現われ、救ってくれるという信仰であり、この観音信仰に伴って三三か所の観音霊場への参拝が盛んとなった。京の近くでは清水寺《きよみずでら》や近江《おうみ》の石山寺《いしやまでら》、大和《やまと》の長谷寺《はせでら》には都から女房たちが参籠《さんろう》のためによく訪れ、播磨の書写山に訪れる人も多かったのである。那智《なち》の青岸渡寺《せいがんとじ》（和歌山県那智勝浦町）に始まる西国三三か所の観音霊場を参詣《さんけい》する巡礼も、このころに始まっている。

巡礼といえば、四国の霊場めぐり（お遍路）は今も盛んであるが、これもこのころから始まっている。『今昔物語集《こんじやくものがたりしゆう》』巻三一の一四に、「今は昔、仏の道を行《おこな》ける僧三人伴なひて、四国の辺地《へち》と云《いう》は伊予《いよ》、讃岐《さぬき》、阿波《あわ》、土佐《とさ》の海辺《うみのほとり》の廻《めぐり》也、其の僧共□を廻けるに」と始まる話が見える。この修行僧は海辺から離れて、山中に迷い込んで泊めてもらった家でひどい目にあい、その家から逃げる際に、「笈《おい》をも棄《すて》て、只《ただ》身一《ひとつ》走り出《いで》て」

14

◉修行の地・室戸岬

四国八八か所の二四番札所最御崎寺《ほつみさきじ》のある室戸《むろと》岬《みさき》は、空海《くうかい》が修行の末に初めて悟りを開いた聖地といわれている。空海が起居したという「御《み》蔵洞《くらどう》」なども残っている。

という状態だったという。四国の辺地の修行のさまがよくうかがえる話である。今様ではつぎのように詠まれている。

土佐の船路は恐ろしや　室津《むろつ》が沖ならでは　しませが岩は立て　佐喜《さき》や佐喜の浦々□
御厨《みくりや》の最御《ほつみ》崎《さき》　金剛浄土《こんごうじょうど》の連余波《つれなごろ》
（『梁塵秘抄』三四八番）

（土佐への船路は恐ろしい。室戸《むろと》の沖にある島のような巨岩がそびえたち、佐喜の浦や室戸の御厨の最御崎には、金剛浄土に連なる余波《なごり》がある）

四国の辺地の修行をするなか、土佐には船でまわったのであろう。「金剛浄土」とは『大日経《だいにちきょう》』の説法の浄土である。空海《くうかい》の修行の場と称される室戸の最御崎の霊地を見たときに眺めた巨大な岩と大波に、その浄土への誘いを感じて詠んだのであろう。恐ろしさがあるがゆえに、それを乗り越えたかなたに浄土はある、と考えられたのである。

修行の場となる霊験所は列島の各地に生まれており、つぎの今様は四方の霊験所を列挙した歌である。

四方《よも》の霊験所は　伊豆《いず》の走湯《はしりゆ》　信濃《しなの》の戸隠《とがくし》　駿河《するが》の富士の山　伯耆《ほうき》の大山《だいせん》　丹後《たんご》の成相《なりあい》とか
土佐の室生戸《むろおと》　讃岐の志度《しど》の道場とこそ聞け
（『梁塵秘抄』三一〇番）

代表的な山岳修験《しゆげん》の霊験所を列挙したもので、東国《とうごく》の伊豆熱海《あたみ》の走湯権現《ごんげん》（伊豆山《いずさん》神社）、信濃の戸隠権現（戸隠神社）に始まり、日本海側の伯耆の大山寺、丹後の成相寺ときて、最後に讃岐の志度の道場をあげている。『新猿楽記《しんさるがくき》』に載る次郎君は、一生不犯《いっしょうふぼん》の大験者であり、何度も大峰《おおみね》や葛城《かつらぎ》に通い、「辺地」を踏んでいたと紹介されているが、彼が赴いた修験所は、熊野《くまの》や金峯《きんぷ》、越中《えつちゆう》の立山《たてやま》、伊豆の走湯、比叡山《ひえいざん》の根本中堂、伯耆の大山、富士の御山、越前《えちぜん》の白山《はくさん》、紀伊の高野《こうや》・粉河寺《こかわでら》、摂津の箕面《みのお》、近江《おうみ》の葛川《かつらがわ》であったという。

以上、歌に導かれつつ、中世社会の主役たちがいかに立ち現われ、どのような信仰をもち、どのように動いていったのかを見てきた。そこで、つぎの章ではモノの流れやあり方から中世社会の地域的・社会的な姿を探ってゆくことにしよう。

第二章

境界から中央へ、中央から境界へ

考古学的中世

掘り起こされたモノ

奥州平泉《おうしゅうひらいずみ》の北に位置する衣川《ころもがわ》（岩手県奥州市）に、「長者原《ちょうじやがはら》廃寺《はいじ》」と称される寺院遺跡がある。東西に流れて北上川《きたかみがわ》に合流する衣川の北の台地上に位置し、発掘調査によって、一〇世紀から一一世紀にかけて相当に大規模な寺院であったことがわかってきた。数少ないこの時期の遺構にあっては貴重な存在であるが、そこから出土した遺物はきわめて少なく、その性格はよくわかっていない。

文献ではまだ比較的よくうかがえる一一世紀の社会も、考古遺物や遺跡からはその姿があまりよくみえてこない。このあとの一二世紀に入ると、しだいに遺物・遺跡も多くなってくるのだが、どういうわけか、この時代にはいたって少ない。人は確実に住んでおり、すでにみてきたように各地に特産品が生まれていたのであるから、必ずやなんらかの痕跡《こんせき》が多くあってもお

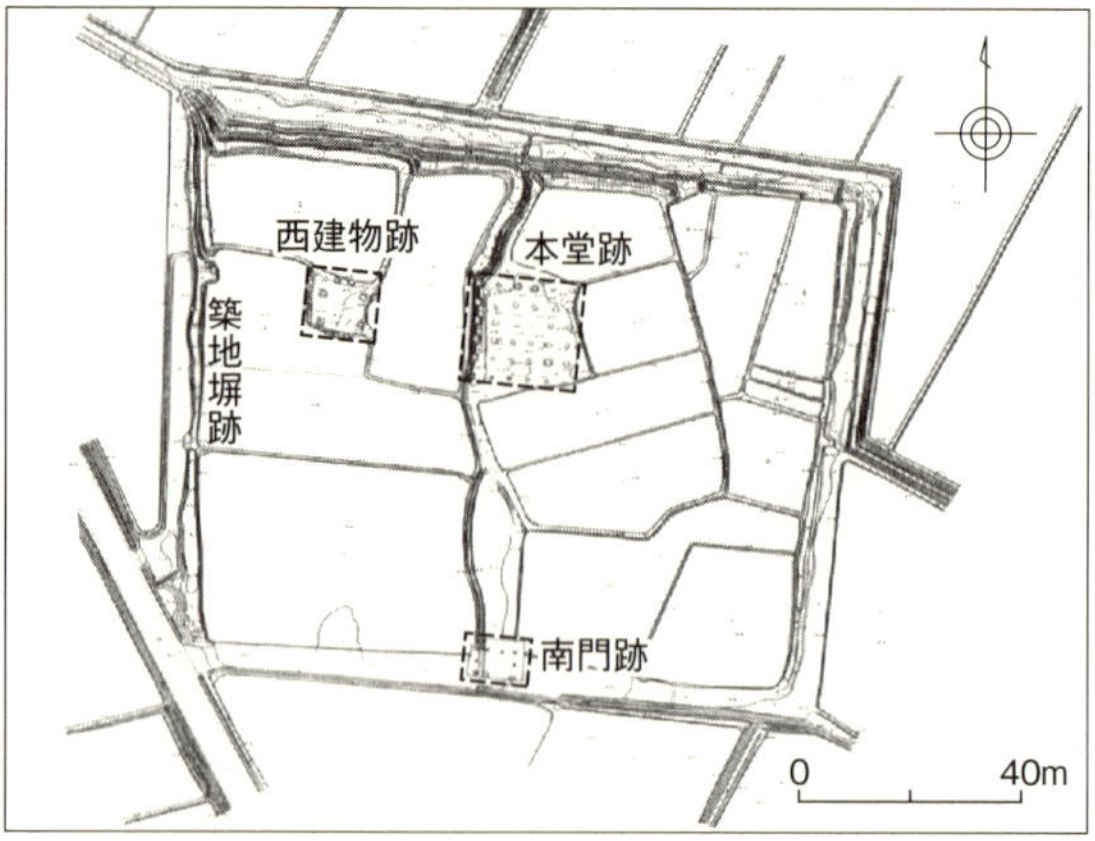

●長者原遺跡遺構図
本堂跡・西建物跡・南門跡の三つの建物跡が残る。一辺約一〇〇mの囲みは土塁状の高まりで、一部は築地塀《ついじべい》跡と確認されている。

かしくないと思うが、なぜか少ないのである。

すぐに考えられるのは、この時期が大きな変動の時代にあり、持続的な住居や生産・流通の体制がまだ定着していなかったことである。消費の面では、使い捨ての時代とは違って、モノが大事に使われていたことや、遺構や遺物が消されたり、持ち去られたりしてしまったことなども考えられる。すでに述べたように、山野の開発に挑んだ人々の経営は、必ずしも安定してはいなかった。大名田堵《だいみょうたと》の農業経営が持続性に乏しかったことは、伊賀国《いがのくに》や大和国《やまと》で幅広く農業経営を行なっていた藤原実遠《ふじわらのさねとお》が、広範に田屋《たや》を構えて人民を駆使していたにもかかわらず、その経営が次代に継承されていなかったことからもわかる。経済的繁栄と没落を特徴とする長者伝説がこの時期に多くみえるのも、その点を裏付けていよう。

『今昔物語集《こんじゃくものがたりしゅう》』巻一六の二八に載る「わらしべ長者」の話はそのひとつである。大和の長谷寺《はせでら》に詣《もう》でた男が観音《かんのん》のご利益《りやく》によって、たまたま手にした藁《わら》の芯《しん》を、みかん三つと交換したことから、そのうちに布や馬などとつぎつぎと交換した末、ついに田と米とを得た。そこで田を人に預けて収穫を得るうちに家が富み栄えたという話、これはまさに大名田堵の長者伝説である。最初にあげた衣川の廃寺が「長者原」とあるのもそれと関係があると思われる。繁栄とその後の急速な没落が長者伝説を生んだのであろう。

とはいえ、少ないながらも確実に中世へとつながる遺物も出土している。京の周辺では、河内《かわち》の楠葉《くずは》窯《よう》の土器のなかに単純な口縁《こうえん》のものが出現しており、これが量産型の中世的土器皿へと転換してゆくことが指摘されている。楠葉といえば、ここには摂関家《せっかん》の牧《まき》があり、その土器づくりをうたっているのが『梁塵秘抄《りょうじんひしょう》』三七六番の、つぎの今様《いまよう》である。

楠葉の御牧《みまき》の土器造　土器は造れど女《むすめ》の貌《かお》ぞよき　あな美しやな
あれを三車《みくるま》の四車《よくるま》の愛行輦《あいぎょうてぐるま》にうち乗せて　受領《ずりょう》の北《きた》の方《かた》と言はせばや

楠葉の御牧に住む土器づくりは、土器をつくってはいても、娘は器量よし、その娘を婚礼車に載せて受領の北の方（身分の高い人の妻のこと）と言わせたいものだ、とうたっている。楠葉の牧は遊女らが住む江口《えぐち》のほど近く、淀川《よどがわ》の対岸に位置し、ここでつくられた土器は宴会用に使われる素焼きの土器であるから、江口の遊女たちもこれを使っていたことであろう。土器づくりは遊女らにとって身近な存在だったわけで、その土器づくりの娘を見てうたったのがこの歌である。

「受領の北の方と言はせばや」とあるから、遊女が客である受領を前にして、土器づくりの娘で器量のいい女がいますから、その娘を北の方に迎えてごらんなさい、とうたって、受領の富を称《たた》えたものと考えられる。受領たちの存在を媒介にして生産と流通とが広がっていったさまが浮かび上がってこよう。『西行物語絵巻《さいぎょうものがたりえまき》』などの多くの絵巻には、この土器を売る風景がよく描かれている。素焼きの土器は宴会の際に用いられるようになり、やがて増えてくる中世の館跡からは大量に発掘されている。

博多と京のモノの流れ

モノの流れからみるならば、広く日本列島の新たな動きは大陸との窓口であった九州の博多《はかた》から始まるといってよい。その博多から発掘される遺物を見ると、一〇世紀までは中国の越州窯《えつしゅうよう》系の青《せい》磁《じ》が中心であったが、一一世紀になると白磁《はくじ》の輸入が増加して、「白磁の時代」が到来する。この影響を受けて京の周辺でも博多経由で入ってくる白磁への嗜好《しこう》が高まり、それとともに緑釉《りょくゆう》陶器や須《す》恵器《えき》鉢の生産は大きな打撃を受け廃絶していった。じつはその変化のなかで、河内《かわち》の楠葉《くずは》窯《よう》の土器にも変化が起きていたのである。

摂関《せっかん》期から院政期にかけて、博多や筥崎《はこざき》に集まる富を求めて、京のさまざまな勢力が博多周辺に進出していった。博多津《はかたのつ》とその北の筥崎とが対外貿易の拠点となっていったからである。長保《ちょうほう》三年（一〇〇一）に大宰府《だざいふ》安楽寺《あんらくじ》の遍智院《へんちいん》に博多荘が寄進されており（『安楽寺草創日記《そうそうにっき》』）、これは博多周辺の地が権《けん》門《もん》の荘園《しょうえん》となっていったことをよく物語っている。永承《えいしょう》六年（一〇五一）には石清水八幡宮《いわしみずはちまんぐう》の別当《べっとう》が筥崎社の大検校職《だいけんぎょうしき》に補任《ぶにん》されていて（『石清水文書《もんじょ》』）、これは博多周辺の寺社が中央の寺社の末寺・末社となっていったことを示す。

1

◉博多周辺出土の大陸白磁
国内出土品のなかで屈指の美しさといわれる、南宋《なんそう》代（一二世紀頃）の白磁水注《はくじすいちゅう》。福岡県太宰《だざい》府《ふ》市で大正七年（一九一八）に出土。

博多にやってきた宋《そう》の商客たちは、貿易取引を行なうと、すぐに帰されていたが、やがて博多周辺に住み着くようになった。文人貴族の大宰権帥源経信《だざいのごんのそちみなもとのつねのぶ》が永長《えいちょう》二年（一〇九七）閏《うるう》正月に大宰府で亡くなったとき、「博多にはべりける唐人《とうじん》ども」が「あまた詣《もう》で来た」と、博多に住む宋人が弔いに訪れており（『散木奇歌集《さんぼくきかしゅう》』）、博多は唐人の住む港湾都市として栄えていた。

日宋貿易を管轄していたのは大宰府であったから、その長官である大宰権帥や大弐《だいに》といった九州を管轄する受領《ずりょう》が得た貿易の富は大きかった。一二世紀初頭に大宰府の長官となった文人貴族の大《おお》江匡房《えのまさふさ》は、受領として得た富を二つの船で京に運ばせたところ、公に納めるべき富を積んだ船は沈没してしまい、私のものとする富を積んだ船のみが無事に到着したという報《しら》せを聞いて、世も末であると嘆いたという（『古今著聞集《ここんちょもんじゅう》』）。

富の獲得を求める権門寺社の勢力はつぎつぎと博多をめざし、院に仕える近臣や武士らも競って博多の周辺への進出を図った。長治《ちょうじ》元年（一一〇四）に、大宰府の背後にある大山寺《たいざんじ》の別当になった石清水八幡宮の光清《こうせい》は、比叡山延暦寺《ひえいざんえんりゃくじ》の大衆《だいしゅ》（僧侶集団）が派遣した法薬禅師《ほうやくぜんじ》らを訴え、彼らが宋人の物を借り受けて取り引きをしていると非難している（『三十五文集《さんじゅうごぶんしゅう》』）。宋人から託された物品で商いをする委託取引が行なわれていたのである。

武士の平忠盛《たいらのただもり》も進出してきた。大陸とのもうひとつの貿易港であった敦賀《つるが》を越前守《えちぜんのかみ》として管轄したことのある忠盛は、貿易の利に目をつけ、天皇家の直轄領であった後院《ごいん》領のひとつ肥前国神埼《ひぜんのくにかんざきの》荘《しょう》（佐賀県神埼市周辺）を知行《ちぎょう》すると、宋人と取り引きを行ない、それに大宰府の府官がかかわってくるのを下文《くだしぶみ》を発して拒否したため、大宰府から訴えられている（『長秋記《ちょうしゅうき》』）。

日宋貿易の輸入品は薬や書籍・香料などであって、仁和寺《にんなじ》などの寺院は好んで薬や香料を輸入していたが、摂関家の藤原忠実《ふじわらのただざね》の子頼長《よりなが》は、父が大宰府を知行していた便宜もあって書籍を宋人に依頼し輸入していた。そのために頼長は重要輸出品である金《きん》を求めて、金を産出する奥州《おうしゅう》に触手をのばしていった。

武士の交流と主従関係

武士の成長は、一一世紀後半に白河《しらかわ》天皇が武士の源義家《みなもとのよしいえ》と平正盛《たいらのまさもり》を院殿上人《いんのてんじょうびと》となしたことに始まる。武士を登用して身辺を固めた結果、武士が京都の警備や地方の治安の維持に活躍して頭角を現わしたのである。

なかでも平正盛の子忠盛《ただもり》は、院に奉仕して日宋《にっそう》貿易や受領《ずりょう》の富によって得長寿院《とくちょうじゅいん》の造営にあたり、長承《ちょうしょう》元年（一一三二）に内《うち》の殿上人に取り立てられて、貴族の仲間入りを果たすまでになった。平家の栄華と没落を描いた『平家物語《へいけものがたり》』が、この年の五節《ごせち》の宴で起きた殿上の闇討《やみう》ち事件から起筆しているのは、昇殿により平

2

◉上皇に付き従う武官
『春日権現験記絵巻《かすがごんげんけんきえまき》』に描かれた、寛治《かんじ》七年（一〇九三）の白河上皇の春日社御幸の場面。上皇の身辺警固役として武士が姿を見せていくようになる。

家という武家が成立したことを雄弁に物語っている。

五節の宴とは、一一月の豊明《とよのあかり》の節会《せちえ》での宴のことで、その年に蔵人《くろうど》や殿上人になった人を手荒くもてなす、いわば新入生歓迎会であった。その危険な場を機転によって見事にくぐり抜けた忠盛によって平家は形成されたというのが、『平家物語』の語るところである。

この少し前の保安《ほうあん》年間（一一二〇～二四）に、白河法皇は全国に殺生禁断令を発したが、その禁制にもかかわらず加藤成家《かとうなりいえ》という武士が鷹《たか》を使って狩りをしたことが発覚し、京に召されて尋問を受けたという話が『古事談《こじだん》』に載っている。「どうして禁制が出されているのに鷹を使ったのか」と問われた成家は、「刑部卿殿《ぎょうぶきょうどの》（平忠盛）の命令で行なっただけのことであり、源氏・平氏の習いでは重い罪では首を斬《き》られるが、宣旨《せんじ》に背いたのでは重くとも禁獄か流罪で、命には及ばない」とうそぶいたので、この言を聞いた法皇はあきれて、「そのような痴《し》れ者は追放せよ」と命じたという。このように平氏や源氏の武士は、諸国の武士と主従関係を築いて勢力をのばし成長していった。

武士の源義光《よしみつ》との間で所領争いをしていた院近臣の藤原顕季《ふじわらのあきすえ》は、白河法皇が一向に裁許を下さないのを不満に思っていた。ある日、自分のほうに道理があるのに成敗がないのはどうしてか、と尋ねた。すると「それはわかっている。だがもしそなたに勝訴を言い渡せば、子細《しさい》をわきまえない武士であるから何をするかわからないであろう。そなたはほかに所領もあり、知行《ちぎょう》する国もあるが、義光はかの地を一所懸命の地として知行している。そこで裁許を猶予しているのだ」と法皇が答えたので、これを聞いた顕季はすぐに義光を呼び、所領を与える旨を記して避文《さりぶみ》を渡した。喜んだ義光は主従関係を示す名簿《みようぶ》を顕季に捧げ、家人《けにん》となって仕えたという。

この『古事談』の話に見える武士の源義光は、「武士の長者」と称された義家の弟であって、兄が奥州合戦《おうしゆうかつせん》に苦労しているのを聞いて都を抜け出し、応援に駆け付けたというエピソードでも知られる。その義光は常陸《ひたち》で勢力を広げ、常陸の佐竹《さたけ》氏、甲斐《かい》の武田《たけだ》氏、近江《おうみ》源氏など、東国《とうごく》の地にその子孫は広がっていった。

兄の義家の流れは、子の義親《よしちか》が西国《さいごく》で乱暴を働いたとして、追捕使《ついぶし》となった平正盛によって討たれたため、いったんは勢力が衰えたが、義親の子の為義《ためよし》が検非違使《けびいし》となって都で活躍するとともに、列島の各地に勢力を扶植《ふしよく》していった。こうして鄙《ひな》の世界の主役は受領から武士へと移っていったのである。

ただなぜか、これらの武士の本拠地の状況はよくわかっていない。たとえば甲斐の武田氏であるが、その苗字《みようじ》の地である武田は常陸にあり、甲斐の市川荘《いちかわのしよう》に移ってそこから勢力を国内に広げたとはみえても、その拠点ははっきりしない。武士の活動の拠点である館の発掘例は、一二世紀後半まで待たねばならない。

各地に広がる武士の館

一二世紀後半に入ると、各地での館の発掘事例が増えてくる。たとえば大阪市の長原《ながはら》遺跡からは、一町（約一ヘクタール）四方の広さにわたって、堀と土塁《どるい》が取り巻く館跡が掘り出されている。京都府福知山《ふくちやま》市の大内城《おおうちじょう》跡も、同じく堀と土塁に囲まれた区画の中に、大型建物が建てられている。

　このように、西国《さいごく》では方形区画の館がつくられることが多かったが、東国《とうごく》では地形に沿って館がつくられていた。たとえば福島県会津《あいづ》坂下《ばんげ》町の陣《じん》が峯城《みねじょう》は、自然地形を利用した不整五角形の大きな二重堀によって囲まれており、これは越後《えちご》の城《じょう》氏が会津の拠点とした館跡とみられている。奥州藤原《おうしゅうふじわら》氏の平泉《ひらいずみ》にある柳之御所《やなぎのごしょ》遺跡（岩手県平泉町）でも、北上川《きたかみがわ》の河岸段丘上に堀を巡らした館の中に建物がつくられている。

　これらの遺構が武士の居館であることは、堀に囲まれて防御性が高く、その出現した時期が地方の社会で武士が成長していたころであったことなどからも明らかである。またこの時期には各地で多くの寺院が建てられているが、それにも武士がかかわっていた。福島県いわき市の白水阿弥陀堂《しらみずあみだどう》や国東《くにさき》半島の富貴《ふき》寺《じ》（大分県豊後《ぶんご》高田《たかだ》市）の阿弥陀堂は、このころに武士によって建てられており、茨城県つくば市の日向廃寺《ひゅうがはいじ》は常陸《ひたち》の在庁の有力者である多気義幹《たけよしもと》により建てられたと考えられている。ま

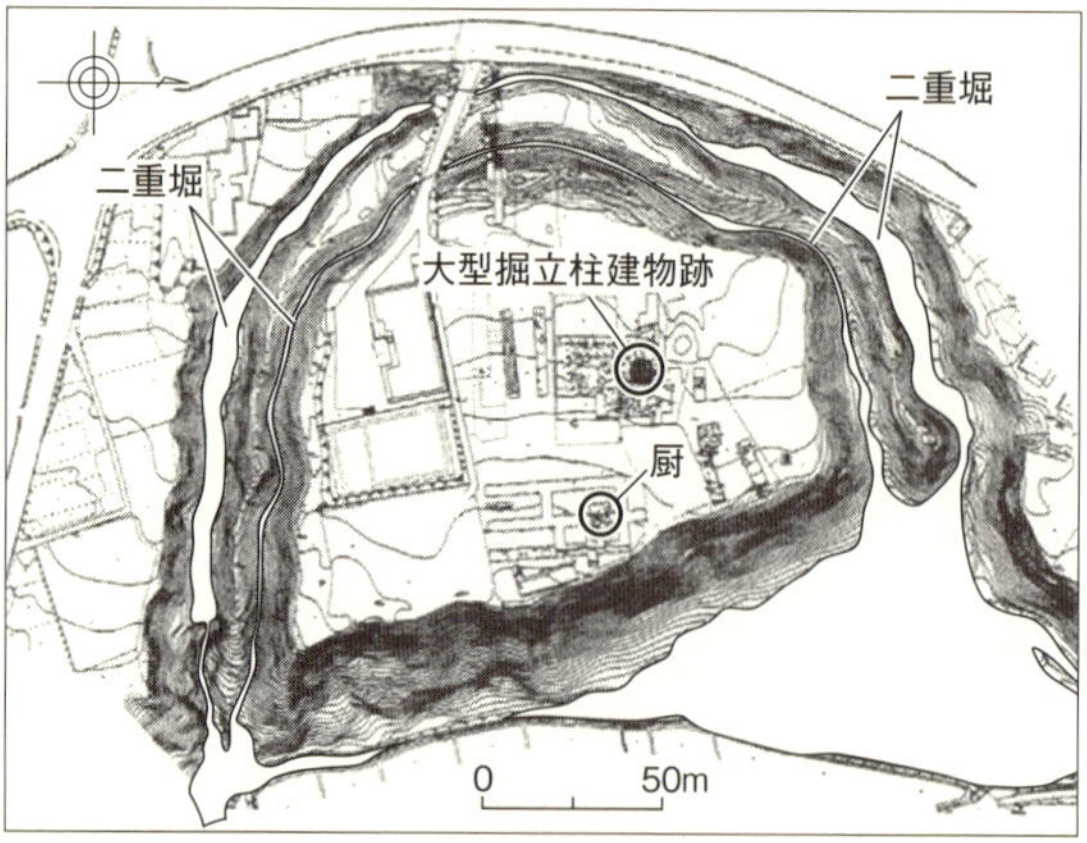

3

た埼玉県嵐山《らんざん》町の平沢寺《へいたくじ》は武蔵《むさし》の秩父《ちちぶ》氏関係の寺であって、園池を伴う礎《そ》石立《せきたち》の堂が発掘されている。

文献のうえからも、一二世紀なかばから地方を舞台に活躍する武士の姿が目立つようになる。たとえば房総《ぼうそう》半島の上総《かずさ》で育った「上総曹司《そうし》」源義朝《みなもとのよしとも》は、相模《さがみ》の三浦《みうら》氏に迎えられて鎌倉に入ると、亀谷《かめがやつ》に館を築き、隣接する大庭御厨《おおばのみくりや》に兵を入れて乱暴を働いたとして訴えられている（『天養記《てんようき》』）。同じころには義朝の父で検《け》非違使《びいし》の源為義《ためよし》がからんだ、近江《おうみ》の佐々木《ささき》氏の一族を巻き込む殺戮《さつりく》事件が起きている（『愚昧記裏文《ぐまいきうらもん》書《じょ》』）。法然《ほうねん》の父である美作国《みまさかのくに》の久米押領使漆間時国《くめのおうりようしうるまのときくに》が、対立する明石定明《あかしさだあき》の夜討ちにあって落命したのもこのころである。

こうした武士たちが京に上ってゆき、都を舞台にして京童《きょうわらわ》の目の前で活躍したのが、保元《ほうげん》・平治《へいじ》の二つの内乱にほかならない。『梁塵秘抄《りょうじんひしょう》』四三六番を見よう。

武者《むさ》の好むもの　紺よ紅山吹《くれないやまぶき》濃き蘇芳《すおう》　茜《あかね》寄生木《ほや》の摺《すり》
良き弓胡籙《ゆみやなぐい》馬鞍《くら》太刀《たち》腰刀《こしがたな》　鎧冑《よろいかぶと》に脇楯籠手《わきだてこて》具《ぐ》して

（武士の好むものは、まず色では、紺、紅、山吹、濃い蘇芳、茜、寄生木の摺など、つぎに立派な弓、胡籙、馬、鞍、太刀、腰刀、鎧、冑、それに脇楯、籠手をそろえ持って）

◉陣が峯城跡
盆地に面した標高約二〇〇mの扇状地上の東端に位置する。白磁《はくじ》などのほかに、右の写真の炭化した包飯《つつみいい》（強飯《こわいい》を握りかためて布で包んだもの）も、厨《くりや》と思われる遺構から出土している。

ここには武者の好んだ新奇な風俗がうたわれているが、保元《ほうげん》の乱《らん》（一一五六年）は、慈円《じえん》の歴史書『愚管抄《ぐかんしょう》』が「ムサ（武者）ノ世」になったと記しているように、武者（武士）の登場を広く世に告げるものであった。続く平治《へいじ》の乱《らん》（一一五九年）を経て平氏が武家政権を樹立したことにより、武士の活動の場は広がり、その根拠地となる館も確固たるものになっていったのであろう。

　こうして地方の武士は、この時期に開発《かいほつ》領主としての基盤を据えていったが、このような館を築いた武士たちを広く結集して武家政権を築いたのが源頼朝《よりとも》である。頼朝は父義朝以来の御《ご》家人《けにん》を集めて挙兵すると、南関東の武士の家をまわりながら勢力を広げ、父が根拠地としていた鎌倉に本拠を置き、平氏を富《ふ》士川《じがわ》の合戦《かっせん》（一一八〇年）で破ったのち、相模の国府《こくふ》で北条時《ほうじょうとき》政《まさ》以下の東国の武士たちの所領を安堵《あんど》している。ここに各地の武士の家は確立することになったのである。

4

◉**富貴寺阿弥陀堂**
平安時代の数少ない阿弥陀堂として有名。「大《おお》堂《どう》」とも呼ばれる。堂内には阿弥陀浄土変相図《へんそうず》などの彩色壁画が描かれている。

ウヂからイエへ

天皇と貴族の家

武士の家の確立に伴って、広くウヂからイエへという社会制度の大きな変化は決定的なものになった。古代では始祖との関係を基本にした「ウヂ」、つまり源氏《げんじ》や藤原氏《ふじわらし》などのウヂが社会制度の単位であった。そのウヂのなかの日常の社会の単位である「イへ」が自立して成長するなかで生まれてきたのが、父と子の関係を基本として社会的機能が備わったイエである。

それは天皇の家から始まっている。延久《えんきゅう》の国政改革を行なった後三条《ごさんじょう》天皇は、わが子への皇位の継承を考えて退位して白河《しらかわ》天皇を位につけると、それに倣って白河天皇も子の堀河《ほりかわ》天皇を位につけたが、その堀河が早くに亡くなったため、堀河の幼ない子鳥羽《とば》天皇を皇位につけ、政治の実権を握って院政を開始した。こうして一二世紀初頭には院政という政治体制が確立するが、それは国王の家である天皇家の家長が政治を握る体制の成立を意味していた。

白河院は天皇家の直轄領である後院《ごいん》領を整備しつつ、当初は荘園《しょうえん》整理も行なっていたが、やがて広く寄進を受けて院領荘園を増やしてゆき、家の財産を形成していった。その白河院が京の東の白河に建てた八角九重塔に象徴される法勝寺《ほっしょうじ》は、『国王ノウヂ寺」と称されている（『愚管抄《ぐかんしょう》』）。この場合のウヂ寺とはウヂから生まれたイエを意味するものであり、国王の家の寺にほかならない。

白河天皇は退位して上皇になり、さらに出家して法皇になったのちも院政を行なったが、鳥羽天皇を位につける際に、摂政《せっしょう》には鳥羽天皇の外戚《がいせき》ではない藤原忠実《ただざね》を指名したので、ここに天皇の外戚とは別の摂関《せっかん》家が誕生することになった。忠実は御堂関白《みどうかんぱく》と称された藤原道長《みちなが》の流れの直系にあって、広く分散していた所領を集めて家産となし、それを摂関家の財産として継承してゆく体制を築いていき、この御堂流に摂関家は定着したのである。説話集の『富《ふ》家語《けご》』や『中外抄《ちゅうがいしょう》』には、忠実が語る摂関家形成のための苦労話が載っている。

天皇家や摂関家の形成に伴って、イエの形成の動きは広く貴族の家にまで及んでいった。摂関家に次ぐ閑院《かんいん》流や花山院《かざんいん》流などの清華《せいが》家、天皇家のウヂの流れを引く久我《こが》流などの源氏の家、さらに朝廷の実務を握る勧修寺《かじゅうじ》流や日野《ひの》流などの名家《めいか》がつぎつぎと成立していった。そのうちの勧修寺流の家についてみてみよう。

勧修寺流は藤原高藤《たかふじ》を祖とする家で、摂関時代を通じてしだいにその流れの人々の官位は低下してきていたが、為房《ためふさ》が摂関に仕えるとともに白河院にも仕えてから頭角を現わし、弁官《べんかん》を経て公卿《くぎょう》に至る出世コースを切り開いた。為房の『大記《だいき》』をはじめ、為隆《ためたか》の『永昌記《えいしょうき》』、顕隆《あきたか》の『顕隆卿記《きょうき》』

5

◉王権のシンボル八角九重塔
白河《しらかわ》の地にそびえ立った法勝寺《ほっしょうじ》の九重塔は、高さ約八〇m以上と想定される。たびたび落雷や火災の被害を受け、康永《こうえい》元年（興国《こうこく》三年（一三四二））の大火で最終的に焼失し、以後再建されることはなかった。写真は復元模型。

など、代々にわたって日記を記しており、「日記の家」の代表的存在として知られ、朝廷の実務の進め方をこれらの日記に記して、次代に引き継いだのである。

この家の人々の逸話を多く載せているのが、鎌倉時代に成立した説話集『続古事談《ぞくこじだん》』である。摂関時代に出た藤原泰憲《やすのり》は、「勧修寺氏の人なり」と特記され、宇治殿《うじどの》藤原頼通《よりみち》の後見となって、平等《びょうどう》院《いん》をつくってどれほどの功徳《くどく》があるのか、と頼通から尋ねられた際、「餓鬼《がき》道の業《ごう》などにて侍《はべ》るらん」と言い放ち、それほど評価しなかったという（四九話）。

また、為房については、宰相（参議）になったときに、顕隆・重隆《しげたか》など子孫六人がその拝賀の行列の前駆《ぜんく》をしたことから、世の人々に「子孫繁盛ことの外なり」ともてはやされたと記し、子孫の繁栄を語っている（七六話）。為房には、行事を記した『撰集秘記《せんじゅうひき》』や蔵人頭《くろうどのとう》の故実を記した『貫首抄《かんじゅしょう》』などの著作がある。なお『続古事談』の編者は、勧修寺流の藤原長兼《ながかね》である。

勧修寺流系図

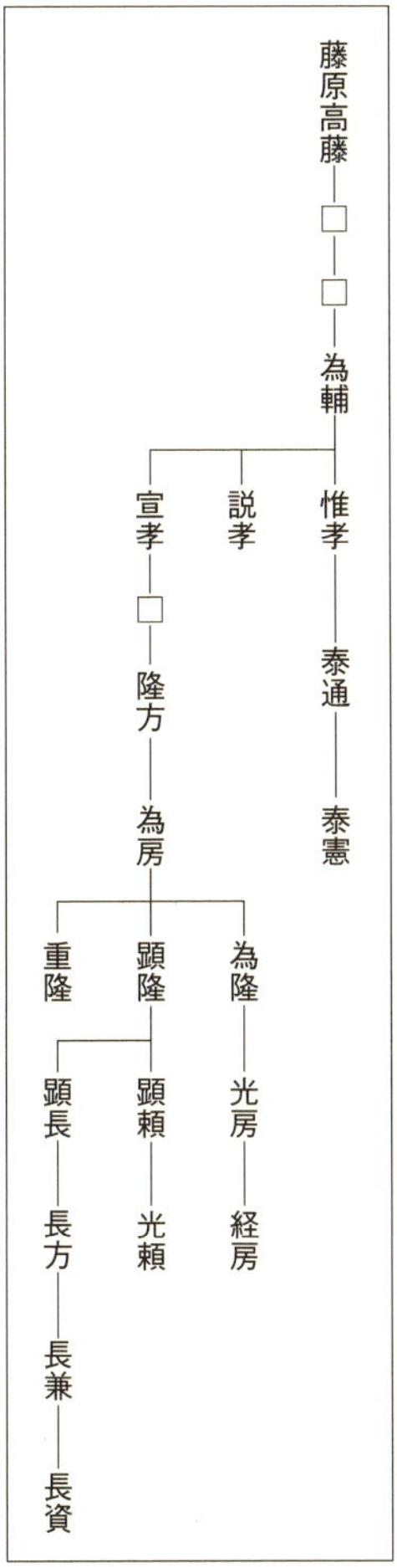

ウヂのイエの歴史

こうしたウヂの流れに沿って生まれた家々の歴史をたどった歴史書に、一二世紀の後半に藤原為経《ふじわらのためつね》によって著わされた『今鏡《いまかがみ》』がある。仮名書きの歴史書といえば、白河《しらかわ》院の時代に成立した『大鏡《おおかがみ》』や『栄花物語《えいがものがたり》』があるが、これらが藤原道長《みちなが》の栄華の形成とその後の歴史を描いているのに対して、『今鏡』は天皇のウヂの流れ、藤原氏・源氏の流れなどから生まれた家々の歴史を描いている点に特徴がある。

その構成は、「すべらぎ」上中下、「藤波《ふじなみ》」上中下、「村上《むらかみ》の源氏」「御子《みこ》たち」と、王家・藤原氏・源氏の流れについてそれぞれを描いたのち、「昔語」「打聞《うちぎき》」などには説話を載せている。ウヂの流れに基づくイエの歴史物語と和歌に関する説話集とを合体させたものである。

そこではまだ源氏や平氏の武家の動きは明確に記されていないが、『今鏡』が著わされたころに、平氏は天皇家との婚姻関係を利用して武家政権を樹立しはじめていた。『今鏡』は嘉応《かおう》二年（一一七〇）に記しはじめたとあるが、その二年前に後白河《ごしらかわ》上皇は建春門院《けんしゅんもんいん》との間にもうけた高倉《たかくら》天皇を位につけており、平氏は栄華の道を歩んでいた。「すべらぎの下」の最終の章には、「日記の家と、世の固めにおはする筋」とが同じ世に、「帝后同じ氏に栄えさせ給ふめる」と、栄華が築かれたと記されている。

ここに見える「日記の家」とは、清盛《きよもり》の妻が出た平氏の一流の、文筆に携わる家であり、「世の固め」とあるのが武家の平氏の家である。ともに天皇家とのかかわりからイエを確立させてきたのである。清盛は、内《うち》の殿上人《てんじょうびと》になって武家を成立させた忠盛《ただもり》の跡を継承して、武家政権の樹立へと向かったが、源氏では、東国《とうごく》から上洛《じょうらく》して鳥羽《とば》上皇に仕えていた源義朝《みなもとのよしとも》が、保元《ほうげん》の乱《らん》での活躍を認められて内の殿上人となり、ここに清和《せいわ》源氏の武家も形成された。

こうしてウヂからイエへという動きが武士に及んでいったことで、財産や家業が子へと継承されてゆくイエの社会制度は確立していった。さらに、広く地方の武士の家の成立を決定的にさせたのが、平治《へいじ》の乱で東国に配流《はいる》された義朝の子頼朝《よりとも》が、鎌倉を根拠地にして東国の武士を結集して幕府政権を築いたことである。

鎌倉幕府が、東国の武士の家が集まってつくりあげたという性格を有していたことは、頼朝に続く源氏将軍が三代で滅んだとき、東国の有力な御家《ごけ》人《にん》が連署《れんしょ》して後鳥羽《ごとば》上皇の皇子が東国に下るように求めたことや、承久《じょうきゅう》三年（一二二一）に後鳥羽上皇が倒幕の兵を挙げた承久《じょうきゅう》の乱《らん》の際に、幕府が東国一五か国の家々の長に軍勢を差し出すように命じ、ついに上洛を果たして大勝利を獲得したことなどによくうかがえる。幕府はまさに東国の武士の家の集まりであった。

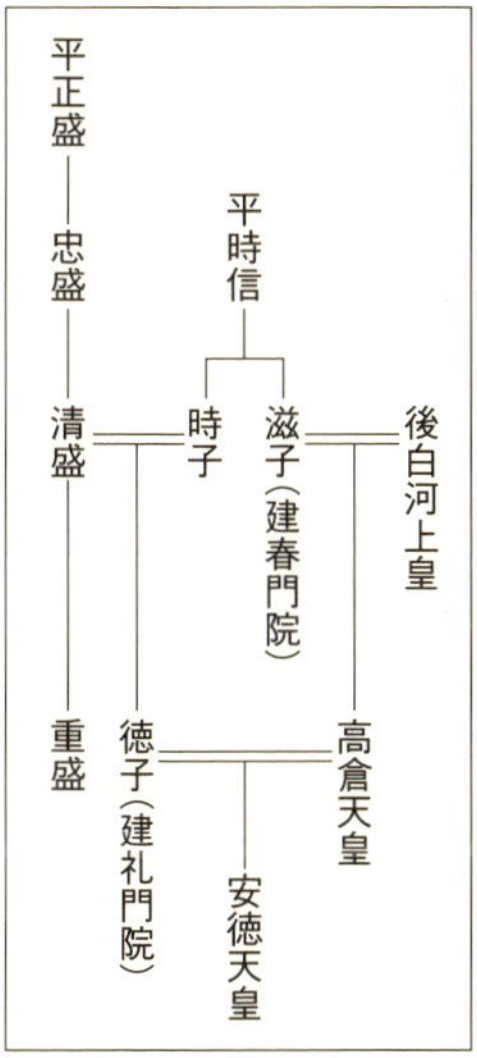

●天皇家と平氏の婚姻関係
後白河《ごしらかわ》上皇の后建春門院《きさきけんしゅんもんいん》は清盛《きよもり》の妻の妹、高倉《たかくら》天皇の中宮建《ちゅうぐうけん》礼門院《れいもんいん》も清盛の娘であり、両者の関係は強固だった。後白河と建春門院は、平氏が信奉する厳島《いつくしま》神社も訪れている。

武士の家の形成

武士の家の形成を相模《さがみ》の三浦《みうら》氏を例にとってみてみよう。三浦の苗字《みょうじ》はイエを示し、ウヂは桓武《かんむ》平氏である。高望王《たかもちおう》の子が東国《とうごく》に広がるなか、そのひとりである良茂《よしもち》の流れにあった。系図でいえば、良茂から良正《よしまさ》までが兵《つわもの》の時代、そのつぎが武者の時代であって、義継《よしつぐ》から義明《よしあき》のころに武士の家が形成されたものといえよう。

武者の為継《ためつぐ》（為次）は、源義家《みなもとのよしいえ》に従って後三年合戦《ごさんねんかっせん》（一〇八三〜八七年）に加わり、鳥海《ちょうかい》の合戦《かっせん》では同じ相模国の鎌倉権五郎景正《ごんごろうかげまさ》（景政）が矢で目を射られたのを見て、それを引き抜こうとして顔を踏みつけかかったところ、これに怒った景正に下から刀で突き刺されそうになったという。

義継と義明は、東国に下っていた源義朝《よしとも》を鎌倉に迎え入れ、鎌倉に隣接する大庭御厨《おおばのみくりや》に乱入しているが、義明は相模の有力在庁となっており、「三浦大介《おおすけ》」と称された。この段階で家を形成したのであろう。やがて源頼朝《よりとも》が挙兵した際、武蔵《むさし》の秩父《ちちぶ》の武士にその居城である衣笠城《きぬがさじょう》（神奈川県横須賀《よこすか》

三浦氏系図

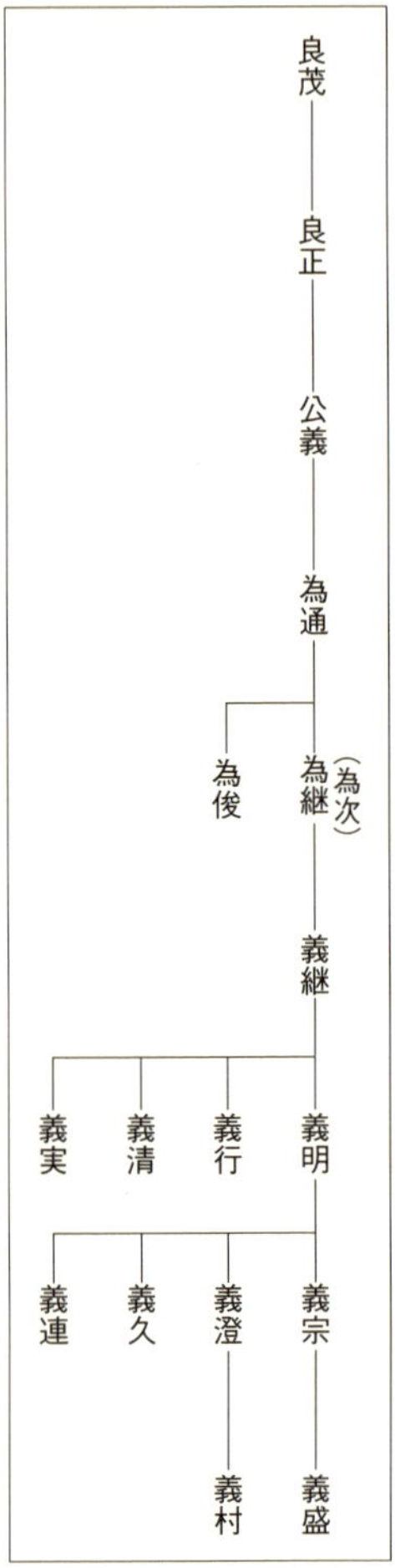

市）を攻められた三浦氏は、ここで討死《うちじ》にして三浦の家名を後世に残している。

頼朝との合流をめざして鎌倉に出た三浦氏は、武蔵国の秩父党の畠山次郎重忠《はたけやまじろうしげただ》と由比浜《ゆいがはま》で戦ってこれを破ったが、頼朝の挙兵には間に合わず、秩父党に逆襲され、衣笠城に立てこもったときのことである。二日にわたる合戦の末に力尽き城を逃れ去ろうとすると、一族の長である義明は、つぎのように語って討死にを選んだという（『吾妻鏡《あずまかがみ》』）。

吾《わ》れ源家累代の家人《けにん》として、幸ひにも其《そ》の貴種再興の秋《とき》に逢《あ》う也《なり》。盍《けだ》し之《これ》を喜ばんや。保つ所すでに八旬有余也。余算を計るに幾ばくならず。今、老命を武衛に投じ、子孫の勲功に募らんと欲《ほっ》す。汝《なんじ》ら急ぎ退去せよ。

義明は「貴種再興の秋」を喜んで討死にし、命を「武衛」頼朝に捧げて子孫の勲功とすることを願ったのである。こうした武士の家の物語は、語り継がれ、合戦の物語に記されるなどして一族の結びつきを強めていった。多くの軍記物語が生まれたのはそのためもあった。合戦のなかでは、とくに後三年合戦が武士の勃興《ぼっこう》の端緒となったものとして語られた。保元《ほうげん》の乱《らん》で、源義朝の軍から源為朝《ためとも》の前に躍り出た大庭景義《おおばかげよし》（景能）と景親《かげちか》は、つぎのように名のっている（『保元物語』）。

御先祖八幡殿、後三年の御合戦に、鳥《とり》の海《うみ》の城を落されし時、生年十六歳にて右の眼《まなこ》を射させ、その矢を抜かずして、答《とう》の矢を射て、敵《かたき》を討ち、その名を後代にあげ、今は神と祝ひたる、鎌倉権五郎景政《かげまさ》が四代の末葉、大庭庄司景房《しょうじかげふさ》が子、相模国住人大庭平太景能、同三郎景親とは、我等が事にて候ふ。

武士の家の形成においてその祖は重要な存在であり、合戦での名のりは祖の武勇を語ることでわが存在を示したのである。後三年合戦は『後三年合戦絵巻《ごさんねんかっせんえまき》』という絵巻にも描かれて蓮華《れんげ》王院《おういん》の宝蔵《ほうぞう》に収められたが、これは承安《じょうあん》元年（一一七一）に後《ご》白河《しらかわ》法皇が法印静賢《ほういんじょうけん》に命じて作成させたものであり、上洛《じょうらく》した関東の武士たちもこれを目にしていた。

武蔵の武士の小代行平《しょうだいゆきひら》が記した置文《おきぶみ》からもそのことがわかる。小代氏は武蔵の児玉《こだま》党という武士団に属し、その先祖は源義家に仕えて奥州合戦《おうしゅうかっせん》に従軍していた。置文は、この絵巻には自分たちの先祖である児玉弘行《ひろゆき》が描かれていたが、それに付された字が削られてしまっていると聞いているので、子孫のなかで見る機会があれば、正すように申し入れよ、と記している（『小代文書《もんじょ》』）。

こうして武士の家は鎌倉幕府の形成とともに確立をみることになったが、さらにこれが安定した制度となるまでには多くの時間を要した。鎌倉時代末期になって土地の単独相続の傾向が生まれ、

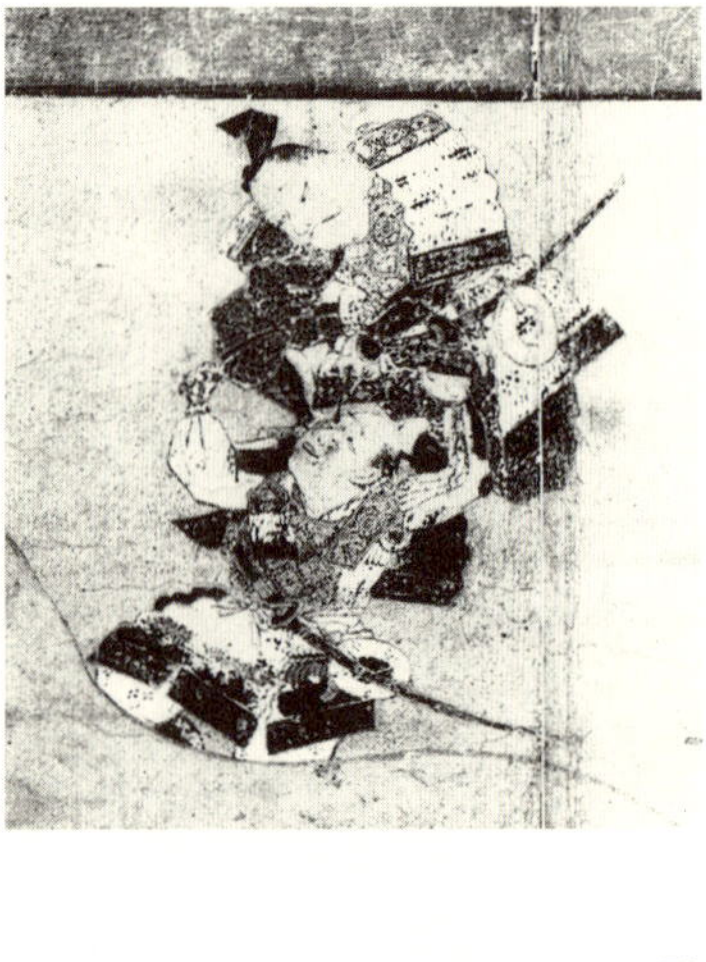
6
◉景正の矢を抜く為継
本文で紹介したやりとりのあとで、為継《ためつぐ》（為次）が景正《かげまさ》（景政）の目に刺さった矢を抜こうとする場面を描いたもの。（『後三年合戦絵巻』）

また所領を西国《さいごく》に得た御家人《ごけにん》の庶子が西国に遷《うつ》っていったことなどが契機となって、しだいにイエの意識が強化されていったと考えられる。先の置文を残した小代氏は、一三世紀後半に蒙古《もうこ》襲来に備えて肥後国《ひごのくに》に移り住んだものの所領を失ってしまい、鎌倉末期に小代伊重《これしげ》が祖先の行平が書いた置文を探し出してきて、それに手を入れて書きこんで、所領の復活を子孫に命じている。

百姓の家の成立へ

百姓の家については、成立がさらに遅れ、鎌倉時代後期になって村の結びつきが各地で生まれ、村で定めた置文《おきぶみ》が作成される段階を待たねばならない。

弘長《こうちょう》二年（一二六二）一〇月に近江国《おうみのくに》の奥島荘《おくしまのしょう》（滋賀県近江八幡市《おうみはちまん》）で定められた「規文《きぶみ》」は、村人の悪口を言う者があれば荘内を追放し、村の悪口を言えば小屋を焼き払うと定めている（「奥津島《おくつしま》神社文書《じんじゃもんじょ》」）。その規文の裏には秦《はた》の姓や錦《にしき》の姓の村人一五人が連署《れんしょ》しており、村を成り立たせている村人の存在をうかがわせてくれる。これが文永《ぶんえい》七年（一二七〇）一一月の置文になると、「奥島百姓等一味同心事」と題し、村人は一味同心を誓って、「返り忠」をし村を裏切る者を「在地」から追放すると定めている（「奥津島神社文書」）。

村人が地頭《じとう》らを相手に訴訟を繰り広げることもあった。建治《けんじ》元年（一二七五）一〇月二八日の阿氐《あて》河荘上村《がわのしょうかみむら》（和歌山県有田川町《ありだがわ》）百姓等《ひやくしょうら》の申状《もうしじょう》（『高野山文書《こうやさんもんじょ》』）は、一三か条にわたって地頭の非法を書き連ねている。地頭の言動を口語体で記しており、地頭が百姓の身体や家にかけてきた不当行為を訴えているところに、百姓が成長して村の結びつきを強めていったことがうかがえよう。また、最後に「コノテウテウヒレイニテセメラレ候アイタ、百姓トコロニアントシガタク」（此の条々非例にて責められ候《そうろう》間、百姓所に安堵《あんど》しがたく候）と結んでいて、身体を落ち着ける場としての「所《ところ》」への安堵を求めている。

こうした持続可能な村が形成されたことで、百姓の家は生まれたのである。丹波《たんば》国の大山《おおやま》荘の一井《いちい》谷《だに》村（兵庫県篠山《ささやま》市）では、百姓が領主の東寺《とうじ》との間に年貢を請け負う百姓請《ひゃくしょううけ》の契約を文保《ぶんぽう》二年（一三一八）に結んでいるが、それによれば旱風水《かんふうすい》の損害（干害・風害・水害）にかかわらず、上田《じょうでん》で反別《たんべつ》七斗《と》五升《しょう》、中田《ちゅうでん》で反別五斗七升、下田《げでん》で反別四斗五升という定額の年貢で請け負うこととしている。これまでは一反につき一石《こく》の年貢であるが、旱風水の損害があった場合に免除されることになっていたので、決して年貢額が低くなったわけではない。しかし村と百姓の手に年貢が保留された意味は大きい。もともとこうした請所《うけしょ》の契約は地頭が荘園《しょうえん》領主との間で行なって、現地の支配を拡大する手段として用いてきたものだが、ここでは百姓がその主体と

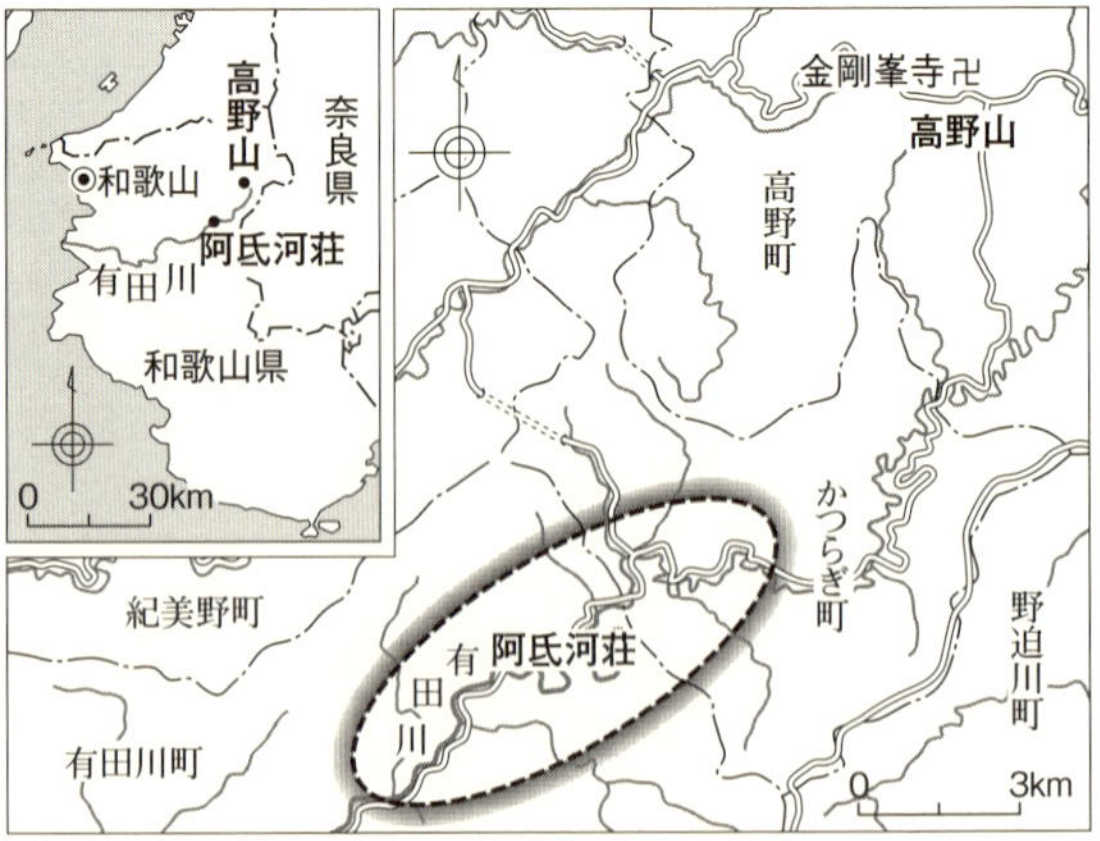

◉阿氏河荘
阿氏河荘《あてがわのしょう》の地頭は、有田川《ありだがわ》流域を根拠地とする武士団湯浅《ゆあさ》党の分家だった。「百姓等」の訴えを受けた訴訟の結果は明らかでないが、阿氏河荘はやがて高野山の荘園となっている。

なっているのである。

永仁《えいにん》二年（一二九四）正月一八日に和泉《いずみ》の池田《いけだ》荘箕田《みのだ》村（大阪府和泉市）の名主百姓は、梨子本《なしもと》新池を造成するために松尾寺《まつおでら》の山林の地の借用を申請して契約状を結んでいるが、それは「松尾寺と池田庄上方箕田村との沙汰人《さたにん》名主百姓等の契約の事」と始まって、互いに「魚水之思」をなして契約を違《たが》えないことを誓っており、箕田村の刀禰《とね》の僧頼弁《らいべん》以下六人が署判を加えて、同日付で頼弁は松尾寺に願書を捧げている。

百姓の家の形成は、このように鎌倉時代後期の村の形成から始まったが、それがさらに安定するまでにもやはり多くの時間を要した。近江の菅浦《すがうら》（滋賀県西浅井《にしあざい》町）で文明《ぶんめい》一五年（一四八三）に定められた置文は、罪に処された村人の家の跡式《あとしき》（家督や遺産）は今後は子息に継がせるべきであると記しており、このころから明確に家の継承が子孫へと伝えられるようになった。

天皇に始まり貴族、武士へと広がっていったイエの形成は、長い時間をかけてゆっくりと進んでいった。それだけに列島社会に深く定着してゆき、今日《こんにち》までさまざまな影響を与えているのである。

琉球と平泉の世界

琉球列島がグスク時代に

日本列島で武士の家が成立しはじめるころ、琉球諸島《りゅうきゅう》では貝塚《かいづか》時代からグスク時代へと入りつつあった。肥前《ひぜん》の西彼杵《にしそのぎ》半島で生産された滑石《かっせき》製の石鍋《いしなべ》は、博多《はかた》や大宰府《だざいふ》を中心に広く出土しているが、その生産が始まったのは一一世紀のころからであり、それは九州一帯からさらに琉球にまで及んでいった。石鍋という調理用具に象徴される文化が、琉球に新たな時代をもたらしたといえるかもしれない。このころには水田農耕が琉球に伝わって、農耕生活も始まっている。

その少し前から、琉球諸島で産するヤコウガイは日本列島にもたらされ、螺鈿《らでん》の材料とされている。『新猿楽記《しんさるがくき》』に見える商人八郎の取り引きしていた「屋久貝《やくがい》」は、ヤコウガイのことと考えられているが、ここからも博多を中心とした広域な流通圏が生まれていたことがうかがえよう。

しかしやがて琉球諸島からは石鍋が消えてゆく。西日本では石鍋文化がさらに広がりを見せてゆくのだが、一二世紀前半までに琉球諸島は石鍋文化圏から離れてゆき、それとともに独自のカムィ焼という奄美《あまみ》諸島の徳之島《とくのしま》の伊仙《いせん》町で生産された焼物が、広く南西諸島に分布していった。

このカムィ焼とともにグスク時代は本格的に始まった。人々は海岸の近くの低地から内陸部の台地上に移動してグスク（集落）をつくるようになり、その集落内に神を祀《まつ》る聖域であるウタキ（御嶽）を設け、水稲《すいとう》や麦・粟《あわ》を中心とした農業を営み、鉄製の農具も本格的に使いはじめた。ここに琉球の島々に共通の文化圏がつくられてゆき、それと同時に海外交易も始められるようになり、中国の陶磁器が使われるようにもなった。

グスクの形成とともに、指導者層が各地に現われた。一三世紀に入ると、農耕社会が整うなかで、集落間の利害をまとめ、支配的地位に立つ者が台頭してきたのである。彼らは按司《あじ》やテダ（太陽）と呼ばれた。按司たちは、各地との交易を行なってゆき、その結果、浦添《うらそえ》、読谷《よみたん》、中城《なかぐすく》、勝連《かつれん》、佐敷《さしき》、今帰仁《なきじん》などの良港を有する地域で力をつけていった。

琉球の歴史書『中山世鑑《ちゅうざんせいかん》』（一六五〇年成立）によると、一二世紀の末に、天孫《てんそん》氏の王の重臣である利勇《りゆう》が謀反を起こし、王を殺してみずから王を名のったものの、按司たちがこれに従わず、浦添の按司、舜天《しゅんてん》が利勇を討って国を統一したという。ここで興味深いのは、舜天を、保元《ほうげん》の乱《らん》に敗れ、伊豆《いず》大島に流された源為朝《みなもとのためとも》の息子としている点である。為朝は配流《はいる》の地で反乱を起こして、船で琉球の地に流れ着くと、琉球の女性との間に子をもうけたが、それが舜天であったという。沖縄本島北部にある今帰仁グスクの近くの運天《うんてん》港は、為朝が嵐のなかで漂着

7

◉カムィ焼
カムィ焼の生産には、高麗《こうらい》の陶工の招聘《しょうへい》が想定される。九州南部からも出土し、南北約九〇〇kmという広範囲に流通していた。

した港と伝えられている。もちろんそのまま信じられるわけではないのだが、グスク時代が、日本列島での武士のイエの形成期と対応していることと関係しているのは確かであろう。

平泉をめざすモノの流れ

大陸から博多《はかた》を経由して多くの物資が日本列島の各地をめざしたが、一二世紀のその最大の消費地は、京と奥州《おうしゅう》の平泉《ひらいずみ》であった。平泉の中尊寺《ちゅうそんじ》の経《きょう》蔵《ぞう》には宋《そう》本一切経《いっさいきょう》が収められ、琉球《りゅうきゅう》諸島産のヤコウガイは金色堂《こんじきどう》の螺鈿《らでん》に使われており、亜熱帯雨林産の紫檀《したん》・赤木《あかぎ》なども、平泉の毛越寺《もうつうじ》の造営に使われていたことが知られている。

源頼朝《みなもとのよりとも》が文治《ぶんじ》五年（一一八九）に奥州を攻めたとき、平泉館《ひらいずみのたち》は藤原泰衡《ふじわらのやすひら》によって火が放たれ「高屋《たかや》・宝蔵《ほうぞう》等」は失われていたが、わずかに館の一角にあった「一宇《いちう》の倉廩《そうりん》」が難を逃れて残っていて、そこには「沈紫檀《じんしたん》以下の唐木《からき》の厨子《ずし》」が数脚あり、「牛《ご》玉《おう》・犀角《さいかく》・象牙《ぞうげ》笛・水牛角・紺瑠璃《こんるり》等の笏《しゃく》・蜀江錦《しょっこうにしき》の直垂《ひたたれ》」などが収められていたという（『吾妻鏡《あずまかがみ》』）。

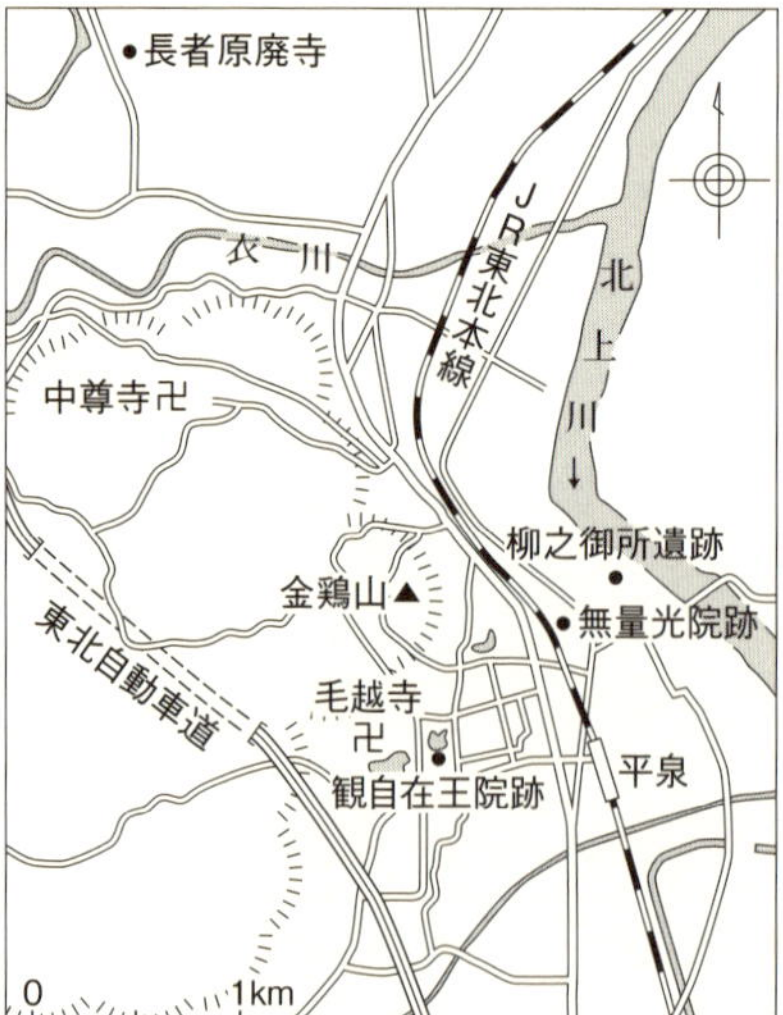

●平泉周辺地図
初代清衡《きよひら》が造営を始めた中尊寺、二代基衡《もとひら》によって建立された毛越寺《もうつうじ》、三代秀衡《ひでひら》が宇治平等院《うじびょうどういん》を模した無量光院《むりょうこういん》。奥州藤原氏は栄華を極め、平泉は都市として発展していった。

これらの多くは大陸からもたらされたものであり、大陸産の白磁《はくじ》も平泉館の跡である柳之御所《やなぎのごしょ》遺跡から大量に発掘されている。博多で出土している荷物運搬用の壺《つぼ》と同じものが平泉でも出土しているのは、大陸からの製品には博多から平泉に直行していたものも多かったからであろう。

東海地方の渥美《あつみ》産や常滑《とこなめ》産の陶器も大量に出土していることも見逃せない。平泉で出土している陶磁器片の九割は、尾張《おわり》の知多《ちた》半島に分布する窯《かま》で焼かれた常滑焼と、三河《みかわ》の渥美半島の渥美焼の壺甕《かめ》類であるという。常滑では現在でも朱泥《しゅでい》の急須《きゅうす》や茶碗《ちゃわん》・花器・土管などを大量生産しているが、さかのぼって一二世紀から多くの製品がつくられるようになり、太平洋沿岸の各地に販路をのばしていたのである。平泉はその一大消費地であり、船によってつぎつぎと平泉に運び込まれたものと考えられる。

常滑焼や渥美焼の焼物は、大中小の壺や甕・こね

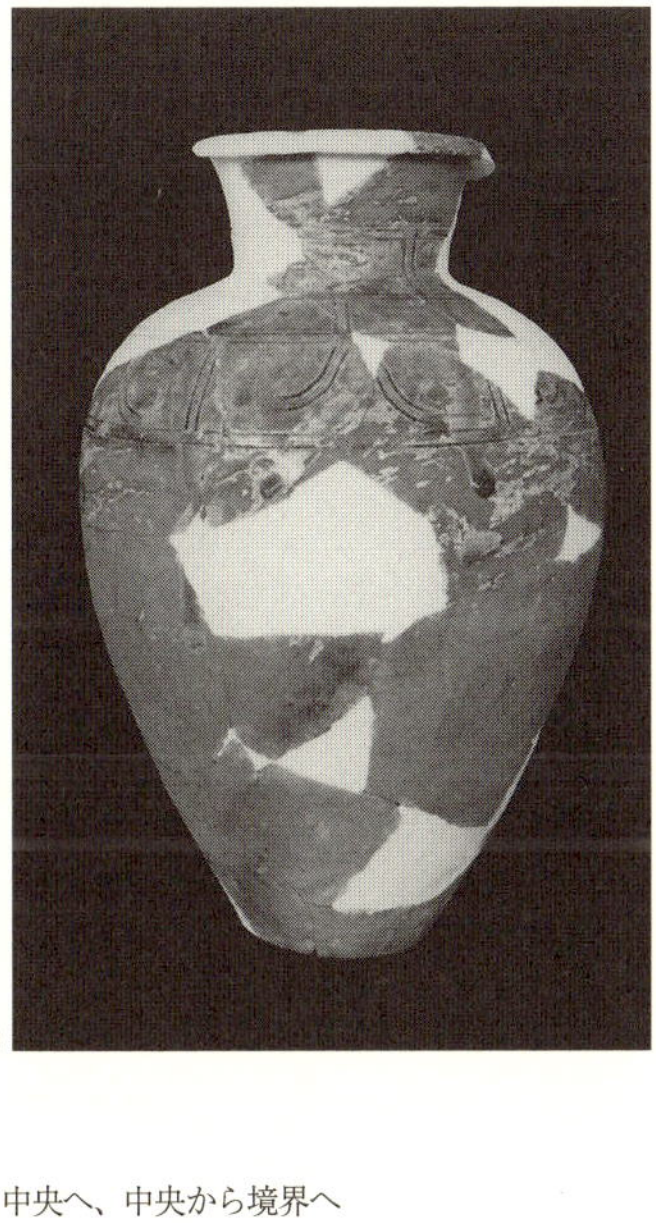

8

◉大陸産白磁と国産陶器
右は大陸産の白磁《はくじ》四耳壺《しじこ》、左は国産の渥美《あつみ》刻画《こくが》文壺《もんこ》。平泉からは、ほかにも京都に由来する宴会用の素焼きの土器「かわらけ」も大量に出土する。各地のモノが平泉に集まってきた様子をよく示している。（ともに柳之御所遺跡出土）

鉢・碗《わん》など、貯蔵用や水物入れの日用の雑器として使われた。しかし日用品であるだけに、時期がたつうちに近くでも生産されるようになった。北上川《きたかみがわ》の河口にある石巻《いしのまき》市の水沼《みずぬま》で発掘された窯跡三基からは、黒っぽい茶色の袈裟襷文《けさだすきもん》の堅い破片が出土しているが、これは一二世紀に渥美から陶器をつくる技術者がやってきて、壺や甕を焼いたものと考えられている。同じ陶器片が平泉でも発掘されているので、水沼窯のある北上川の河口から、船に焼物を乗せて平泉に運んだのであろう。

一二世紀には、この渥美焼や常滑焼のみならず、日本列島で広く陶器の生産が行なわれるようになり、能登《のと》半島産の珠洲《すず》焼は日本海方面に流通していった。「日本六古窯（常滑・瀬戸《せと》・信楽《しがらき》・丹波《たんば》・備前《びぜん》・越前《えちぜん》）」と呼ばれる中世窯は、ほぼこの時代に成立し、以後、それらの陶器が日本各地の集落や館跡の遺跡に、広くみられるようになる。

北方に君臨した奥州藤原氏

奥州藤原《おうしゆうふじわら》氏の基礎を築いた藤原清衡《きよひら》は、奥六郡（胆沢《いさわ》・和賀《わが》・江刺《えさし》・稗貫《ひえぬき》・斯波《しわ》・岩手《いわて》郡）を伝領したのち、一一世紀末に居館を豊田館《とよたのたち》から平泉館《ひらいずみのたち》に移すと、しだいに陸奥《むつ》・出羽《でわ》両国へと勢力を広げていった。この結果、その勢力は南は白河関《しらかわのせき》（福島県白河市）、北は津軽《つがる》の外ヶ浜《そとがはま》にまで広がった。すなわち日本の国土は、外ヶ浜にまで及んでいったことになる。清衡は勢力下の一万余の村々に仏《ぶつ》聖灯油《しょうとうゆ》のための田を寄付し、白河関から外ヶ浜に至る行程二〇日あまりの奥大道《おくたいどう》には、一町ごとに笠卒都婆《かさそとば》を立て、その中間の平泉に中尊寺《ちゆうそんじ》を建て、ここに平泉は東北地方の中心となった。

これ以前の一一世紀の東北地方は、戦乱に明け暮れていた。一〇世紀から一一世紀にかけて関東で戦乱が起こったその影響が、東北地方へと及んでいった結果であろう。源頼義《みなもとのよりよし》による前九年合戦《ぜんくねんかっせん》（一〇五一〜六二年）、清原真衡《きよはらのさねひら》による延久《えんきゅう》の合戦《かっせん》（一〇七〇年）、源義家《よしいえ》による後三年合戦《ごさんねんかっせん》（一〇八三〜八七年）などの合戦が続いて起きた。その間に東北地方経営のための橋頭堡《きょうとうほ》とされたのが山北《せんぼく》三郡（雄勝《おがち》・平鹿《ひらか》・山本《やまもと》郡）と奥六郡である。その北側の北奥羽《おうう》は、さらに北の北海道や千島《ちしま》・樺太《からふと》などとともに擦文《さつもん》文化圏に属していたのだが、これらの合戦を経て、北奥羽地域も日本の領域に組み入れられていった。

擦文文化は、続縄文《ぞくじょうもん》文化に続いて北方に広がった、竈《かまど》を据えた半地下式の住居に鉄器・須恵器《すえき》を伴う文化であり、さらに東北方のオホーツク文化と併存して一二世紀まで続いていた。こうした北方の文化との交流を経ながら、清原真衡は山北三郡と奥六郡を領有して東北地方に君臨したのであるが、その死後に起きた清原氏の内訌《ないこう》と源義家の介入を経て、勢力を握ったのが藤原清衡である。

清衡は「在世三三年」（『吾妻鏡《あずまかがみ》』）の間に延暦寺《えんりゃくじ》・

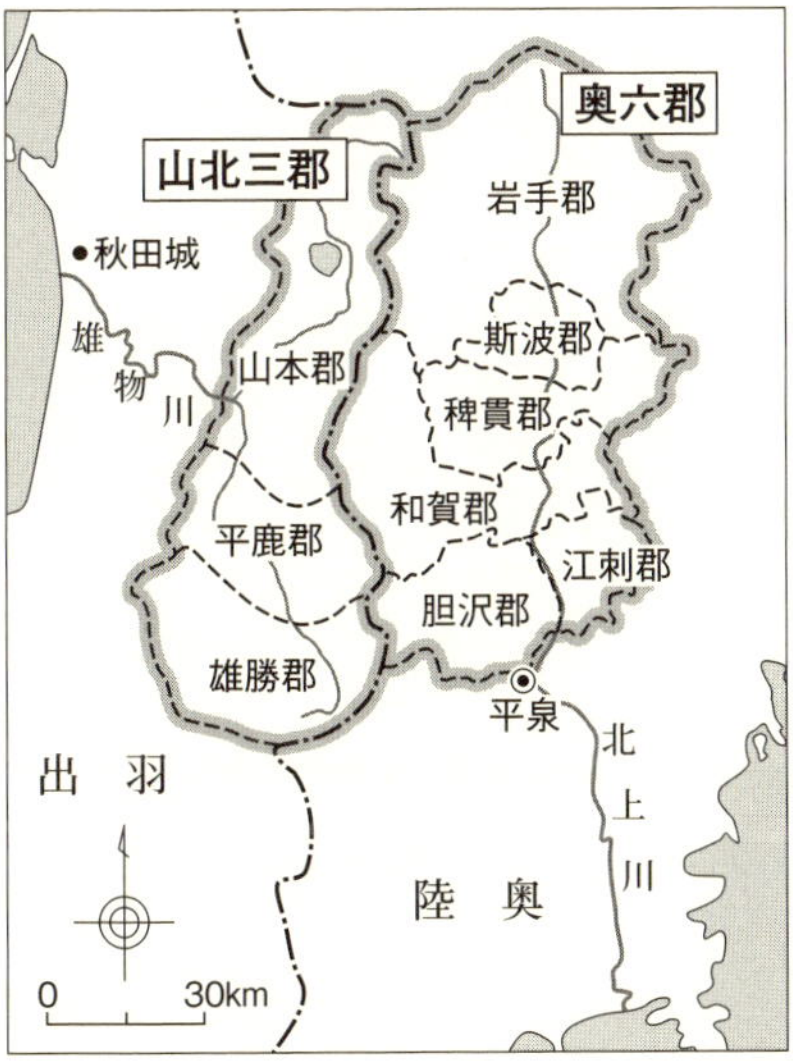

●奥六郡と山北三郡
両郡とも、はじめ安倍《あべ》氏、前九年合戦後は清原氏が支配した。だが後三年合戦で清原氏も滅ぶと、安倍氏の血を引き、清原真衡の義弟でもある藤原清衡がその跡を継いだ。

園城寺《おんじょうじ》・東大寺《とうだいじ》・興福寺《こうふくじ》などの中央の大寺や、大陸の天台山《てんだいさん》の僧など合わせて一〇〇〇人に供養を依頼したといい、死に際しては逆修《ぎゃくしゅ》を行なって一〇〇日の結願《けちがん》のときに亡くなったという。阿弥陀《あみだ》仏《ぶつ》を安置した金色堂《こんじきどう》で往生を遂げたのであろう。その死後、骸《むくろ》は金色堂の須弥壇《しゅみだん》に納められた。

清衡が栄華を築いた時期は、京では白河院《しらかわ》が法勝寺《ほっしょうじ》を創建して「国王ノウヂ寺」となし、京の南の鳥羽《とば》の広大な地を占定《せんてい》して離宮である鳥羽殿を造営していたころである（『今鏡《いまかがみ》』）。清衡の中尊寺創建もこの白河院に倣ったともいえなくはない。奥州の中央の山上に中尊寺の伽藍《がらん》を設け、その境内の釈迦堂《しゃかどう》には一〇〇余体の金容《こんよう》の釈迦像など金色《こんじき》の木像を安置した。また大長寿院《だいちょうじゅいん》は二階建ての大堂であるが、のちに頼朝《よりとも》がこれに見習って鎌倉に永福寺《ようふくじ》を建てたほどである。皆金色《かいこんじき》の金色堂はまさに王権を象徴していた。奥州に荘園《しょうえん》がつぎつぎに立てられて、京の王権が奥州に浸透していったのに対応するかたちで、奥州の王権が形成されたものとみられる。

清衡の跡を継いだ基衡《もとひら》は、平泉に円隆寺《えんりゅうじ》や嘉勝寺《かしょうじ》の建立を進め、それらを含んだ毛越寺《もうつうじ》と称する寺院を建立した。円隆寺の「円」は後三条院《ごさんじょう》による円宗寺《えんしゅうじ》などの四円寺《しえんじ》、嘉勝寺の「勝」は白河院に始まる法勝寺などの六勝寺《ろくしょうじ》にちなむものであるから、そこには中央の勢力との強いつながりと対抗とがうかがえよう。

なかでも毛越寺という命名は、毛が毛《け》の国、越が越《こし》の国を意味するものとみられ、毛の国である上野《こうずけ》・下野《しもつけ》と越の国である北陸道への支配の目配りが認められる。この時期には、源義朝《よしとも》が東海・東山道に支配をのばしているので、それと張り合うようなかたちで、毛・越の国々へと支配をのばそうとしたのが基衡の構想であって、それが毛越寺の命名となって現われたものと考えられる。

基衡は北方をはじめとする各地との交易を通じて多くの宝物《ほうもつ》を収集したが、そのころに白河院の跡を継承した鳥羽院が、京の南の鳥羽の離宮を整備して建立した勝光明院《しょうこうみょういん》に付属して宝蔵《ほうぞう》を設け、列島内外から宝物を集めていた。廷臣はその上皇の意に応じて宝物を献上しており、摂関家《せっかん》は鎮西《ちんぜい》（九州）に渡来した奇獣や珍鳥を献上し、また院の腹心の信西《しんぜい》（藤原通憲《みちのり》）は「遣唐使《けんとうし》」になることを夢見て中国語を学んだという。

平泉と辺境の王権

豊かな平泉《ひらいずみ》の世界からの情報を得て、中央からの接触も頻繁になった。摂関家《せっかん》の藤原頼長《ふじわらのよりなが》は陸奥《むつ》と出羽《でわ》の荘園《しょうえん》を父から譲り受けると、藤原基衡《もとひら》と交渉して荘園の年貢の金《きん》の引き上げに成功している（『台記《たいき》』）。日宋《にっそう》間の交易が急速に拡大し、輸出品として金を求める動きがそうさせたのである。

基衡が建立した毛越寺《もうつうじ》周辺に街区が形成されていたことを、平泉の主要な宗教施設を書き上げた『吾妻鏡《あずまかがみ》』文治《ぶんじ》五年（一一八九）九月十七日条に載る平泉寺《じ》塔已下《とうい》注文《かちゅうもん》が記している。それによれば、毛越寺の東に位置する観自在王院《かんじざいおういん》の南大門《なんだいもん》の南北路に、東西に数十町に及んで、倉町《くらまち》がつくり並べられ、数十宇《う》の高屋《たかや》が建てられていたという。

この一帯からは、発掘によってたしかに基衡の時代からの道路遺構や建物遺構、さらに遺物も多く出土している。なかでも倉町遺跡からは、高屋と思われる立派な建物遺構が発掘されている。柱の穴は、深さ・直径ともに一・五メートルもあり、なかからは八角形に整形された柱材が見つかったばかりか、周辺からは中国産陶磁器の破片が多数出土している。そしてこの高屋と観自在王院の間には、幅三〇メートルにも及ぶ道路が走っていたことがわかっている。

また、観自在王院には牛車《ぎっしゃ》をつなぎ止める車宿《くるまやどり》があったという。絵巻などに見える貴族の邸宅では、門を入ってすぐ左手に車宿のあるのがふつうなので、この車宿の存在は邸宅を象徴するものと考えられ、基衡の居館はおそらくこの観自在王院の地にあったのだろう。出家した基衡の夫人によって、そこに観自在王院が建てられたものとみられる。発掘報告によると、その下の層には邸宅らしき遺構があるとのことである。基衡はここに館を構え、周辺を整備していったのであろう。

基衡の跡を継承した秀衡《ひでひら》は、未完成だった嘉勝寺《かしょうじ》を完成させるとともに、北上川《きたかみがわ》の近くに根拠地を移した。これが発掘の進んでいる柳之御所《やなぎのごしょ》遺跡であるが、平泉寺塔已下注文によれば、金色堂《こんじきどう》の正方（真正面）に位置する平《ひら》泉館《いずみのたち》を整えると、その近くに子息の家や宅を配し、宇治《うじ》の平等院《びょうどういん》に模した無量光院《むりょうこういん》を造営して、そ

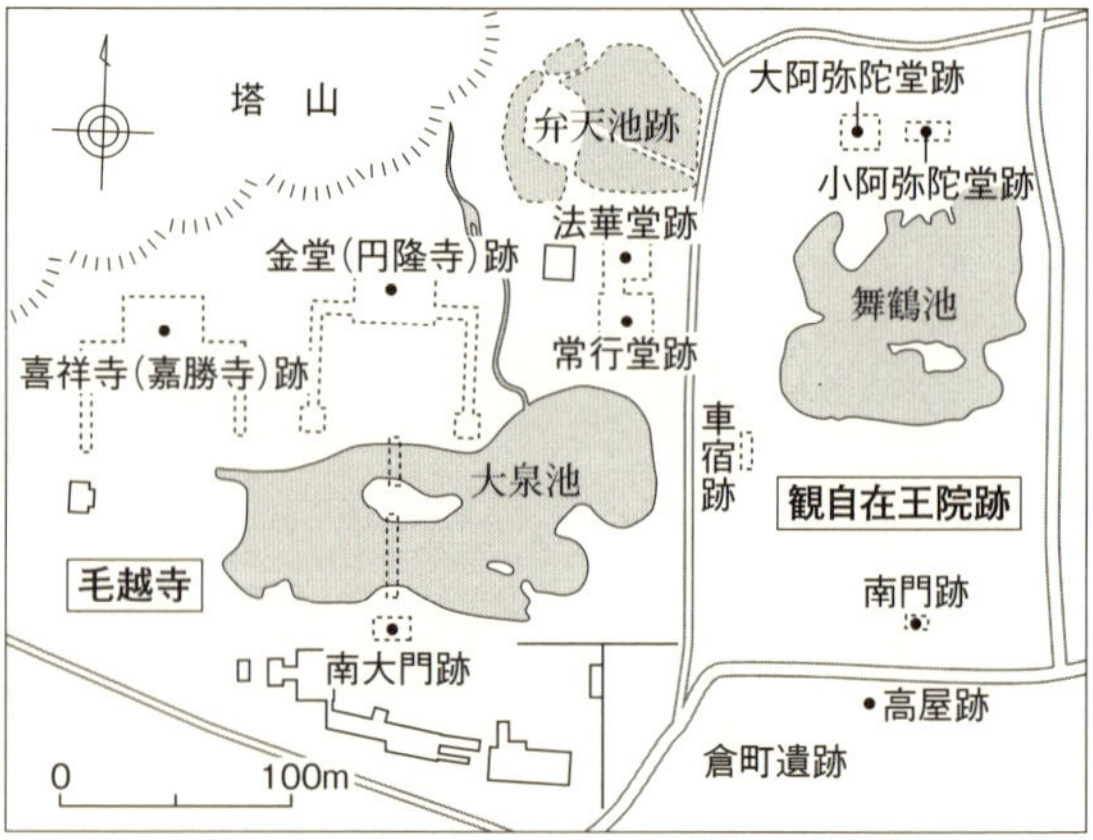

●毛越寺と観自在王院
円隆寺本尊の薬師《やくし》如来《にょらい》造立の際に、基衡は仏師雲慶《うんけい》に大量の「円金」や北方の産品の数々を礼として渡している。富の集中を物語る。

の近くに小御所《こごしょ》を構えていたという。
柳之御所遺跡の発掘によって、秀衡の時期に平泉館がもっとも整備されていたことがわかっている。「人々給絹日記」という絹を人々に与えるリストを記した折敷《おしき》（杉や檜《ひのき》の板でつくった食器）が出土し、宴会用の大量の土器や大陸渡来の白磁《はくじ》なども発掘され、郭内《かくない》には多くの家の遺構もある。

しかしこうした豊かさを享受する奥州世界をめがけて、中央からの接触が続いた。秀衡は否応《いやおう》なくその京の動きに直接の対応を迫られて、鎮守府《ちんじゅふ》将軍や陸奥守《むつのかみ》にも任じられ、都から逃れてきた人々を受け入れ、また金を求める動きにも対応していった。やがて源平の争乱が始まると、源頼朝《よりとも》の追討を命じる宣旨《せんじ》も受け入れたり、逃亡する源義経《よしつね》を迎え入れたりもしている。しかしその結果、鎌倉の王権によって滅ぼされるところとなったのである。

文治《ぶんじ》五年（一一八九）七月に出された、秀衡の跡を継いだ泰《やす》衡《ひら》の追討を頼朝に命じる宣旨は、「陸奥国住人泰衡は辺境に雄飛し」と記している。奥州の藤原氏は辺境の王という性格を有

9

◉平等院を模した無量光院
無量光院本堂のCGによる復元。平等院鳳凰堂が朝日山と向かい合っているのに対し、ここでは本堂の背後の金鶏山《きんけいさん》に日や月は沈んだ。

していたのであった。辺境王とは、境外の地と向き合いつつ、中央の王に従属することで、その王権を成立させ維持させる存在である。

そのため源頼朝はこれを攻めるにあたって、九州の南、日向《ひゅうが》の島津《しまづ》を拠点に日向・大隅《おおすみ》・薩摩《さつま》にわたる大荘園である島津荘の住人にまで軍事動員をかけた。それに対し、一二世紀後半になると境外の地では擦文《さつもん》文化が衰退していたこともあって、平泉の王権を後方から支える力はなくなっていた。頼朝軍に攻められて、北方に逃れた泰衡は、途中で討たれてしまうことになる。

都市の原型

港湾都市・博多の誕生

奥州平泉《おうしゅうひらいずみ》の都市形成は多く京都に倣ったものであるが、都市の形成のあり方を考えるうえでまず注目したいのは港湾都市・博多《はかた》である。博多は大宰府《だざいふ》や平城京《へいじょうきょう》・平安京《へいあんきょう》などの政治的都市とは違って、計画的に形成されたというよりは、自生的に形成されてきた都市であるから、都市の成立と発展を考えるうえで、基準になると考えられる。都市が異文化の接触と交換の場として発展をみたことをも考えるならば、日本の都市の原型はここに求められよう。

その博多の初見は、天平宝字《てんぴょうほうじ》三年（七五九）三月二四日、大宰府が、「警固式《けいごしき》」によって博多大《おお》津《つ》・壱岐《いき》・対馬《つしま》などの要害に船一〇〇艘《そう》以上の設置が図られてきたことを述べつつ、その船が欠けていることを朝廷に上申したとする『続日本紀《しょくにほんぎ》』の記事である。博多は「那津《なのつ》」や「筑紫大津《つくしのおおつ》」とも見え、大宰府の形成とともに外港として整えられ、遣唐使《けんとうし》や外国使節の出入港する港湾として機能して成長した。

その外国使節接待の場となっていたのが鴻臚館《こうろかん》であるが、一一世紀には博多の北の筥崎《はこざき》も港湾としての機能を帯びるようになり、博多や筥崎に集まる富をめぐって、さまざまな勢力が博多周辺に進出していった。この付近の事情は先に少し述べたが、それとともに宋《そう》の商人たちが住み着くようになり、街区も生まれてきた。一一世紀末には鴻臚館と入海《いりうみ》を隔てた博多浜の埋め立てが行なわれ、そこに街区が形成され、中世都市博多の原型が成立していたことを発掘の成果が示している。それは京都や奈良に街区が生まれたのと同じころであったが、それとともに鴻臚館は機能しなくなった。

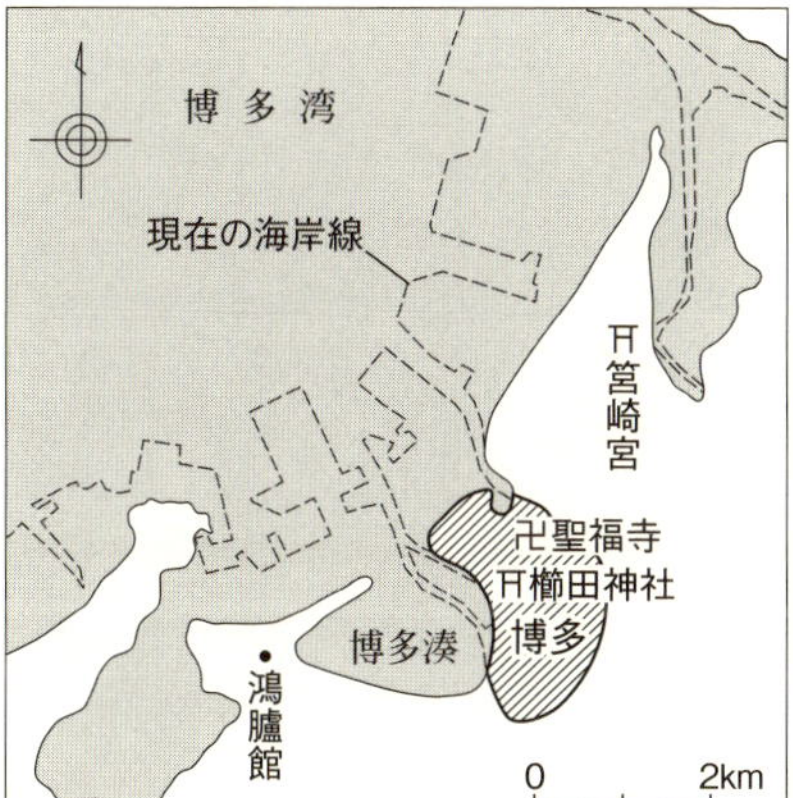

◉大陸の玄関となった博多
鴻臚館から博多へという貿易の中心地の移動は、一一世紀なかば以降に博多周辺の遺構・遺物が急増していることからも確認できる。

こうして博多は筥崎と相まって国際港湾都市としてにぎわうようになり、仁平《にんぺい》元年（一一五一）に大宰府検非違所《けびいどころ》の別当《べっとう》らが五〇〇余騎の軍兵を率いて筥崎・博多で「大追捕《ついぶ》」を行なった際には、宋人の家など一六〇〇軒の在家《ざいけ》の資財雑物を没収したという（『宮寺縁事抄《ぐうじえんじしょう》』）。博多から筥崎にかけては多くの民家が存在していたのである。

仁安《にんあん》二年（一一六七）一二月に、栄西《えいさい》は父母に別れを告げて鎮西《ちんぜい》（九州）に赴くと、宇佐宮《うさのみや》に詣《もう》でたのち、肥後《ひご》の阿蘇山《あそざん》に登って八大龍王に渡海《とかい》の無事を祈り、大陸に渡るために「博多の唐房《とうぼう》」に至ったという（「入唐縁起《にっとうえんぎ》」『霊松一枝《れいしょういっし》』）。博多の唐房は渡航や貿易の拠点として営まれていた。

博多の湊《みなと》付近に陸揚げした白磁《はくじ》を廃棄した「白磁だまり」から出土した、皿や碗《わん》の底には、「張綱」「丁綱」「李綱」などの文字がある。このうちの「張」や「丁」は荷主の姓で、「綱《こう》」は海上輸送のため組織された集団のことで、その船長が綱首《こうしゅ》であって、彼らは日本に定住し貿易を業としたのである。

また、宋の貿易の窓口である明州《めいしゅう》（寧波《ニンポー》）の天一閣で発見された碑文《ひぶん》は、南宋の乾道《けんどう》三年（一一六七）四月日の銘《めい》をもち、「大宰府博多津居住」の宋商三名によって建てられたものである。博多居住の宋人の存在が明示されているが、彼らこそ博多と大陸との貿易を担った博多の綱首である。

こうした宋人の足はやがて都にも向かった。平清盛《たいらのきよもり》は摂津《せっつ》の大輪田泊《おおわだのとまり》（神戸市）を修築し、嘉応《かおう》元年（一一六九）三月二〇日に後白河《ごしらかわ》上皇をここに迎え、一〇〇〇人の僧を招いて千僧供養《せんそうくよう》を行なうと、翌年九月二〇日に上皇を福原《ふくはら》の別荘に迎えて宋人との対面を実現させている。「わが朝、延喜《えんぎ》以来未曾《みぞう》有の事なり。天魔の所為《しょい》か」という貴族の批判もあったが（『玉葉《ぎょくよう》』）、これによって日宋貿易は本格化することになったのである。

平清盛や高倉《たかくら》上皇が厳島《いつくしま》神社（広島県廿日《はつか》市《いち》市）に詣でた際には宋船に便乗しており、貴族たちは福原に使者を下して薬品や書籍などを取り寄せている。治承《じしょう》三年（一一七九）に清盛は『太平御覧《たいへいぎょらん》』を高倉上皇に献上している。このような情勢は民間貿易にも大きな影響を与え、その貿易品である銭《ぜに》の流通は著しかった。

この博多の発展の影響で、平氏の時代になると瀬戸内海を中心にして港湾が開けていった。摂津の大輪田泊はその代表的存在であり、清盛が阿波《あわ》の豪族・阿波民部大夫《あわのみんぶのたいふ》成能《しげよし》（成良）に命じて経ケ島《きょうがしま》を築かせた話が『平家物語《へいけものがたり》』に見える。また備後《びんご》に院領大田荘《おおたのしょう》（広島県世羅《せら》町）を設け、その領家《りょうけ》となると、内陸部にあるこの荘園《しょうえん》の年貢の積み出し港として尾道浦《おのみちのうら》を領有し整備している。まずは博多と京を結ぶルートに港湾都市が育っていったのであるが、やがて鎌倉に政権が生まれると、伊勢湾と東京湾を結ぶルート上にも港湾都市は生まれていった。

10

◉「張綱」の文字のある碗
底に文字が書かれた理由については、「所有品の持ち主を表わすため」「他の商品と区別するため」などの諸説がある。

政治都市・京都の発展

京都は平安京《へいあんきょう》のなかから生まれ、京童《きょうわらわ》を住人として成長してきたが、武士が上洛《じょうらく》してその京童の前で合戦の姿を披露《ひろう》したのが保元《ほうげん》の乱《らん》（一一五六年）であった。乱の直後に出された新制（朝廷の法令）は、都に入ってきて在家《ざいけ》に寄宿している人々の調査を、保《ほう》の検非違使《けびいし》に命じている。

保とは従来の条坊制《じょうぼうせい》の保とは違って、横大路《よこおおじ》と横大路の間の条を保と称するようになったもので、その保ごとに担当の検非違使を任じ、この保検非違使（保官人《ほうかんじん》）が保内の警備や裁判の事務を担うものとされたのである。検非違使は、武士が任じられる追捕《ついぶ》の官人と、「道志《どうし》」と称される法曹の官人からなっていたが、保官人には法曹の官人が任じられた。

都での戦闘を経験したことから、乱後の政治の実権を握った信西《しんぜい》（藤原通憲《ふじわらのみちのり》）は、鏡のように都を磨きあげたといわれたごとく（『今鏡《いまかがみ》』）、都の再建をめざし、政治の中心となるべき大内裏《だいだいり》も再建した。『年中行事絵巻《ねんじゅうぎょうじえまき》』はこの保元の乱後に整えられた都の風景を描いた絵巻であり、そこには祭礼空間となった都の大路・小路とともに、道に沿って生まれた街区とそこでのにぎわいとが描かれている。そのかたわらで平治《へいじ》の乱《らん》（一一五九年）で勝利を占めた武家の平氏は、政権の構築にあたっての拠点となる、六波羅《ろくはら》の館を整備していった。

南門は六条末、賀茂川《かもがわ》一丁を隔つ。元は方町《ほうちょう》なりしを、この相国《しょうこく》四丁に造作あり。是《これ》も屋敷二十余宇に及べり。是のみならず、北の倉町より初て専《もっぱ》ら大道を隔て辰巳《たつみ》の角の小松殿《こまつどの》に至るまで、廿余町に及ぶまで造営したりし一族親類殿原及び郎従眷属《ろうじゅうけんぞく》の住所に至るまで、『平家物語《へいけものがたり》』のこの記事にはやや過大な表現が多いが、「相国」平清盛《たいらのきよもり》の邸宅である泉殿《いずみどの》を中心にして、頼盛《よりもり》の池殿《いけどの》、教盛《のりもり》の門脇殿《かどわきどの》、重盛《しげもり》の小松殿など、平氏一門が立ち並ぶ要塞《ようさい》が六波羅に生まれたのである。

おそらくこの平氏一門の動きに応じて、先にみた奥州の藤原秀衡《ひでひら》も一門を館の周囲に配置したのであろう。秀衡は館の西木戸に嫡子国衡《くにひら》の家と四男隆衡《たかひら》の宅を、泉屋の東に三男忠衡《ただひら》の家を配置し、みずからは無量光院《むりょうこういん》の東門の加羅《から》御所を居所となし、泰衡《やすひら》に継承させたという。

平泉《ひらいずみ》は政治都市としての京都を模したのである。毛越寺《もうつうじ》の吉祥堂《きっしょうどう》の本仏は京の補陀洛寺《ふだらくじ》の本尊を模しており、基衡《もとひら》の夫人が建立した観自在王院《かんじざいおういん》の阿弥陀《あみだ》堂《どう》の四壁の図は「洛陽《らくよう》の霊地《れいち》名所《めいしょ》」を描き、無量光院の院内の荘厳《しょうごん》はことごとく宇治平等院《うじびょうどういん》を模していた。さらに平泉に建立された「鎮守《ちんじゅ》」も、中央の惣《そう》

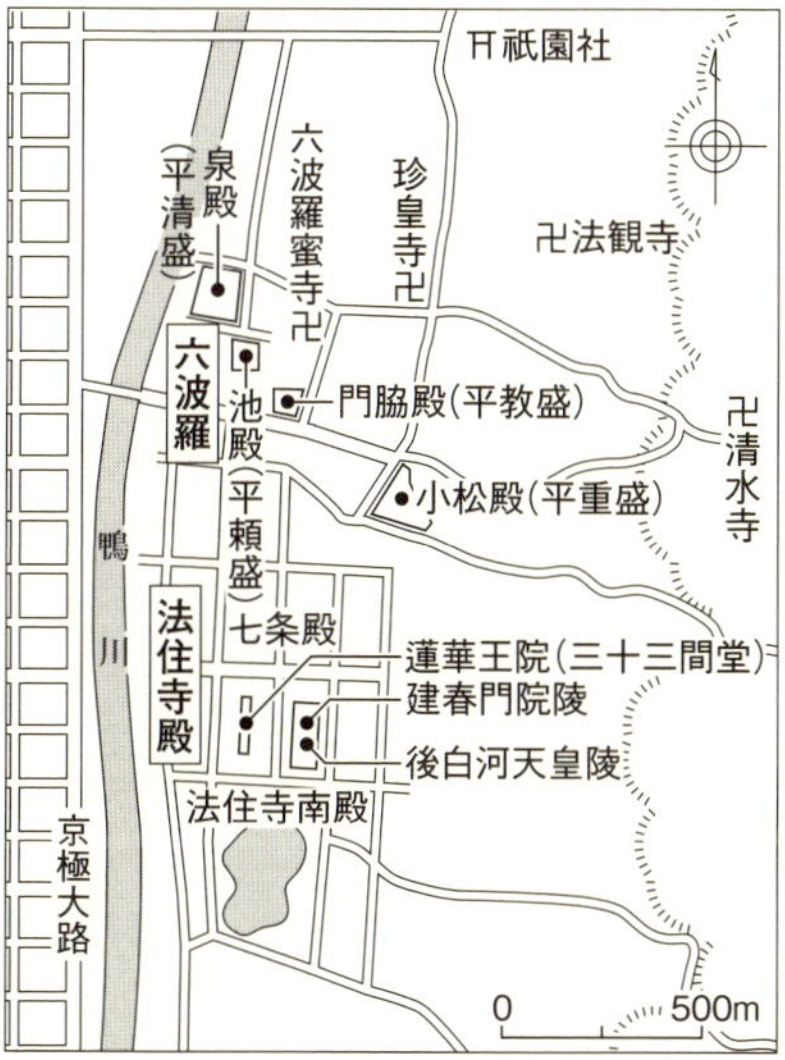

●平氏の拠点、六波羅
六波羅《ろくはら》はもともとは京の東の葬送地鳥辺野《とりべの》の手前に広がる土地だったが、平正盛《たいらのまさもり》が六波羅の珍皇寺《ちんのうじ》から土地を拝借したことをきっかけに、平氏の根拠地となっていった。

社《じゃ》や東方の日吉《ひよし》・白山《はくさん》、南方の祇園《ぎおん》社・王子《おうじ》諸社、西方の北野《きたの》天神・金峯山《きんぷせん》、北方の新熊野《いまくまの》・稲荷《いなり》社などすべて京とその周辺にある社を模したものという。

さて京都のつぎの発展を物語るのが、博多《はかた》を経て流入してきた銭《ぜに》の流通である。治承《じしょう》三年（一一七九）に流行した疫病は折からの銭の流行にちなんで「銭の病」と称されたという（『百練抄《ひゃくれんしょう》』）。銭が土地の取り引きなどに使われるようになってきたことを物語る最初の文書としてこれまで注目されてきたのは、久安《きゅうあん》六年（一一五〇）八月の橘行長《たちばなのゆきなが》家地売券（『百巻本東大寺文書《ひゃっかんぼんとうだいじもんじょ》』七六号）である。だがこれには疑問点も多く、これを除くと、二〇年ほど下った嘉応《かおう》二年（一一七〇）四月三〇日の紀季正《きのすえまさ》の家地相博《そうはく》状（「東寺百合文書《とうじひゃくごうもんじょ》」）が初見となり、これ以後、銭による取り引きの文書が多く見えはじめる。朝廷は銭の流通を禁じようとしたのだが、その効果はほとんどなかった。

宗教都市・奈良の形成

博多や京都とは違った都市の展開をみたのが奈良である。奈良は東大寺《とうだいじ》や興福寺《こうふくじ》の門前に生まれている。東大寺は平城京《へいじょうきょう》の外京の春日《かすが》の地に、天平《てんぴょう》一七年（七四五）に聖武《しょうむ》天皇の発願により創建され、天平勝宝《しょうほう》元年（七四九）に本尊盧舎那仏《るしゃなぶつ》が、同四年に金堂《こんどう》（大仏殿）が完成している。この大仏と、同六年に鑑真《がんじん》によって設立された戒壇院《かいだんいん》とが相まって、東大寺は国家仏教の中心となった。

またこれ以前、同じ平城京の外京の地に興福寺が早くに建立され整備されていた。和銅《わどう》三年（七一〇）の平城京遷都に伴い、藤原京《ふじわらきょう》にあった厩坂寺《うまやざかでら》が移されて大伽藍《がらん》が造営され興福寺と号されたという。中心伽藍である中金堂《ちゅうこんどう》は、藤原氏の基礎を築いた藤原不比等《ふひと》が亡くなる養老《ようろう》四年（七二〇）以前に建立されており、東金堂《とうこんどう》は神亀《じんき》三年（七二六）に聖武天皇により建立されている。東大寺創建以前にその寺容は整えられていたのである。

やがて平安京《へいあんきょう》への遷都とともに、比叡山《ひえいざん》や三井寺《みいでら》などの天台《てんだい》宗《しゅう》の寺院が形成されてゆくなかにあっても、依然として南都《なんと》の仏教は朝廷の仏教の根幹をなしており、南都の僧は京に召され法会《ほうえ》や祈禱《きとう》にかかわっていた。そのため奈良は僧たちの暮らしの場として、また僧を支える人々の暮らしの場として独自の成長を遂げていた。

僧たちが暮らしていたのは寺の僧房（僧坊）であり、東大寺や興福寺の場合には講堂をコの字に囲んでつくられた三面僧房の形式をもつ。興福寺の僧房の姿は、『春日権現験記絵巻《かすがごんげんけんきえまき》』によれば、連子窓《れんじまど》に板敷きの室が連なっており、室ごとに外に長椅子《いす》がある構造をとっている。僧たちが起居・寝食をともにしながら学問を学ぶ道場とされた様子が、よくうかがえる。

こうした僧房に起居する僧の生活を寺の経済が支え、その生活と経済を多面的に支えるかたちで奈良という都市が形成され

11

◉**描かれた僧房**
永超《えいちょう》という僧が、毎年一〇月に興福寺で行なわれる、「維摩経《ゆいまきょう》」を七日間講読する維摩会《ゆいまえ》という法会の合間に、僧房で寸暇を惜しんで勉学に励んでいる。（『春日権現験記絵巻』）

ていったが、さらにその寺院と都市の発展に大きな変化を促したのが院家《いんげ》の成立である。僧房の教学の場と暮らしの場とを発展させて生まれたのがこの院家であった。

東大寺では、東南院《とうなんいん》が貞観《じょうがん》一七年（八七五）に聖宝《しょうぼう》によって創建されたのを始めとしており、興福寺では一乗院《いちじょういん》が天禄《てんろく》元年（九七〇）頃に興福寺別当《べっとう》定昭《じょうしょう》の手によって上階僧房の北西に創始されたのが始まりである。一〇世紀後半から興福寺の境内や周辺につぎつぎと院家が生まれていったが、その院家の風景も『春日権現験記絵巻』に描かれている。

説法を聞いて、八歳になるわが子を出家させようと思った母に連れられてきた祈親《きしん》という僧の話を扱う巻九を見ると、祈親が訪れた興福寺の喜多院《きたいん》という院家の様子が描かれていて、瓦《かわら》葺《ぶき》の築地《ついじ》塀《べい》で囲まれ立派な室礼《しつらい》となっているのがわかる。もっとも、この風景は絵巻が制作された鎌倉末期のもので、当初の喜多院は相当に違っていたではあろうが。

こうした院家を支えたのが周辺の在家《ざいけ》であって、それも同じ絵巻に描かれている。祈親は、興福寺の西門の近くの家に寄宿

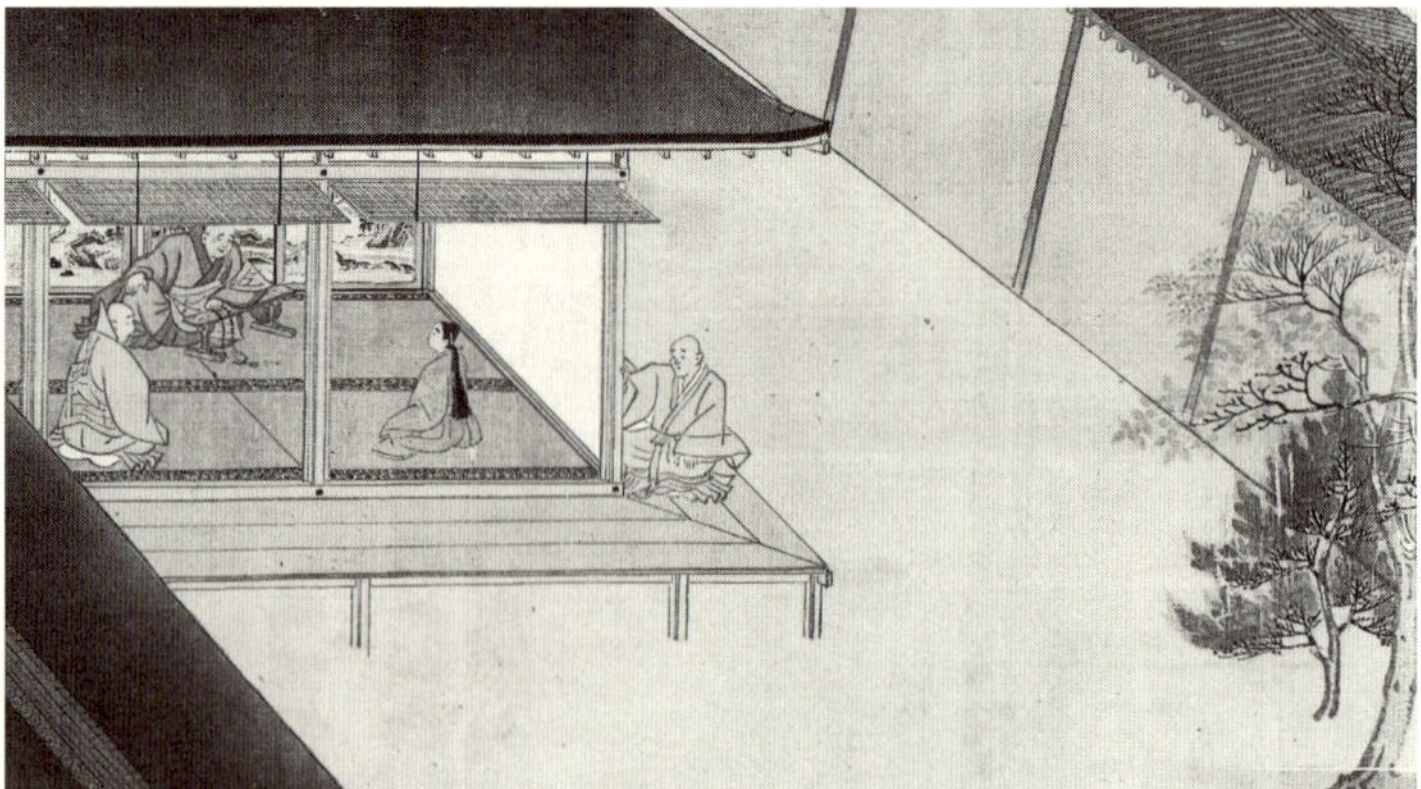

12

●院家の室礼
八歳の祈親が、空晴僧都の住む喜多院を訪れた場面。空晴は「一宗の法灯」と呼ばれた名僧で門徒が多かった。（『春日権現験記絵巻』）

して出家の機会を待つうち、一一歳のときに母が大病を患って、「出家修学の望みを遂げてほしい」と訴えられたことから出家を果たしたのである。絵には、母が住む板塀・板戸に柴垣《しばがき》などが巡らされた貧しい民家が描かれている。

興福寺の周辺には、このように出家する僧たちを外から支える親族がおり、彼らが寄宿するための在家が多数生まれた。また寺僧の経済を支える人々や寺に奉仕する人々も広範に生まれ、こうした院家の成立と周辺の在家の展開が、興福寺が寺家《じけ》として発展することに大きく寄与したのである。興福寺では永《えい》承《しょう》元年（一〇四六）に在家の火事に類焼して、北円堂《ほくえんどう》と倉だけを残し、中金堂・講堂・東西金堂・南円堂《なんえんどう》・南大門《なんだいもん》・僧房などが焼け落ちたが（『扶桑略記《ふそうりゃくき》』）、翌年には造寺が開始され、同三年には再興供養がなされている（『造興福寺記《ぞうこうふくじき》』）。

このように繰り返し焼失しても、そのつど、再建されたのは、寺家・院家、それに在家などが相まって都市が形成されていたからである。康和《こうわ》四年（一一〇二）に興福寺の門前に四面《しめん》郷《ごう》があるという記事が見えるので（『類聚世要抄《るいじゅうせようしょう》』）、このころまでには興福寺・東大寺などの境内の周辺に、市街地（郷・里と

13

◉貧しい在家
一一歳の祈親が、大病の母親の枕元で、祈親に出家修学してほしいという願いを聞く場面。院家と比べると在家の貧相さがいっそうきわだつ。（『春日権現験記絵巻』）

称した）が形成されたものと認められる。

また奈良のような宗教都市は、奈良と京都の間に位置する宇治《うじ》の平等院《びょうどういん》の門前にも生まれ、さらに信仰の広がりとともに各地に形成されてゆくことになる。

都市の三つの類型

博多・京都・奈良の三つは、中世都市の三つの類型の形成をよく物語っており、その延長上に平泉《ひらいずみ》や鎌倉ほかの中世都市が形成されたのである。そこで改めて都市の形成の基軸や原理について比較しながら考えてみよう。

政治都市京都と港湾都市博多を比較してゆくと、そこに中央と境界という性格の対比が可能となる。中央には人が集まる。政治は人を集めて行なうものであれば、政治都市は何よりも人が集まる中央という性格を帯びていた。

京都は日本列島の中心である平安京《へいあんきょう》のなかに生まれた政治都市であり、京都に模して形成された平泉も奥州の中央に位置することから生まれている。白河関《しらかわのせき》から外ヶ浜《そとがはま》に至る行程二〇日あまりの奥大道《おくたいどう》の中央に、平泉は位置していた。鎌倉も東海道一五か国の中心にあって、道は鎌倉へと通じ、御家人《ごけにん》は「いざ鎌倉」とばかりに緊急時には鎌倉道《かまくらみち》を経て鎌倉に駆け付けた。

他方、博多といえば、列島の西に位置し、大陸との接点にあってそこにはモノが集まってきた。異なった場の交わる境界にモノは集まってくるのであり、唐物《からもの》と本朝の物とが交換される境界的場に博多という都市が生まれて成長をみたことになる。ほかの港湾都市にしても、海と陸との境界に生まれている。海のかなたから運ばれてきたモノと、陸の道を経て運ばれてきたモノとが出会う場、そこに人が集まり、都市が生まれたのである。

ではそれらに対して、奈良の場合はどうか。中央・境界と対比すれば、異界（他界）という性格を指摘できよう。世俗の磁場とは違うこの異界に、人々は祈りや救いを求めてやってくる。異界には心が集まってくるのであり、人々が心を寄せ合う場、それが宗教都市を形成したのである。

先の『春日《かすが》権現《ごんげん》験記《けんき》絵巻《えまき》』の祈親《きしん》の話でも、八歳のわが子を出家させようと思った女は、「仏法繁盛の所」である興福寺に向かっている。また『信貴山《しぎさん》縁起《えんぎ》絵巻《えまき》』は、信濃《しなの》から上って奈良・東大寺《とうだいじ》の戒壇《かいだん》で戒を授けられた僧の話であり、これからも奈良がどういう場であったのかがよくわかる。

受戒を遂げた僧は、このまま帰郷したのではまた無仏の世界に帰ることになると迷っていたところ、東大寺の大仏の導きで、西南の方角にある信貴山に赴き、そこで行を重ねるうちに、験がつき、さまざまな奇跡を行なって、ついには天皇の病気を山にいながらにして治している。これは天皇の

14

◉天皇のもとへ急ぐ護法童子
聖がみずからのかわりに天皇へ遣わした童子が宙を駆ける。足もとの輪は、転輪聖王《てんりんじょうおう》が持つ七宝のひとつ、輪宝《りんぽう》。（『信貴山縁起絵巻』）

護持していた東大寺の縁から信貴山に住むようになった僧が聖《ひじり》として修行し、天皇の恩に報いたものである。さらに東大寺の大仏は、天皇の病を治したこの聖に報いるために、信濃から上ってきた姉を面会させたばかりか、ともに安穏に暮らす道にも導いている。祈りの交錯する場として、奈良の地があったことがよくうかがえる。

以上から、つぎのような関係を指摘できよう。

都市	原理	基軸	性格
京都	中央	ヒト	政治
博多	境界	モノ	港湾
奈良	異界	ココロ	宗教

この三つの類型は典型であって、多くの後続の都市はこれらの複合からなっているのが普通である。なお、しばしば中世都市の構成要素として宿《しゅく》と市《いち》があげられるが、それらは都市に付属する基本的機能であって、それぞれ独自に営まれる場合にあっても仮の場であることが多かった。

以上、日本列島に生まれた地域や社会のあり方をモノを通じて探ってきたが、次章では中世の政治の枠組みがいかにしてつくられたのかを、おもに記録史料を通じて探ることにしたい。

第三章

政治の型の創出

専制と合議

院政という専制政治

中世の政治の始まりについては諸説があり、かつては鎌倉幕府の成立に求める見解が強かったが、最近の定説は、摂関《せっかん》を外戚《がいせき》としていない後三条《ごさんじょう》天皇の登場とともに、王権の強化の始まった治暦《じりゃく》四年（一〇六八）とする見解である。たしかに、これに続く院政の展開とともに、中世社会にみられるさまざまな政治の型が出現している。

翌年の延久《えんきゅう》の荘園《しょうえん》整理令をはじめとする国政改革は、天皇の主導権により開始された。しかしそれは新たな政治体制を築こうとしたというよりも、律令《りつりょう》国家の再生を図るのが本来の目的であって、増加する荘園の整理を急務としていた。太政官《だいじょうかん》に記録荘園券契所《けんけいしょ》（記録所）を設け、国司《こくし》からの報告書と荘園領主からの提出資料とを審査し、基準となる寛徳《かんとく》の荘園整理令（寛徳二年〈一〇四五〉）以後に成立した荘園の停止措置をとったのである。

鎌倉時代初期に源顕兼《みなもとのあきかね》が編んだ説話集『古事談《こじだん》』は、天皇のあるべき姿をこの後三条天皇に求めて多くの逸話を載せている。たとえば摂関の藤原頼通《ふじわらのよりみち》が宇治《うじ》周辺の地を平等院《びょうどういん》の所領に取り込んでいたために、天皇がその土地をも検注《けんちゅう》（調査）して税を課そうとしたという話や、升《ます》の公定を計って天皇みずからが計量したという宣旨《せんじ》枡《ます》の話などである。天皇は強い意思で国政改革に臨もうとしたことがうかがえる。

しかし、それがどうして中世の始まりを意味していたのかというと、じつはそうした復古的な法や制度の実施が、逆に新たな動きを加速化したからである。荘園整理を実施する過程でとても実行は不可能ということが明らかになり、その結果、荘園の公認へとつながっていった。このように中世の多くの法は、立法趣旨とは異なった方向に進んでいった。

さてこの後三条天皇以後、社会と文化は王権とのかかわりを強めるようになり、後三条の政治を継承した白河《しらかわ》天皇はさらなる王権強化へと走った。承暦《じょうりゃく》元年（一〇七七）に「国王ノウヂ寺」として京の東の白河に法勝寺《ほっしょうじ》を創建し、京の南の鳥羽《とば》には広大な地を占定《せんてい》して離宮・鳥羽殿を造営するなど、巨大なモニュメントによりその権威を飾るとともに、古典文化の復興を企て、『後拾遺和歌《ごしゅういわか》集《しゅう》』などの勅撰《ちょくせん》和歌集や漢詩集を編ませている。

そのかたわらで、父後三条天皇の遺言を無視して皇位を弟には譲らず、子に継承させて応徳《おうとく》三年

院政期の天皇系図

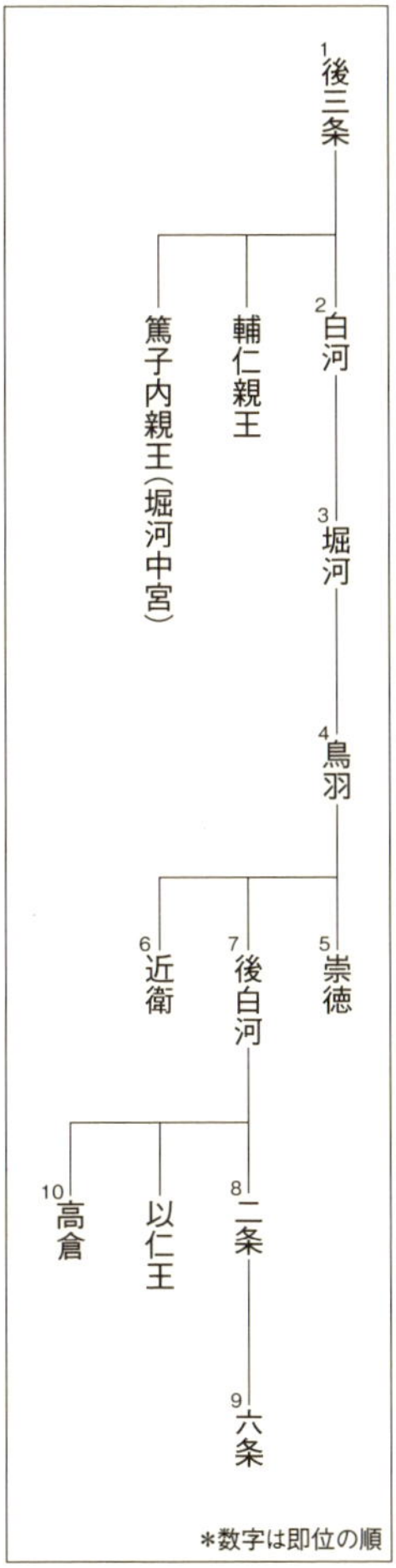

（一〇八六）に堀河《ほりかわ》天皇を立てると、上皇（院）となって天皇を守るために政治を始めた。これが院政である。それでも堀河天皇の時代にはまだ院が政治に介入することは少なかったが、堀河天皇が嘉承《かしょう》二年（一一〇七）に亡くなると、娘の郁芳門院《いくほうもんいん》の死により出家していたにもかかわらず、孫の鳥羽天皇を位につけ、ついに本格的な院政を開始したのである。今もしばしば企業や組織に見受けられる院政の起源はここにある。

白河院に始まる院政の特徴は、第一にわが皇統に皇位を継承させようとした動機からも知られるように、イエの形成に伴って子孫へその地位の継承を図ることにあった。第二には、法皇の立場にあっても政治の実権を握ったように、公的な地位を退いたのちも、先例を無視して実権を握ることにあった。そして第三が危機への対応である。この時期には荘園や公領を基盤とする権門《けんもん》・寺社、さらに武士の動きが活発化するなど分権化が深まっており、これに対応するべき王権が求められるなかで院政は生まれたのである。

第四に神仏への傾倒が著しかったことがあげられる。白河院は保安《ほうあん》四年（一一二三）七月に石清水八幡宮《いわしみずはちまんぐう》に捧げた告文《こうもん》のなかで、「王法は如来《にょらい》の付属により、国王興隆す」と記し、仏法によって授けられた王権、つ

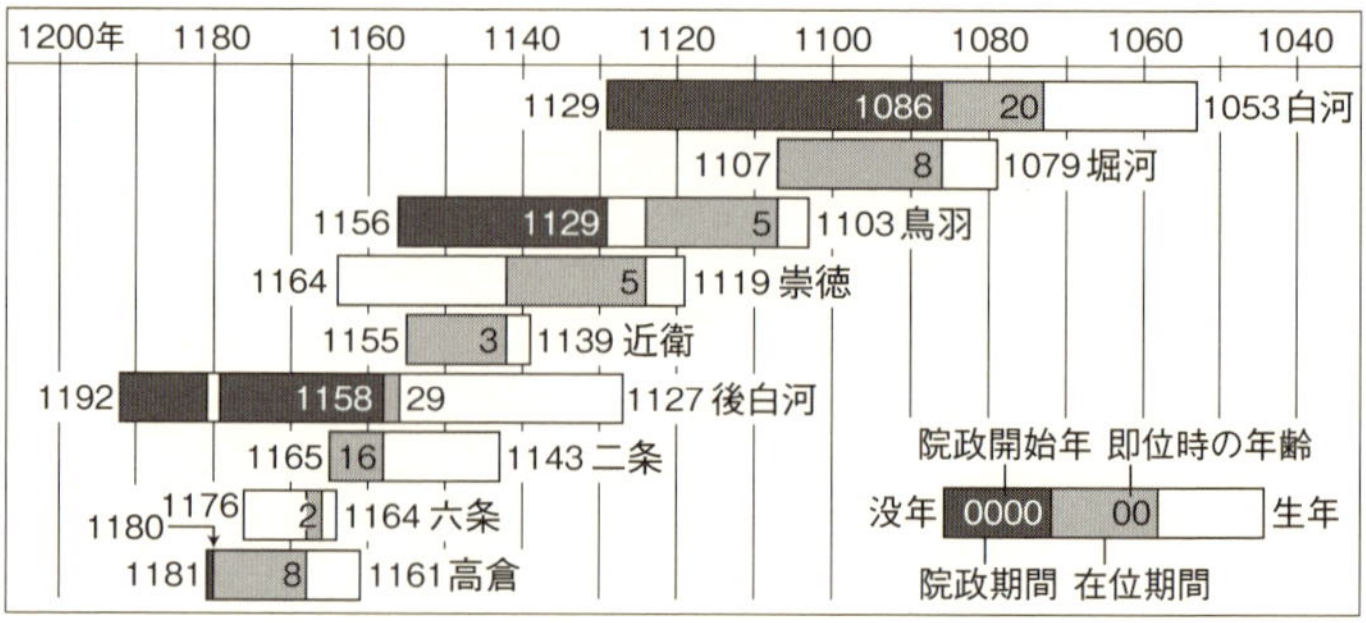

●三人の院
白河、鳥羽、後白河各上皇の享年はそれぞれ七七歳、五四歳、六六歳。早逝する天皇が多いなか、長寿の上皇によって院政は展開された。

まり王権仏授説をとなえている。また白河院をはじめとする院は、熊野《くまの》詣《もう》でや春日《かすが》詣《もう》でなど寺社への参詣《さんけい》により神仏の加護を頼んだ。後三条天皇は御願寺《ごがんじ》として円宗寺《えんしゅうじ》を創建したが、白河院は法勝寺や尊勝寺《そんしょうじ》など六勝寺《ろくしょうじ》をつぎつぎと創建して、国王の布施を広く僧に与えることによって宗教界に君臨するところとなった。

院政を支えた人と体制

院政を支えた人々については、第一に文人官僚や中級貴族があげられる。大江匡房《おおえのまさふさ》は、「高才明敏、文章博覧、当世無比」と称され、学者の出にもかかわらず中納言《ちゅうなごん》にまで昇進し、白河《しらかわ》院を助け、朝廷の儀式の次第を『江家次第《ごうけしだい》』に著わしている。源俊明《みなもとのとしあき》や藤原為房《ふじわらのためふさ》といった実務に秀でた中級の貴族層も院近臣に組織され、専制の手足となった。為房の子為隆《ためたか》が白河院に職事《しきじ》として仕えた話が『続古事談《ぞくこじだん》』に見えるが、そのうちの一三話は、白河院に裁断を仰ぐ奏事に関する話であり、院が多くの事柄があってうるさげにしていたのを、策略をめぐらして取り次いだという。

つぎにあげられるのは、院の乳母夫《めのと》や近習《きんじゅう》などの下級貴族である。院の幼いころから仕えていた彼らは裕福な受領《ずりょう》に任じられ、経済的奉仕を行なった。彼らは院の荘園《しょうえん》である院領の経営を担う院《いんの》庁《ちょう》の別当《べっとう》や判官代《ほうがんだい》などの職員に任じられ、また院領を与えられてその経営にあたった。

続いて武士があげられる。武力の支えとして中央・地方で力をつけてきた武士を、院の北面《ほくめん》や殿《てん》上人《じょうびと》などに登用し、その武力で対抗勢力を抑えつけた。白河院は、弟の輔仁《すけひと》親王を警戒して源氏の

「武士の長者」の源義家《よしいえ》に御幸《ごこう》の行列を警固させ、また伊賀国《いがのくに》の鞆田荘《ともだのしょう》（三重県伊賀市）を寄進した武士の平正盛《たいらのまさもり》を登用して受領に任じ、西国《さいごく》の海賊の追捕《ついぶ》を命じた。

さらに僧もあげられる。僧の出世の道を、興福寺《こうふくじ》の維摩会《ゆいまえ》など南都《なんと》中心の南京三会《なんきょうさんえ》の法会《ほうえ》のほかに、新たに法勝寺《ほっしょうじ》などでの北京三会《ほっきょう》に招いた僧らにも開いていった。これに伴って「法関白《ほうかんぱく》」と称された仁和寺《にんなじ》の寛助《かんじょ》をはじめ、多くの近臣の僧が生まれており、また康和《こうわ》元年（一〇九九）には、仁和寺に入っていた皇子の覚行《かくぎょう》を法親王になし、仏教界を掌握していった。

しかし院政は専制のみで行なわれたのではない。専制を補足する合議の基盤も用意されていた。摂関《せっかん》時代には、摂関が主導していた陣定《じんのさだめ》という会議が政治の意思決定の場であったが、院政では、院の御所で開かれる議定《ぎじょう》が国家の大事を決定する場となる。事件や大事が起こると、報告を聞いた院は蔵人頭《くろうどのとう》に指示を出して摂関の意思を尋ね、議定を開いて公卿《くぎょう》の意見を聞いて裁断を下した。しかしその議定には公卿すべてが出席するのではなく、院が権門《けんもん》のなかから選んだ貴族と、院の意思を体現する院近臣とから構成されていた。

この専制と合議が、その後に続く中世の政治の基調である。律令制《りつりょう》に基づいて政治が組み立てられていた古代国家に対して、新たな国土領域の広がりに対応する専制的権力が求められた結果、専制と合議の方式の組み合わせで政治がなされるようになったのである。

なお通常の政務は、蔵人頭や弁官《べんかん》などの実務官人《かんじん》により院の指示と摂関の内覧《ないらん》に基づいて進められていたが、かつての律令制の官司による実務は、官長《かんちょう》とその代官である年預《ねんよ》が運営にあたるようになり、特定の氏族が官司を実質的に経営する官司《かんし》請負《うけおい》の制度が広がった。それに応じて家格の秩序が固定化する傾向が強まり、三位以上の公卿クラス、四位・五位の官人クラスの諸大夫《しょたいふ》層、六位クラスの侍《さむらい》層、それら以下の凡下《ぼんげ》といった別が生まれた。こうした官僚制的秩序の停滞と身分化の進行とが、危機に対応する院政を出現させた面もあった。

分権化の広がり

白河《しらかわ》院の跡を継承した孫の鳥羽《とば》院は、白河院とは違う新たな王権の方向を模索した。それは鳥羽殿を整備してその一角に勝光明院《しょうこうみょういん》を建て、宝蔵《ほうぞう》を設けて列島内外からのコレクションを収め、王権を飾ることに腐心したことに現われている。モニュメントで飾った白河の王権に対して、コレクションで王権を飾ることに意を注いだものであり、白河院が求めた秩序化とは異なって、統合に力を入れたのである。

諸国の荘園《しょうえん》が鳥羽院の周辺に集中するようになったのは、このコレクションと無関係ではない。鳥羽院は一度も荘園整理令を発したことがなく、白河院

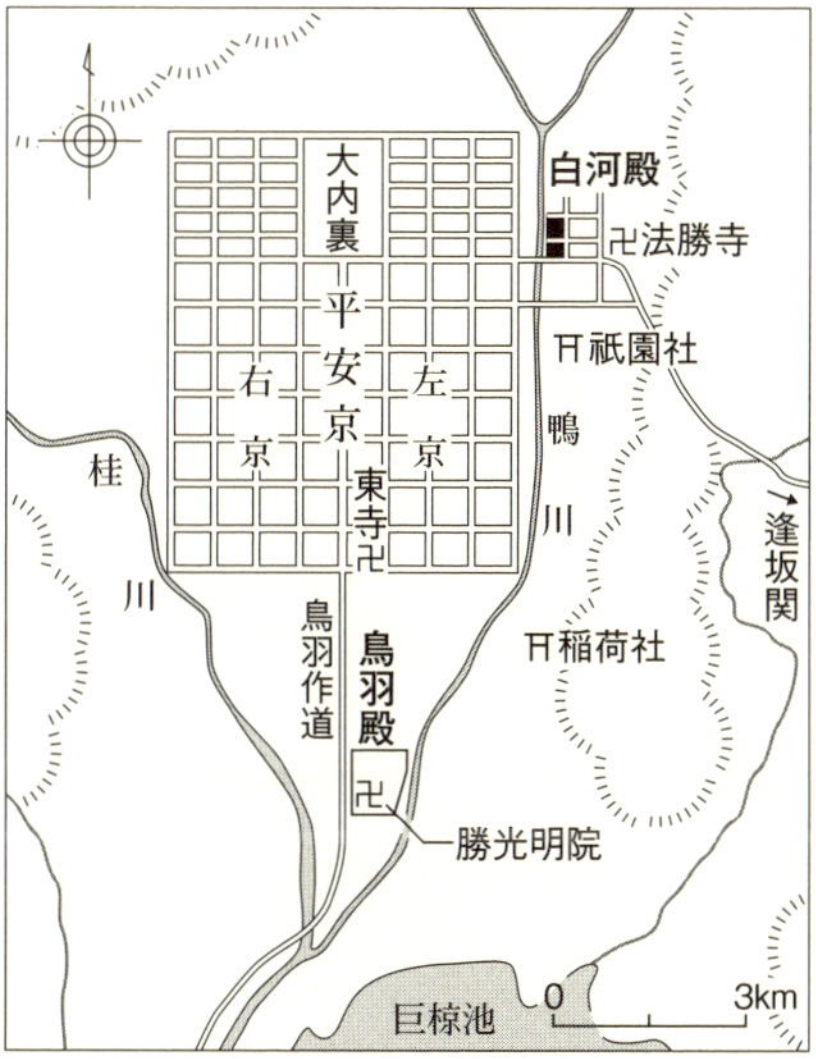

●白河と鳥羽
逢坂関《おうさかのせき》と平安京を結ぶ道が通る白河は東国を、瀬戸内海に通じる湊《みなと》があった鳥羽は西国を押さえる要地であった。

政の後半の傾向そのままに、諸国の荘園の寄進を受け入れていった。そればかりか、その荘園に国役《こくやく》免除や国司《こくし》不入《ふにゅう》などの特権を与え、それらの荘園を后《きさき》である待賢門院《たいけんもんいん》や美《び》福門院《ふくもんいん》、娘の八条院《はちじょういん》、さらに歓喜光院《かんぎこういん》など御願寺《ごがんじ》の所領とした。そしてこの荘園とともに武士もまた、鳥羽院の周辺に集まってきた。

院が源氏・平氏の武士を受領《ずりょう》や検非違使《けびいし》に任じ、院の北面《ほくめん》に伺候《しこう》させて警固させたことで、院と武士との間には主従関係が生まれた。だがその一方で、平氏・源氏の武士はその地位を利用しつつ地方の武士との間に広く主従関係を築くようになり、国司の統制から自由な活動を諸国で繰り広げ、「源氏・平氏の習《ならい》」といわれる武士独自の慣習をはぐくんでいたのである。ここに、分権化の広がりのなかに生まれた高権としての院権力の性格がうかがえる。

なかでも、鳥羽院との主従関係を通じて目覚ましい出世を遂げたのが、平氏の平忠盛《たいらのただもり》である。院の近臣となって貴族と交わり活動するかたわら、西国《さいごく》の海賊の追捕使《ついぶし》に任じられ、西国の裕福な国の受領となって、勢力を広げていった。長承《ちょうしょう》元年（一一三二）には但馬《たじま》の受領となって、一〇〇〇体の観音《かんのん》を安置する得長寿院《とくちょうじゅいん》を京につくった功により、内《うち》の昇

1

◉王権を飾る金具
鳥羽院が造営した御所田《た》中殿《なかどの》に附属する御堂金剛心院《こんごうしんいん》跡から出土した、飾り金具。鳳凰《ほうおう》が浮彫《うきぼ》りされている。

殿を許されている。

源氏では、源義家《みなもとのよしいえ》の孫為義《ためよし》が検非違使に任じられるかたわらで、子を地方の諸国に下らせて主従関係を築くための核となす戦略をとった。嫡子の義朝《よしとも》が東国《とうごく》で育ち、末子の為朝《ためとも》が鎮西《ちんぜい》（九州）で育っているのはそのためであり、それぞれの地域で力をのばしていった。

こうした武士の力を利用して、政治の実権の掌握をめざして争われたのが保元《ほうげん》の乱《らん》である。保元元年（一一五六）七月に、長年にわたって院政を行なってきた鳥羽院が亡くなった直後のことであった。鳥羽院の後継者である後白河《ごしらかわ》天皇を乳母夫《めのと》として育ててきた信西《しんぜい》（藤原通憲《ふじわらのみちのり》）は、摂関《せっかん》家の藤原忠通《ただみち》とはかって、後白河の即位を実現させていたが、その勢いを借りて鳥羽院の遺志を背景に広く源氏の義朝《よしとも》や平氏の清盛《きよもり》らの武士を集め、崇徳《すとく》上皇に連なる反対勢力を排除したのである。

この乱は、院政の成立と展開とともに生じていた諸問題を解決しようというものであった。王権の優越を背景に、天皇家と摂関家とが天皇を介して対立を含みつつも連携するシステムが生まれ、諸階層にイエが成立してきていたが、そうしたイエの主導権をめぐって内部対立が激化していた。この対立を実力で解決しようとしたのである。

天台座主《てんだいざす》の慈円《じえん》は歴史書『愚管抄《ぐかんしょう》』で、保元の乱の画期性を「保元元年七月二日、鳥羽院ウセサセ給テ後、日本国ノ乱逆《らんげき》ト云コトヲコリテ後、ムサノ世ニナリニケルナリ」と、「武者の世」になったことに求めている。このときには弘仁《こうにん》元年（八一〇）以来行なわれなかったという死罪が復活し、崇徳上皇を讃岐《さぬき》に流すという上皇の配流《はいる》も行なわれており、実力がものをいう中世社会の出現をよく物語っている。

武家権門の地位の確立

保元《ほうげん》元年（一一五六）閏《うるう》九月一八日に出された保元の新制は、院政が抱えていた諸問題や新たな方向性をよく物語っている。全部で七か条あるうちの第一・二条に土地法があてられたが、その第一条は新立の荘園《しょうえん》の停止を命じている。内容そのものはこれまでに出されてきた荘園整理令と変わらないものの、「九州の地は一人の有《も》つところ也、王命の外、何ぞ私威を施さん」と、国土は天皇の下にあるという王土思想によっており、また「久寿《きゅうじゅ》二年（一一五五）七月二十四日以後」という後白河《ごしらかわ》天皇の践祚《せんそ》（即位）が荘園整理の基準とされた。

ここには白河院政以来、諸勢力を服属させ、統合整序していった体制が論理的に表現されているのがわかる。諸権門《けんもん》を王権に統合し、その命令に従わせようとしたのである。そのことは第三条以下において、有力な寺社に属する神人《じにん》や悪僧を取り締まり、有力な諸山・諸社の荘園や神仏事を保護するとともに統制している点にも示されている。

白河・鳥羽《とば》の院政の時期に生まれてきた方向性が、国制として示されるに至ったものであり、その枠組みのなかで、以後の政治は推移することになった。

この一連の理念を考えたのは信西《しんぜい》（藤原通憲《ふじわらのみちのり》）であった。信西の父藤原実兼《さねかね》は、文人貴族の大江匡房《おおえのまさふさ》の談話集『江談抄《ごうだんしょう》』を筆録し、多くの人に期待された文人であったが、早くに亡くなった。そのため通憲は苦労して学問に励み、鳥羽法皇に仕えて後白河天皇を育て、出世の機会をうかがった。だがそのままでの官位上昇が無理と知ると、日向守《ひゅうがのかみ》を辞して少納言《しょうなごん》になり、出家して少納言入道と称し、法体《ほったい》で鳥羽院の「顧問」となった。こうしてやがて起こった保元《ほうげん》の乱《らん》では主導権を握り、乱後には「信西政権」と称されるような体制を築いたのである。

しかしまた、このような「切れ者」がすぐに排除される前例ともなった。後白河院の院近臣の間の争いに始まった平治《へいじ》の乱《らん》（一一五九年）では、まず信西が槍玉《やりだま》にあがって殺害されており、続いて武士の源氏と平氏の家の争いとなり、並び立つ二つの武家の戦闘に勝利した平清盛《たいらのきよもり》が武家の権力を確立し、乱前の信西の跡を継承して乱後の政治を左右するようになったのである。

清盛は公卿《くぎょう》にまで昇進し、権門としての地位を築いた。武家権門の成立である。院政の展開のなかから武家が生まれたわけであるが、しかし武家権門がすぐに確立したわけではない。乱後には後白河院と二条《にじょう》天皇の両頭体制となっており、『愚管抄《ぐかんしょう》』が「平治元年ヨリ応保《おうほう》二年マデ三四年ガ程ハ、院・内、申シ合ツツ同ジ御心ニテイミジクアリケル」と記しているように、対立を含みつつも協調体制がつくられた。

乱で近臣を失った後白河院に対して、位を譲られた二条には、公卿の九条伊通《くじょうこれみち》が『大槐秘抄《たいかいひしょう》』を著わして政治のあるべき姿を示すなど、「末

2

◉殺害された信西
藤原信頼《のぶより》らの反信西勢力が、平清盛の留守中をねらって起こしたのが平治の乱である。図は、信頼が殺害した信西の首を検分しているところ。（『平治物語絵巻《へいじものがたりえまき》』）

の世の賢王」と評されて声望が集まった（『今鏡《いまかがみ》』）。清盛も天皇の乳母夫《めのと》の立場から尽くし、皇居に武士を派遣して宿直《とのい》させて警固する体制をとるとともに、後白河院にも仕えて、「イミジクハカラヒテ、アナタコナタシケル」と評された（『愚管抄』）。

だが天皇の親政は長く続かなかった。二条を支えてきた美福門院《びふくもんいん》が亡くなり、後白河院が清盛の妻時子《ときこ》の妹滋子《しげこ》（のちの建春門院《けんしゅんもんいん》）を寵愛《ちょうあい》してそこに皇子が生まれたことから、平氏が後白河院を支えるようになったからである。そして二条天皇が早くに亡くなると、建春門院の産んだ高倉《たかくら》天皇が即位し、平氏によって支えられた後白河院政が全開するところとなった。

清盛は備前国《びぜんのくに》を知行《ちぎょう》して、長寛《ちょうかん》二年（一一六四）に後白河上皇の長年の宿願であった千手観音《せんじゅかんのん》一〇〇一体の蓮華王院《れんげおういん》（三十三間堂《さんじゅうさんげんどう》）を京に完成させた。そして荘園・所領を寄進して蓮華王院領の形成に力を尽くしたばかりか、さらに最勝光院《さいしょうこういん》領や長講堂《ちょうこうどう》領などつぎつぎと後白河院領の増加に尽力した。それとともに平氏の所領も各地に生まれ、また知行国を増やしていったことで、諸国の武士団の上に立つ武家権門の地位を確立させて、「世の固め」として院政を支えたのである。

こうした院政期の体制は、黒田《くろだ》俊雄《としお》が提唱した、公家《くげ》・寺家・武家などの権門が相互補完的に国家の機能を分担する体制としての権門体制によく合致する。ただ、黒田はこの体制をその後の中世に一貫して保持されたものと説いたが、そこまで拡張して固定的にとらえるべきではなかろう。朝廷が武家を権門のひとつとして明確に位置づけていた時期の政治体制として、限定して理解すべきものと考える。

武家政権の論理

武家政権の誕生から鎌倉幕府へ

仁安《にんあん》二年（一一六七）に平清盛《たいらのきよもり》が太政大臣《だいじょうだいじん》になると、嫡子の重盛《しげもり》が大納言《だいなごん》になり、東国《とうごく》・西国《さいごく》の山賊・海賊追討を命じられた。これは諸国の軍事権を平氏が掌中にしたことを意味するもので、これにより諸国に勢力を広げていった。奥州《おうしゅう》の藤原《ふじわら》氏には鎮守府《ちんじゅふ》将軍の地位が与えられ、諸国の武士には大番役《おおばんやく》が賦課《ふか》されて、皇居の警備のために上洛《じょうらく》することが多くなり、諸国の荘園《しょうえん》が院と平氏のもとに集中していった。

ただ、平氏による武家政権は院政下のものであり、平氏一門が院の議定《ぎじょう》に参加することはなく、政治の基本は院と摂関《せっかん》、有力貴族を中心にして進められた。とはいえ平氏は、荘園や知行国《ちぎょう》を増やし、日宋《にっそう》貿易を推進することで経済的基盤を充実させるなど、経済力でも国政を左右したのである。武力と経済力によって朝廷を支えるというかたちでの、その後に一貫した武家政権の性格はここに定まった。

こうして成立した院政と武家政権の共存も不安定要素が多く、やがて両者を結んでいた高倉《たかくら》天皇の母建春門院《けんしゅんもんいん》が亡くなると、政局は動揺し、反平氏勢力の動きが活発化した。鹿ケ谷《ししがたに》の山荘での平氏転覆の陰謀事件（一一七七年）はその一例であるが、こうした情勢のもと、清盛が後白河《ごしらかわ》院を鳥羽《とば》殿に幽閉したことから、反旗を翻したのが後白河院の皇子以仁王《もちひとおう》と源氏の源頼政《みなもとのよりまさ》である。治承《じしょう》四年（一一八〇）四月、東国の源氏に平氏打倒の令旨《りょうじ》を発して、平氏の体制に真っ向から挑んだのである。

　その令旨は清盛の「悪行」を数えあげ、平氏を仏敵と見なし謀反人と断じ、挙兵を東国の武士に呼びかけている。だが以仁王の乱は未然に漏れて失敗に帰してしまうが、各地で反乱の狼煙《のろし》が上がった。伊豆《いず》では源頼朝《よりとも》が挙兵し、信濃《しなの》で源義仲《よしなか》が、甲斐《かい》で源氏の武田信義《たけだのぶよし》が挙兵すると、奥州藤原氏や越後《えちご》の城《じょう》氏も動きを見せた。平治《へいじ》の乱《らん》から二〇年の間に各地の武士は実力をつけていたのにもかかわらず、中央に基盤を置いた平氏政権はその武士たちをうまく組織できていなかった。平氏による武家政権は院政の間隙《かんげき》をついて生まれてきたものであったため、地方での基盤は意外に脆弱《ぜいじゃく》であった。

　鎌倉幕府の歴史を描いた『吾妻鏡《あずまかがみ》』の記事は、八条院《はちじょういん》の蔵人《くろうど》に任じられた源行家《ゆきいえ》が伊豆の北条《ほうじょう》の館にもたらした以仁王の令旨を、源頼朝・北条時政《ときまさ》が開くところから始まっている。「北条四郎時政主は当国の豪傑なり。武衛を以《もっ》て婿《むこ》君となし、専《もっぱ》ら無二忠節を顕《あらわ》す。これに因《よ》り最前彼の主を招き令旨を披《ひら》かしめ給ふ」とある（治承四年四月二十七日条）。令

3

●平家追討の令旨
源行家が以仁王から令旨を受け取り、伊豆へと向かい、源頼朝に手渡すまでを、一枚の絵のなかに描いている。（『平家物語絵巻《へいけものがたりえまき》』）

旨に象徴される朝廷の権威、頼朝という武士の長者、それに時政に代表される東国の武士団の三つの結びつきによって幕府は始まった、というのである。

その令旨には、頼朝に東国の支配をゆだねるという文言はないものの、挙兵した頼朝は、伊豆の武勇の目代《もくだい》平兼隆《かねたか》を滅ぼした直後に伊豆の蒲屋御厨《かばやのみくりや》（静岡県南伊豆町）に出した下文《くだしぶみ》で、以仁王の令旨により東国の荘園・公領を沙汰《さた》する権限がみずからにゆだねられていると主張し、伊豆の文筆の目代である中原知親《なかはらともちか》の知行を否定した。その後も令旨に依拠して南関東に勢力を広げてゆき、相模《さがみ》の石橋山《いしばしやま》の合戦《かっせん》では令旨を旗につけて行軍し、その合戦に敗れて安房《あわ》に逃れたときには、安房の御《ご》家人《けにん》安西景益《あんざいかげます》に対し、令旨に基づいて安房の在庁を誘って参上するよう命じている。

頼朝は挙兵にあたって「累代の御家人」を動員し、富士川《ふじがわ》の合戦《かっせん》で平氏を破ったのちの治承四年一〇月二三日に、相模の国府《こくふ》で北条時政以下の南関東一帯の武士に、新恩の授与と本領の安堵《あんど》を行なっている。『吾妻鏡』は、そのときに三浦義澄《みうらよしずみ》を三浦介《みうらのすけ》となし、下河辺行平《しもこうべゆきひら》を下河辺庄司《しもこうべのしょうじ》になしたと記している。介とは、下総《しもうさ》の千葉《ちば》介常胤《つねたね》や因幡《いなば》の高庭《たかば》介資経《すけつね》などのように、国の在庁官人《かんじん》を表示する身分で、庄司とは、相模の渋谷《しぶや》庄司重国《しげくに》や上総《かずさ》の伊北《いほう》庄司常仲《つねなか》などのように、荘園の荘官を表示する身分である。これらは本来、国司《こくし》や本所《ほんじょ》などの権限下にあるものであったが、それとは別に頼朝が独自に行なったのである。

国司や本所の権限をまったく否定するのではなく、新たに鎌倉殿（頼朝）のもとに武士を組織し、所領を給与し、安堵している。平氏が支配していた所領は没収したものの、旧来の秩序を大きく変えず、武士の個々の領主権を安堵し、その領主間の争いや、国司・本所との間に発生する争いに関与するかたちで、東国に成長した武士の要求に沿って、武士の組織化を推し進めていったのである。

頼朝と御家人の主従関係

源頼朝《みなもとのよりとも》は、平氏との合戦を通じて実力で東国《とうごく》を支配下におさめてゆくとともに、朝廷との交渉によって得た権限を通じて、東国に基盤を置く武家政権を築いていった。その最初の成果が、寿永《じゅえい》二年（一一八三）一〇月宣旨《せんじ》による東海・東山道の東国一帯の支配権の公認である。これによって以《もち》仁王《ひとおう》の令旨《りょうじ》を根拠に東国を支配していたのにかえて、国司《こくし》や荘園《しょうえん》領主の権限をそのままに認め、頼朝が東国の委任統治を行なうことになった。

　これ以降も、宣旨や院庁下文《いんのちょうくだしぶみ》などによって、頼朝は多くの権限を獲得してゆき、政権の体制を整えていったが、そのなかでも重要なのが文治《ぶんじ》元年（一一八五）一一月二九日の宣旨である。この年、源義経《よしつね》は摂津《せっつ》の渡辺《わたなべ》を出て阿波《あわ》に渡って阿波水軍の根拠地を攻め落とし、続いて北上して讃岐《さぬき》の屋《や》島《しま》の内裏を背後から襲って平氏に勝利すると、ついに長門《ながと》の壇ノ浦《だんのうら》の合戦《かっせん》で平氏を滅ぼした。朝廷がその義経の要請で頼朝追討を命じたのに乗じ、頼朝が北条時政《ほうじょうときまさ》を上洛《じょうらく》させ、後白河《ごしらかわ》院の責任を追及するなかで得たのが、この宣旨である。ここに諸国に守護《しゅご》と地頭《じとう》の設置が一律に認められ、武家政権としての鎌倉幕府の体制はほぼ整うことになった。

　しかし翌文治二年になると、朝廷の権門《けんもん》からはつぎつぎと地頭の土地押領《おうりょう》の停止、地頭の停止・

廃止などの要求が寄せられてきた。そこで頼朝と朝廷が交渉し、同年一〇月八日の太政官符《だいじょうかんぷ》によって、地頭は謀反人の跡にのみ置くものと限定され、地頭の権利の具体的な内容も、謀反人が有してきた権利や得分《とくぶん》などを引き継ぐことに限定された。

　こうしてこの一〇月の太政官符をもって朝廷と幕府との関係は定まった。当時、太政官符という文書は特別な場合を除いて使われなくなっていたが、朝廷はこの太政官符をわざわざ送って幕府との関係を定めたのであり、そこでは頼朝の幕府を「武家」と称している。

　朝廷の体制からみると、幕府は平氏にかわって朝廷を守護する武家にほかならなかったのであるが、しかし幕府の体制からみると、東国に自立した権力を築いたうえに、平氏の権限を完全に吸収したのであった。

　その幕府の内実は、主人と従者との間に成り立つ主従関係に基づいていた。それは治承《じしょう》四年（一一八〇）一〇月に、頼朝が鎌倉に大倉御所《おおくらごしょ》を設けて入った時点から整えられてきた。このときには御家人《ごけにん》を統率する侍所《さむらいどころ》の別当《べっとう》である和田義盛《わだよしもり》は、出仕した者が三一一人という多数の御家人の着到を受け付けており、御所の周囲には御家人の「宿館」が建てられたという。

1	治承4年（1180）	頼朝、鎌倉に大倉御所を設ける
2	寿永2年（1183）	宣旨による東国支配権の公認
3	文治元年（1185）	宣旨による守護・地頭の設置の公認
4	文治2年（1186）	太政官符で朝廷と幕府との関係が定まる
5	建久元年（1190）	頼朝、右近衛大将就任
6	建久3年（1192）	頼朝、征夷大将軍就任

●鎌倉幕府成立の過程

かつては、源頼朝が征夷大将軍《せいいたいしょうぐん》に就任した建久《けんきゅう》三年（一一九二）を鎌倉幕府成立とみる説が一般的だったが、幕府は段階的に体制を整えており、成立時期を定めるのは難しい。

さらにその前提として、東国の武士たちの横につながる結びつきがあったことは見逃せない。曾《そ》我《が》兄弟の敵討《かたきう》ちに取材した『曾我物語』は、武家政権成立以前の武士たちの関係を描いている。

武蔵《むさし》・相模《さがみ》・伊豆《いず》・駿河《するが》四か国の大名たち、「伊豆の奥野《おくの》に狩して遊ばん」とて伊豆国へうち越えて、伊東《いとう》の館《やかた》へ入り給ふ。

このように武蔵・相模・伊豆・駿河の四か国の武士たちは伊豆の奥野に集まって、「馬上《ばしょう》、歩立《かちだち》、腕取《かいなとり》、躍越物《おどりこえもの》は武士の仕態《しわざ》なり」などと称して遊びに興じており、そこには日常的な交流があった。曾我兄弟の場合、「父方は伊豆の豪家、母方は相模の国の御家人たちなり」ということから、父や母の縁者の家に何日も逗留《とうりゅう》しつつ遊び育っており、広く姻戚《いんせき》関係で結ばれていたのである。

平治《へいじ》の乱《らん》で平氏に敗れて伊豆に配流《はいる》されていた頼朝は、こうした武士たちの動きをそばで見ながら成長しており、挙兵にあたっては父義朝《よしとも》の代に家人《けにん》として仕えていた武士を「累代の御家人」として誘うと、多くの御家人がこれに応じた。しかし、主従関係は個と個とが結ぶものとして従わぬ者も少なくなく、頼朝に主人の器がないならば殺害しようと考えていたという、上総介広常《かずさのすけひろつね》のような武士もいた。そのため、本領安堵《あんど》や本宅安堵によって武士の要求に応じてその組織化を進め、さらには追討の宣旨による軍事動員も利用していった。

たとえば、頼朝の代官として派遣された源義経は、元暦《げんりやく》元年（一一八四）に畿内近国の住人に兵士役を課していった際、河内《かわち》の水走《みずはや》に根拠を置く源康忠《やすただ》の訴えを受けて「御家人」と認定し、「本宅の安堵」を行なっている。本宅とは所領の中核となる館の部分で、西国《さいごく》の武士には本宅のみを安堵することが多かった。また戦乱が終わると、京都の皇居警固の大番役《おおばんやく》を通じて御家人の組織化が図られた。朝廷を守護する武家政権が皇居の大番役を請け負って、その役を御家人がつとめるという関係が形成されてゆき、これを通じて西国の御家人も広く組織されていった。

このように、頼朝から直接に所領の安堵を受ける御家人と、本宅の安堵を受ける国御家人《くにごけにん》との別はあるにせよ、ともに御家人身分として幕府の体制を支える役割を担ったのである。前者の御家人の多くは東国に基盤を置き、地頭などの所領を給与され手厚く保護されて、緊急の場合には鎌倉に駆け付けて奉公する義務を負っていた。後者は奉公の義務は少なかったが、国司や本所《ほんじょ》の支配下にあった。こうして地頭制度とともに幕府の骨格となった御家人制度は、主従関係を軸にして整備されたのである。

推戴された王としての将軍

御家人《ごけにん》は所領のある国に在国して奉公するのを基本としたが、有力御家人は幕府での諸役をつとめるため、鎌倉に宿所を構え、幕府御所では寝殿《しんでん》の西にある侍《さむらい》（侍所《さむらいどころ》）に詰めていた。その御所の侍は、源頼朝《みなもとのよりとも》が出座し、主従関係の確認が行なわれる場であり、同時に御家人たちが雑談する場でもあり、彼らが傍輩《ほうばい》としての横のつながりを維持するところでもあった。

建久《けんきゆう》二年（一一九一）八月、火事で焼けて再建された幕府御所の侍で、相模《さがみ》の御家人の大庭景義《おおばかげよし》は、保元《ほうげん》の乱《らん》での鎮西八郎為朝《ちんぜいはちろうためとも》との勝負の故事を並み居る傍輩に語ったところ、聞いていた頼朝から賞賛の詞《ことば》が与えられている。翌一一月二五日には、弁論が下手《へた》だったために頼朝の御前での所領をめぐる対決に敗れた熊谷直実《くまがいなおざね》が、侍の場で髻《まげ》を切って出家している。さらに正治《しようじ》元年（一一九九）一〇月二五日、結城朝光《ゆうきともみつ》が夢の告げがあったとして、その年の一月に亡くなった頼朝のために阿弥陀仏《あみだぶつ》の名号《みようごう》を唱えることを侍の場で傍輩に勧めた際、「忠臣は二君につかへず」と語ったところ、これを聞いていた梶原景時《かじわらかげとき》が頼朝の跡を継いだ頼家《よりいえ》に讒訴《ざんそ》したことから御家人たちの反発を受け、やがて景時が鎌倉から追放される事件へと発展している。

主従関係は主人と従者との間の縦の関係だけでなく、従者間の横の関係をも前提として成立しており、この武士の軍事的な結集が幕府に勝利をもたらしたのである。富士川《ふじがわ》の合戦《かっせん》の直後に上洛《じようらく》を急ぐ頼朝を東国《とうごく》に引き止めたのは、千葉介常胤《ちばのすけつねたね》や上総介広常《かずさのすけひろつね》などの宿老《しゆくろう》であった。文治《ぶんじ》五年（一一八九）に頼朝が奥州《おうしゆう》に攻め入るのを躊躇《ちゆうちよ》したとき、「軍中、将軍の令を聞き、天子の詔《みことのり》を聞かず」と進軍を主張したのは宿老の大庭景義であった。このように、合戦と侍の場を通じて御家人は横の結びつきを強め、連帯と秩序をはぐくんでいったのである。

鎌倉幕府は頼朝によって興《おこ》された武家であるとともに、武士団の家の集合体からなっていた。その点からすれば、頼朝は関東の有力な武士団に推戴《すいたい》されていた王である。その王たる頼朝が亡くなると、頼家がその跡を継いで、頼朝の親裁権を継承するが、正治元年四月一二日に頼家が諸訴論を

源氏系図

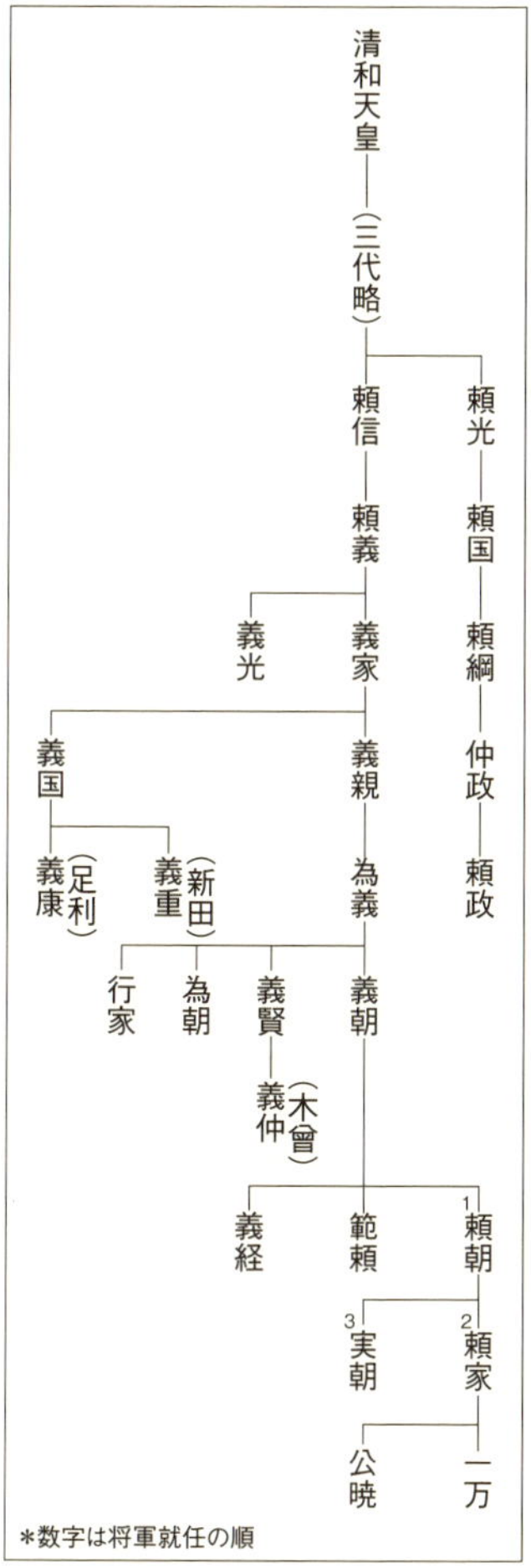

直接に裁断することが停止されて、北条時政《ほうじょうときまさ》以下の一三人の「談合」によって成敗が加えられるものとされ、それ以外の人が頼家に訴訟を取り次ぐことが禁じられている。

　これは頼家が強権を行使するのを阻止しようとしたものであり、そこに武士団に推戴された王の性格がよく現われている。これに対抗して頼家はつぎつぎと頼朝の時代の先例を改め、実力を見せつけようとして、有力御家人との間の対立を深めた結果、建仁《けんにん》三年（一二〇三）九月二日に北条時政は、頼家を補佐していた比企《ひき》氏を攻め滅ぼし、娘の政子《まさこ》と謀って頼家の地位を剝奪《はくだつ》して伊豆《いず》に流し、次いで殺害したのである。幕府の首長の地位が力によって否定されたことを物語る事件であり、以後の幕府の首長のあり方を規定するところとなった。こうして、執権《しっけん》となった時政の後見により実《さね》朝《とも》が三代将軍になるが、『吾妻鏡《あずまかがみ》』はそれを「関東の長者」と表現している。

幼くして将軍になった実朝は、長じるなかで後鳥羽《ごとば》上皇との関係を重視するとともに、「善政」「徳政」に基づく政策を打ち出し、親裁権を行使するようになった。だが、その朝廷重視政策への危惧《きぐ》から御家人の反発を受けるようになり、和田義盛《わだよしもり》が蜂起《ほうき》した和田合戦《わだかっせん》（一二一三年）を経て、ついには殺害されてしまう。このときに京に向かった使者は「宿老の御家人」の連《れん》署《しょ》の奏状を帯びて、後継将軍の東下を願っている。その後の将軍も、殺されないまでもいずれも京に追い返されており、武士団の連合に擁された王である将軍は、連合を崩す存在と見なされれば、退けられたのである。

承久《じょうきゅう》三年（一二二一）、実朝死後の混乱をついて、後鳥羽上皇が幕府を主導する執権の北条義時《よしとき》の追討を命じて挙兵したが、この承久《じょうきゅう》の乱《らん》に、幕府は東国一五か国の家々の長に軍事動員令を発して勝利し、ついに朝廷を凌駕《りょうが》することになった。ここに将軍の親裁に基づいた政治から、武士たちの談合による政治へと大きく転換してゆくことになる。現在、「談合」というと、大きな問題として指摘されているが、本来はこのように御家人たちによって整えられた政治運営の方式だったのである。

●鎌倉歴代将軍

幽閉・暗殺や京都への送還など、鎌倉時代の将軍で円満に交替した例はほとんどない。なお北条政子《まさこ》は、三代実朝の死後、将軍の親裁権を事実上握っていたため、「尼将軍」と呼ばれる。

		在位期間	代替わりの経緯
1	源頼朝	1192～1194	辞退
2	源頼家	1202～1203	幽閉（翌年暗殺）
3	源実朝	1203～1219	暗殺
	（北条政子）	1219～1225	死去
4	九条頼経	1226～1244	北条氏による強要（2年後に京都送還）
5	九条頼嗣	1244～1252	北条氏の体制整備（京都送還）
6	宗尊親王	1252～1266	謀反の疑い（京都送還）
7	惟康親王	1266～1289	持明院統系将軍との交替（京都送還）
8	久明親王	1289～1308	幕府の意向（京都送還）
9	守邦親王	1308～1333	幕府滅亡に際し出家

武家の政治運営

執権体制の成立

承久《じょうきゅう》の乱《らん》後の元仁《げんにん》元年（一二二四）、執権《しっけん》として幕府を支えてきた北条義時《ほうじょうよしとき》が急死すると、「尼将軍」と呼ばれた北条政子《まさこ》の支えにより義時の後継者になった子の泰時《やすとき》は、その政子が嘉禄《かろく》元年（一二二五）七月一一日に亡くなったのを契機に新たな政治体制をめざした。

それは、法による支配の導入と有力御家人《ごけにん》による合議政治である。有力御家人を政治機構の中心に据え、将軍の権力をできるだけ排除することに眼目があった。政子の握っていた親裁権が、将軍候補として九条家《くじょう》から招いた九条（藤原《ふじわら》）頼経《よりつね》に継承される以前に事は運ばれた。一〇月三日に御所の移転について「群儀《ぐんぎ》」を行ない、御所を若宮大路《わかみやおおじ》近くの宇都宮辻子《うつのみやずし》の地に移転することに定めると、一二月二一日にその新御所に執権の泰時・時房《ときふさ》と評定衆《ひょうじょうしゅう》とが集まり「評議始」を行なっている。

これが有力御家人から選ばれた評定衆の合議によって政治を運営する体制（執権体制）の成立である。中心になる執権と執権を補佐する連署《れんしょ》は、ともに北条氏の一門から選ばれ、その場からは将軍が排除されていた。最初の評定では、御所の東西の侍《さむらい》（侍所《さむらいどころ》）を充実させ、遠江《とおとうみ》以東の一五か国の東国《とうごく》の御家人が番を組んで門々の警固を行なう鎌倉大番《おおばん》の制を定めている。

こうして評定ですべてが決まったあとの一二月二九日に頼経が元服し、翌年正月に将軍宣下《せんげ》が朝廷に要請されて頼経は四代将軍に任じられている。ここに、執権の主宰する評定に実権を奪われた将軍が誕生したのである。幕府は、源頼朝《みなもとのよりとも》による将軍親裁体制から源氏将軍、尼将軍の親裁の段階を経て、執権政治の段階へと展開していったことになる。

貞永《じょうえい》元年（一二三二）、北条泰時は貞永式目《じょうえいしきもく》（「御成敗式目《ごせいばいしきもく》」）五一か条を制定したが、その際に評定衆一一人と泰時・時房が、理非の裁断には公平にあたることを神に誓う起請文《きしょうもん》を提出している。朝廷の法に倣いつつも、幕府のこれまでの政治や裁判の実績をふまえて独自に定めたものであり、その後の武家政治と裁判の基本となったが、そこで規範とされたのは「右大将家の例」や「道理」である。このことからうかがえるように、幕府や武士社会の成長とともにはぐくまれてきた、武家・武士の家の規範や倫理に沿ったものであり、長く基準とされることになった。

こうして拠《よ》るべき法が定められ、評定制度は整えられていった。しかし、北条泰時の死後になると、将軍を中心とした勢力がしだいに盛り返してきた。そこで孫の経時《つねとき》が病に倒れたあとを継いだその弟時頼《ときより》は、寛元《かんげん》四年（一二四六）、北条氏一門や外戚《がいせき》の安達《あだち》氏、有力御家人の三浦泰村《みうらやすむら》、それに時頼に仕える御内人《みうちびと》の諏訪《すわ》・尾藤《びとう》氏を加えて「秘密の会議」を開き、有力な評定衆を鎌倉から追放し、将軍位を子の頼嗣《よりつぐ》に譲っていた前将軍頼経を京に送り返した。これを宮騒動《みやそうどう》という。

時頼は、頼経が成長して独自の勢力を築くようになったことから送還を断行したのだが、さらに朝廷に申し入れて、朝廷で大勢力を築いていた頼経の父道家《みちいえ》の関東申次《もうしつぎ》の役（幕府との連絡役）を交替させ、「徳政」を行なうように求めた。これに応じて朝廷では、後嵯峨《ごさが》上皇の院政のもとに評定衆が置かれ、評定衆を中心にした政治の運営を行なうこととなり、関東申次に西園寺《さいおんじ》実氏《さねうじ》が任じられたが、そのいずれも時頼の指示に基づくものであった。

幕府の体制を固めつつ、その力をもって朝廷の体制の転換を求めたのであって、これはかつて頼朝が幕府の体制を整えて朝廷に新たな体制の整備を求めたのに倣ったものである。そのときには朝廷の体制を変えるまでには至らなかったが、ここについに朝廷の自律性は失われ、権門《けんもん》体制は崩れて、新たな院政体制へと転換していった。これに勢いを得た時頼は、翌宝治《ほうじ》元年（一二四七）には宝《ほう》治《じ》合戦《かっせん》を起こして有力御家人の三浦泰村などを除き、北条氏中心の体制を築いた。

北条氏系図

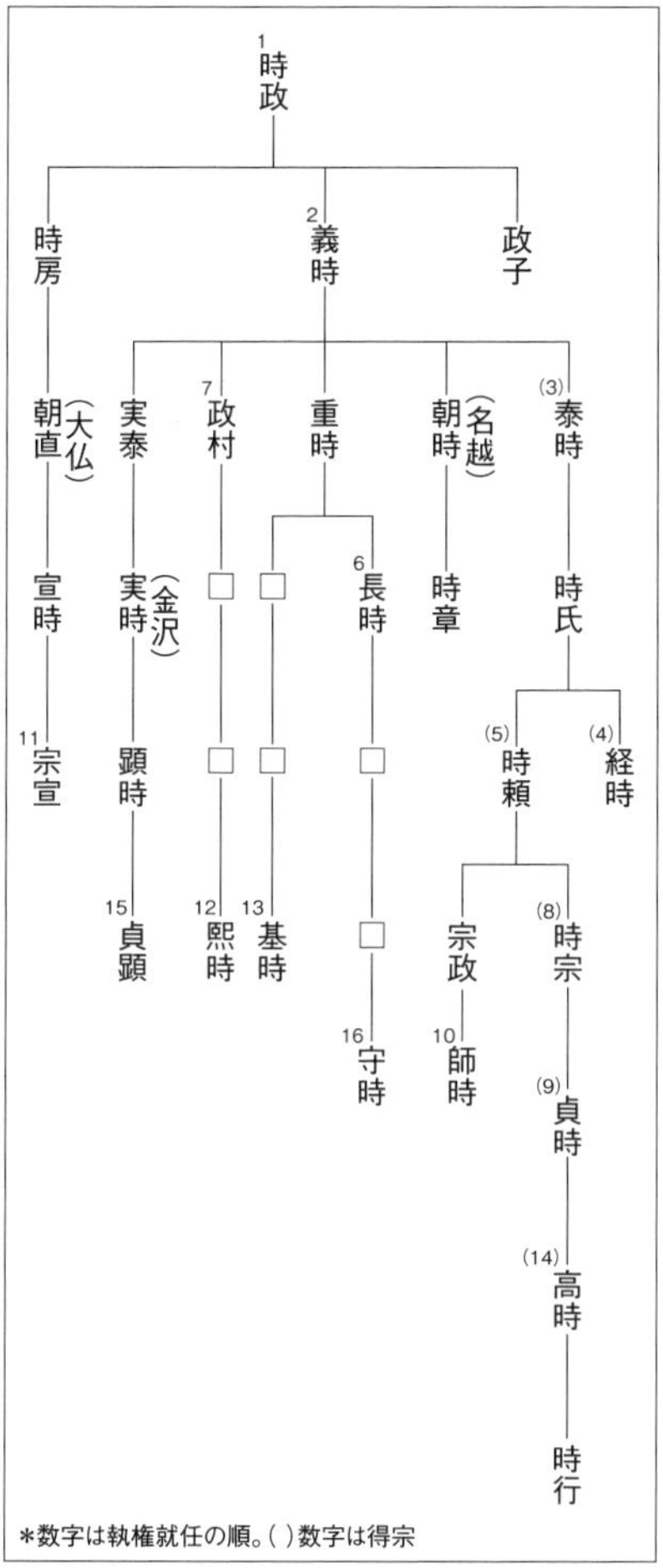

幕府官僚制の整備

建長《けんちょう》元年（一二四九）、幕府の内部抗争を克服した北条時頼《ほうじょうときより》は、御家人《ごけにん》の訴訟を中心に扱う機関として引付《ひきつけ》を評定《ひょうじょう》の下に設置している。これは荘園《しょうえん》領主の圧迫を受けていた弱小の御家人の救済を図るのが目的であった。諸国の国御家人《くにごけにん》は本宅しか安堵《あんど》されていないため、裁判などでも不利益をこうむることが多かったのである。

しかし引付の役割はそれにとどまらなかった。北条氏一門を引付の長である引付頭人《とうにん》に任じ、事務に有能な御家人や奉行人《ぶぎょうにん》を引付衆にあてたことから、この引付は幕府の行政・裁判機構を支える奉行人の結集の場となり、官僚制の整備に大きな役割を果たすことになった。評定衆・引付衆・奉行人という職制が整えられたのである。

世界の各地を見渡しても、武人が政治を握ることはあっても、基本的に官僚となって政治の実務の担い手とはなっていないが、日本では武人が貞永式目《じょうえいしきもく》という法を制定し、引付・奉行人などの官僚制を整えたのであり、それが以後の武家政治を長く持続させた一因である。

時頼は官僚制を整えるとともに、対抗勢力を除くために辣腕《らつわん》をふるった。最後に残った有力な勢力である源氏の名門足利《あしかが》氏を、勝手に出家した「自由出家」として失脚させ、建長《けんちょう》四年（一二五二）には九条《くじょう》家から迎えていた藤原《ふじわら》氏将軍頼嗣《よりつぐ》を京に帰し、後嵯峨《ごさが》上皇の皇子宗尊親王《むねたかしんのう》を皇族将軍として鎌倉に迎えた。それとともに禅院の建立を企画し、同五年一一月に「建長興国禅寺《けんちょうこうこくぜんじ》」の供養を行なっている。その作善《さぜん》の趣意は「上は皇帝万歳、将軍家及び重臣の千秋、天下太平を祈り、下は三代の上将、二位家幷《ならびに》御一門を訪《とぶら》う」ものとされており、王の寺として建立されたことがわかる。建長寺という年号にちなむ寺号もこのことを物語っている。それはのちの江戸幕府の寛永寺《かんえいじ》の先蹤《せんしょう》となった。

こうして鎌倉は、幕府の固有の基盤である東国《とうごく》の首都として本格的に整備されていった。建長三年に鎌倉中《かまくらちゅう》の町屋の場所を七か所に限定し、これ以外に小町屋や売買の施設を設けることを禁じたのを手はじめに、建長五年には新制を定めて、関東御家人と鎌倉居住の人々の過差《かさ》（贅沢《ぜいたく》）を停止することを命じている。朝廷の新制に倣ったこの武家新制は、武家の王の名のもとで出されたのである。建長七年には鎌倉中の挙銭《きょせん》という小口金融を制限し、弘長《こうちょう》元年（一二六一）には各種の鎌倉の都市法の集大成ともいうべき弘長の新制を出したが、それは鎌倉の行政区である保《ほう》の奉行人を通じて執行された。

幕府の体制の完成を見届けて、時頼は若くして出家したが、その際に一門の長時《ながとき》に執権《しっけん》職を譲り、家督《かとく》には幼い時宗《ときむね》を立て、長時に補佐を託している。ここにおいて幕府の実権はもはや執権にではなく、北条氏の家督（得宗《とくそう》）に帰していることが明らかとなった。したがってその権力の基盤も、御家人の合議の場である評定ではなく、得宗邸での側近との会議（寄合《よりあい》）に

4

◉建長寺の梵鐘
建長寺はたび重なる火災で、創建時の建物は残っていない。この梵鐘《ぼんしょう》は、数少ない創建時からの遺品のひとつである。鋳造は物部重光《もののべしげみつ》。建長七年（一二五五）の作。

移った。

寄合は時頼のときに設けられた秘密の会議から発展したもので、有力な北条氏一門と得宗の外戚《がいせき》、得宗に仕える御内人《みうちびと》から構成されていた。評定の会議の前に重要事項を審議し、結果は評定に上程された。その評定で認められた内容が得宗に伝えられると、将軍の名で各所に命令として伝えられたのである。このため北条氏一門には引付↓評定↓寄合という出世コースが生まれていった。

評定が幕府の公式の会議として整備されるなかで、寄合という内々の会議が生まれるという政治の運営のあり方は、まさに現代につながるものがあろう。

徳政政策の展開

文永《ぶんえい》三年（一二六六）六月二〇日、得宗《とくそう》の北条時宗《ほうじようときむね》邸で「深秘《しんぴ》の御沙汰《ごさた》」である寄合《よりあい》が開かれ、時宗のほか左京大夫《さきようのだいぶ》北条政村《まさむら》、越後守《えちごのかみ》金沢実時《かねざわさねとき》、秋田城介《あきたじようのすけ》安達泰盛《あだちやすもり》らが会合した。その結果、七月二〇日に、望まれて鎌倉に下ってきていた皇族将軍の宗尊親王《むねたかしんのう》は京に追い返された。

以仁王《もちひとおう》の令旨《りようじ》の到来とともに、鎌倉幕府の歴史を記してきた『吾妻鏡《あずまかがみ》』はこの記事をもって終えている。まことに象徴的な終わり方ではないか。江戸幕府を開いた徳川家康《とくがわいえやす》はこの書を好んで読んだというが、これにはたしかに政治がどのように運用され、また政争がいかに起きたのかがリアルに描かれているのである。

●奮戦する竹崎季長
『蒙古襲来絵巻』が描く、弘安の役（一二八一年）における戦闘の一場面。図の左、蒙古軍船の舳先《へさき》付近で蒙古兵を組み敷き、首を取ろうとしているのが竹崎季長である。

将軍を京に帰した直後の文永《ぶんえい》五年、日本列島を直撃したのが蒙古《もうこ》（モンゴル）の国書到来という衝撃であった。これまでにはなかった外圧に、幕府の力は試されることになった。幕府は得宗の北条時宗を中心にして臨戦態勢を整え、御家人《ごけにん》の活躍と防御態勢の整備もあって二度にわたる蒙古の襲来（文永《ぶんえい》・弘安《こうあん》の役《えき》）をしのぐことができたが、大きな課題が戦後処理として残った。

その際に、多数の御家人が九州に動員されたことから、恩賞を求める大量の訴訟が提起されたほか、異国合戦の祈禱《きとう》を行なった寺社もまた祈禱の恩賞を求めてきたので、訴訟は「雲霞《うんか》の如く」鎌倉に到来し、幕府はその対応に追われた。先例のない異国との合戦であったから、恩賞の土地をどうひねりだすか、また、久しくなかった実戦であったから、恩賞の認定をどう行なうべきか、難問山積だった。『蒙古襲来絵巻《もうこしゅうらいえまき》』には、合戦に参加した肥後《ひご》の御家人竹崎季長《たけざきすえなが》が鎌倉に上り、先駆けの功を訴えたものの、それが受け入れられないと知って幕府の恩賞奉行の安達泰盛に直訴し、やっとのことで恩賞の地を拝領した話が

5

描かれている。しかし、多くの御家人の戦後処理は、容易に運ばなかった。

そうしたなかで蒙古との合戦で亡くなった人々を慰霊するため、弘安《こうあん》五年（一二八二）、北条時宗は禅僧の無学祖元《むがくそげん》を開山《かいさん》に迎えて鎌倉に円覚寺《えんがくじ》を造営するなど、新たな政治を行なおうとしたが、その二年後の弘安七年に急死した。この危機的状況のなか、時宗の死の直後に定められたのが「新《しん》御式目《ごしきもく》」という法令であり、それとともに「弘安の徳政」と称される政治が展開していった。

徳政とは、儒教思想に基づいて為政者が仁徳のある政治を行なうことで、民の苦しみを救う政治を意味していたのだが、時々の政治情勢とともに内容は変化していた。この弘安の徳政では、訴訟を広く受理し、すみやかに裁判を行なうことが眼目にあった。

弘安の徳政は、まずは蒙古襲来の波を大きく受けた九州で展開している。弘安九年に訴訟を扱う鎮西談議所《ちんぜいだんぎしょ》を設け、永仁《えいにん》元年（一二九三）には発展する形で鎮西探題《ちんぜいたんだい》を置いて訴訟を受理したので、ここに東国《とうごく》は幕府が、西国《さいごく》は六波羅探題《ろくはらたんだい》が、九州は鎮西探題が、それぞれの地域の裁判や行政を分担して行なうことになり、より地域に密着した政治裁判制度が整えられることになった。

幕府の徳政は朝廷にも波及した。幕府の要請を受けて院政を整備してきた後嵯峨《ごさが》上皇の後継者となった亀山《かめやま》天皇が、幕府の徳政に対応して弘安九年に評定《ひょうじょう》制度の改革を行なっている。評定を徳政評定と雑訴《ざっそ》評定の二つに分け、一般の政務については徳政評定が、訴訟関係については雑訴評定が行なうこととし、訴訟を扱う伝奏《てんそう》・職事《しきじ》・弁官《べんかん》・文殿衆《ふどのしゅう》の職務を規定し、身分の尊卑にかかわらず訴訟をすぐに取り次ぐこと、権勢におもねず賄賂《わいろ》にふけらないことなどを誓わせている。

そうしたなか幕府では、時宗の子貞時《さだとき》の外戚《がいせき》安達氏と御内人《みうちびと》との対立から、安達泰盛が滅ぼされる霜月《しもつき》騒動が弘安八年に起きると、その反動から、御内人の中心人物で得宗を補佐する内管領《うちかんれい》の平《たいら》頼綱《のよりつな》が、貞時によって永仁元年に討たれる事件が起きた。

この二つの事件を経て、いちだんと得宗の貞時に幕府の実権は集中してゆき、その貞時により出されたのが、永仁五年の「関東御徳政」、すなわち永仁の徳政令である。全国的に御家人所領の取り戻しを認めて、借金に苦しんで土地を売ったり、質に入れたりなどした御家人を救済しようとして、土地の取り戻しを「徳政」として命じたものだが、これには御家人のみならず、聞きつけた庶民も土地の取り戻しに動いて広がってゆき、以後、徳政といえば、土地の取り戻しを意味するものとなった。金融経済が深く日本の社会をとらえていたのである。

得宗と公方・執権

鎌倉幕府の官僚制が整備されるなかで、北条氏《ほうじょう》は勢力をのばしてゆき、広大な所領（得宗領《とくそう》）を所持して盤石《ばんじゃく》の体制を築いていたかにみえる。幕府の主要ポストは北条氏が占め、諸国の守護《しゅご》も多くは北条氏が握った。幕府は「公方《くぼう》」として全国を統治することになり、各地の紛争が幕府に持ち込まれたので、裁判制度を整備した。そのため、裁判手続きや訴訟関係の文例を収録した解説書『沙《さ》汰《た》未《み》練書《れんしょ》』が著わされている。

しかしつぎつぎに到来する訴訟の処理は容易ではなかった。蒙古《もうこ》襲来のうわさがいまだに絶えない九州や瀬戸内海沿岸の国々からは海賊の蜂起《ほうき》が伝えられ、北方の奥州津軽《おうしゅうつがる》からは蝦夷《えぞ》の蜂起が伝えられてきた。そして朝廷や貴族からは、荘園の年貢を納めず、各地の荘園を荒らす「悪党《あくとう》」を召し捕るようにという要請がしばしば寄せられてきた。幕府が守護や六波羅《ろくはら》探題《たんだい》にこれらの追捕《ついぶ》を命じても、機動力のある彼らを捕らえることは困難をきわめ、しかも悪党は膨大な北条氏の所領を管理している御内人《みうちびと》と結んでいることが多く、追捕は容易ではなかった。

一方、得宗による北条氏中心の政治体制や政治運営に有力御家人《ごけにん》は不満を抱いていた。朝廷では、一三世紀後半に始まる大覚寺《だいかくじ》統《とう》と持明院統《じみょういんとう》への皇統の分裂から、両統が競って幕府の支援を求めたが、二つの皇統の要求をともに満足させる解決方法を見いだすのは難しかった。

こうして多くの勢力が幕府を注視する一方で、不満を抱く御家人たちや、勢力の拡大に奔走する御内人たち、得宗の意向を気にして薄氷を踏む思いの幕府高官たちなどが、同床異夢の状態に陥っていった。『吾妻鏡《あずまかがみ》』の編纂《へんさん》はそうしたなか、幕府を見つめ直すことを目的に行なわれたものと考えられる。奉行人《ぶぎょうにん》の中原政連《なかはらまさつら》が得宗を諫《いさ》める訴え（『政連諫草《いさめぐさ》』）を提出するなど、体制の見直しや立て直しを求める動きもあったが、ひとたび狂いだした政治の歯車はもとには戻らなかった。

その状況を見定めて討幕を謀ったのが後醍醐《ごだいご》天皇である。有力御家人の足利高氏《あしかがたかうじ》（尊氏）がこれに呼応して挙兵し、高氏の子の千寿王《せんじゅおう》が鎌倉を脱出すると、それを中心に反幕府勢力が結集した。『太《たい》平記《へいき》』によれば、一門の新田義貞《にったよしさだ》が上野《こうずけ》の新田荘《にったのしょう》（群馬県太田市・みどり市周辺）を出て笠懸野《かさかけの》に討って出て、そのまま鎌倉道《かまくらみち》を南下すると、多くの軍勢が集まって、幕府軍を撃破してゆき、鎌倉を攻めた。鎌倉はこれまで一度も外から攻められたことのない要害であったが、それだけに義貞が稲村ケ《いなむらが》崎《さき》の海岸線を突破して攻め入ったことで大混乱に陥った。激戦の末に北条貞時《さだとき》の子高《たか》時《とき》が屋敷の裏にある東勝寺《とうしょうじ》で自害すると、これには多くの北条一門と御内人が従った。

事実上、幕府は御家人と北条一門・御内人とに分裂して滅亡したのである。時に正慶《しょうきょう》二年（元弘《げんこう》三年（一三三三））五月のことであった。強力な権力で支配しても秩序の維持が可能になるというものではないことを、鎌倉幕府の滅亡は示している。

また幕府が滅亡して生まれた建武《けんむ》政権も、足利尊氏が離脱するとすぐに崩壊してしまい、広く御家人勢力を糾合《きゅうごう》した尊氏が室町《むろまち》幕府を形成した。尊氏は、権力を天皇に集中する後醍醐天皇のような政治運営ではなく、鎌倉幕府の運営を基本的に踏襲し、評定《ひょうじょう》や引付《ひきつけ》を置き、守護には足利氏一門を畿内近国を中心に配置するとともに、弟の足利直義《ただよし》と幕府の機関を分掌することとしたのである。

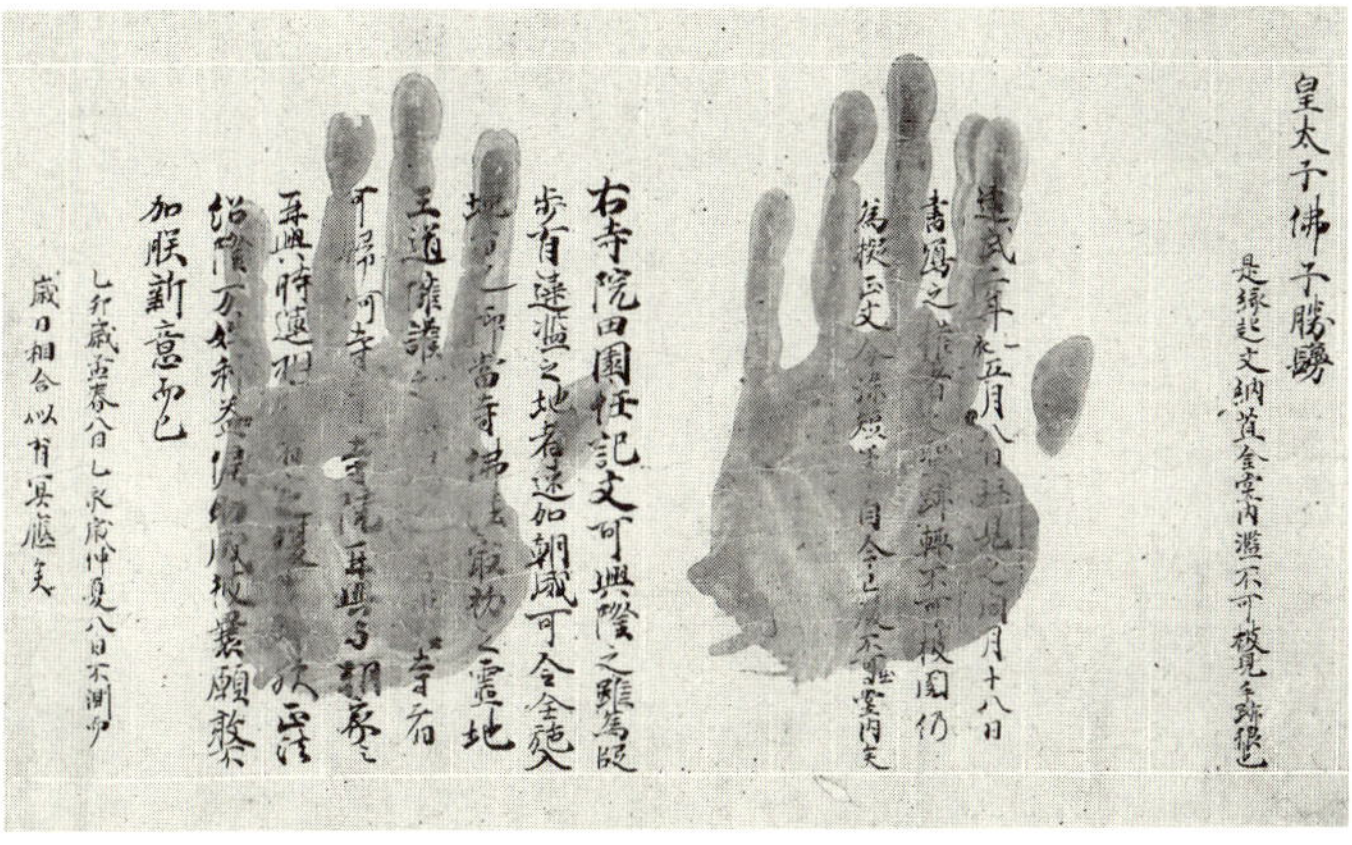

6

◉後醍醐天皇の手印
後醍醐天皇がみずから書写した『四《し》天王寺《てんのうじ》縁《えん》起《ぎ》』の奥書に押された手印。掌に朱や墨を塗って署名のかわりに押す手印は、しばしば本人の強い意志や希望を表わしていた。

神仏と政治

院政を支えた熊野御幸

以上みてきたような中世の政治の運営方式は、現代の政治にまでつながっているが、この新たな政治はどのようにして生まれたのか、ここでは神仏とのかかわりに注目して改めて考えてみよう。

まず院政である。院はその権力の源泉として神仏を求めており、白河《しらかわ》上皇をはじめとする院は熊《くま》野《の》詣《もう》でや春日《かすが》詣《もう》でなど寺社への参詣《さんけい》により神の加護を頼んだ。なかでも紀伊半島の奥に位置する熊野への御幸《ごこう》は、院の権力を特別に支えることになった。『梁塵秘抄《りょうじんひしょう》』二六〇番の今様《いまよう》をみよう。

花の都を振り捨てて　くれくれ参るは朧《おぼろ》けか　かつは権現《ごんげん》御覧ぜよ　青蓮《しょうれん》の眼《まなこ》をあざやかに

花の都の誘惑を振りはらって、このように苦難をおしてやってきたのだから、私の願いをその青蓮の眼でしっかりと見届け、お聞き届けください、とうたっている。院は苦難を超えて熊野に詣でて神託を得て、政治の場に臨んでいたのである。

慈円《じえん》の『愚管抄《ぐかんしょう》』には、白河上皇の熊野御幸のときに、つぎのような奇瑞《きずい》があったという話が見える。院が宝前《ほうぜん》にいたときのこと、御簾《みす》の下から美しい手が差し出ては引き、差し出ては引く、それが二、三度繰り返された。夢ではよくあるが、現実にこのようなことを見てしまったのを不思議に思って院が尋ねると、ヨカノイタという巫女《みこ》に神が憑《つ》いて、「世の末には手のひらを返したことばかりであるであろうことを見申し上げた」と語ったという。「このような不思議もご覧になってしまった君である」と慈円は評しており、院が神仏との交信により世を治めていたという見方が生じていたことがうかがえる。

摂関《せっかん》家の藤原忠実《ふじわらのただざね》は、この院のたび重なる熊野詣でをいぶかしげにみていたが、鳥羽《とば》上皇は、九回赴いた白河院以上のペースで熊野御幸を行なっており、生涯で二一回も熊野に赴いている。出家して法皇となった翌年の康治《こうじ》二年（一一四三）の一〇回目には、本宮《ほんぐう》の神前で金字一切経《きんじいっさいきょう》の写経を誓い、最後の参詣のときには書写し終えた金字の大乗経《だいじょうきょう》ほか合わせて四七二八巻の一切経論を本宮の神前に捧げ、神の加護を賜わるよう祈ったという。

後白河《ごしらかわ》上皇はさらに多く三四回も赴いているが、応保《おうほう》二年（一一六二）の二度目の熊野詣では、『梁塵秘抄口伝集《くでんしゅう》』の記事に詳しく見える。上皇が礼殿で通夜しながら千手経《せんじゅきょう》を読んでいて宝殿《ほうでん》を見やると、正体《しょうたい》の鏡が輝いた。「あはれに心澄みて、

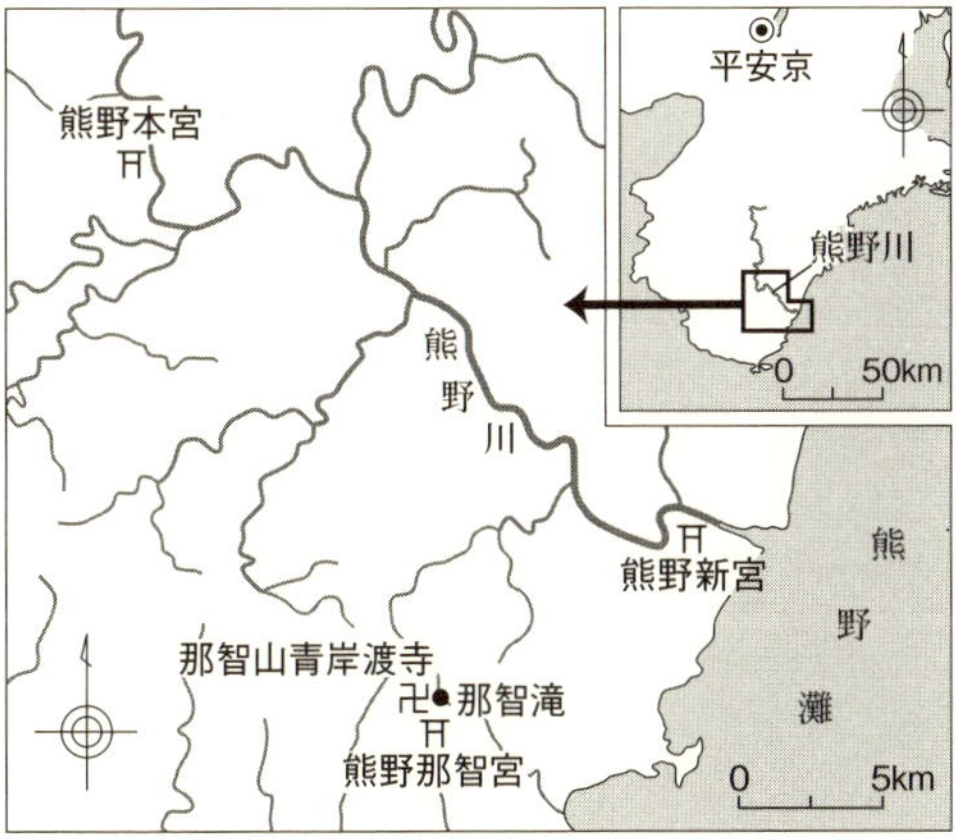

●京から熊野へ
往復にひと月近くを要する熊野詣では、しばしば政治的空白を生む。平治《へいじ》の乱《らん》も、平清盛《たいらのきよもり》の熊野詣での留守中に起こっている。

涙が止まらず」に、やがて上皇がうたったのがつぎの『梁塵秘抄』三九番の今様である。

万《よろず》の仏の願《がん》よりも　千手の誓ひぞ頼もしき　枯れたる草木もたちまちに

花咲き実熟《みな》ると説いたまふ

千手経の教えに基づいて千手観音《かんのん》を称《たた》えるこの歌をうたったところ、礼殿の前に祀《まつ》られていた那《な》智《ち》の神が、その本地《ほんじ》が千手観音であったことから、これにこたえて光ったのである。やがて上皇はこのときの奇瑞から千手観音を本尊とする蓮華王院《れんげおういん》を京の法住寺殿御所《ほうじゅうじでんごしょ》に付属して造営したが、その名の蓮華王とは千手観音の別称にほかならない。

院政を行なった上皇に共通するのは、その体力と行動力であり、それがたび重なる熊野詣でを可能にした。堀河《ほりかわ》・二条《にじょう》天皇が二九歳・二三歳で亡くなっているのとは対照的に、白河上皇は七七歳、鳥羽上皇は五四歳、後白河上皇は六六歳と比較的長寿であった。行動力も並みはずれていて、白河上皇は多くのモニュメントをつくり、鳥羽上皇は大量のコレクションを集め、後白河上皇はみずから今様をうたって声を何度かつぶし、猿楽《さるがく》や法華経《ほけきょう》読みに邁進《まいしん》した。そのきわだった個性は多くの逸話として残されており、熊野の霊力はこうした体力と行動力とともに備わったのであろう。

熊野は本宮（熊野坐《います》社）・新宮《しんぐう》（速玉《はやたま》社）・那智《なち》宮（結《むすび》社）の三山からなり、熊野川の中流と河口、那智の滝にそれぞれ位置するが、そのなかで本宮の神を祀るのが証誠殿《しょうじょうでん》で、那智宮（西御前《にしのおまえ》）と新宮

（中御前《なかのおまえ》）の二つの神を勧請《かんじょう》して三山が形成されていた。ただし本宮の神はのちに添えられた神といわれているので、熊野両所と称された速玉・結の両神に本宮の坐社の神が添えられて熊野三山が形成されたものと考えられる。

熊野の本宮は熊野川の中洲《なかす》にあり、ここは修験者《しゅげんじゃ》が大峰《おおみね》を越えて熊野川に降り下ってきた地にあたる。吉野《よしの》から熊野に至る大峰山脈は古くからの修験の場であったから、大峰の苦難の修行を経てやっとたどり着いた熊野川の清流を見た修験者たちが、この中洲に神を迎えて熊野の本宮を成立させたのであろう。熊野への信仰をもたらしたのは修験者であり、彼らが熊野詣での先達《せんだつ》や師として人々を熊野へと誘ったのである。

◉那智の滝
落差一三三mという巨大な那智の滝は、滝自体が信仰の対象となった。熊野那智大社には那智の滝を神格化した飛瀧権現《ひろうごんげん》も祀られている。

平氏の厳島詣で

熊野《くまの》詣《もう》でを権力の源泉とするようになった院に対して、平氏政権においては厳島詣《いつくしまもう》でがその役割を担っていた。永暦《えいりやく》元年（一一六〇）八月五日、平清盛《たいらのきよもり》は「年来の宿願」と称して厳島に赴いている。この少し前の六月二〇日に清盛は正三位に叙されて待望の公卿《くぎょう》の仲間入りを果たしているので、その喜びの報告をしたものと考えられるが、これ以後、厳島への清盛の信仰は篤《あつ》くなってゆく。その清盛が厳島を信仰するようになったひとつの理由が、つぎの今様《いまよう》からうかがえる。

関より西なる軍神　一品中山《いっぽんちゅうさん》　安芸《あき》なる伊都岐《いつき》島
備中《びっちゅう》なる吉備津《きびつ》宮
（『梁塵秘抄《りょうじんひしょう》』二四九番）

逢坂《おうさか》の関から西の軍神をうたっており、厳島社が吉備津宮（岡山市）と並んで武の神として考えられていたことがわかる。清盛は安芸守《あきのかみ》になっており、その保護する安芸一宮が厳島神社（伊都岐島）であったから、武の神ということもあって、とくに信仰するに至ったのであろう。

さらに『古事談《こじだん》』には、つぎの話が見える。清盛が安芸守のとき、高《こう》野《や》山《さん》の大塔を造営し、その材木を手にしていたところに僧が現われ、「日本の国の大日如来《だいにちにょらい》は伊勢《いせ》大神宮と安芸の厳島なり」といったあと、伊勢大神宮は幽玄な存在なので恐れ多いゆえ、汝《なんじ》は国司《こくし》でもあるから早く厳島に奉仕するように、と述べたという。この後、清盛が神拝のために厳島社に赴くと、巫女《みこ》が託宣して、清盛は従一位《じゅいちい》の太政《だいじょう》大臣に昇り、伴《とも》にいる後藤太《ごとうた》能盛《よしもり》も安芸守になるであろうと、告げたという。

7

◉厳島神社復元模型
厳島神社は、創建後二度の火災で全焼し、仁治《にんじ》二年（一二四一）に再建された。写真は再建時の厳島神社を復元したもので、創建時の姿もこれに近いと思われる。

大日如来は宇宙の中心とされる仏であるから、平氏が政権への道を歩むのに応じて、厳島の神の本地《ほんじ》が伊勢神宮と同じく大日如来であるという言説が生じてきたのであろう。ここに平氏は厳島の神の加護によって政権を掌握する根拠を得たのである。

続いて清盛は長寛《ちょうかん》二年（一一六四）九月に、華麗な『平家納経《へいけのうきょう》』を厳島神社に寄せている。「法華経《ほけきょう》」二八品《ぼん》と「無量義経《むりょうぎきょう》」「観普賢経《かんふげんきょう》」「阿《あ》弥陀経《みだきょう》」「般若心経《はんにゃしんぎょう》」及び願文各一巻を書写して金銅の筐《はこ》一合に納め、宝殿《ほうでん》に安置して平氏一門の発展を祈ったが、これには、清盛以下の一門と郎従《ろうじゅう》が心を合わせて写経しており、平氏一門の結びつきと繁栄とを観《かん》音《のん》信仰に基づいて祈ったのである。

のちに後白河《ごしらかわ》上皇が蓮華王院《れんげおういん》内に鎮守《ちんじゅ》として惣社《そうじゃ》を建てた際、安芸の厳島社三神からも神を勧請《かんじょう》したが、その本地はそれぞれ、大宮《おおみや》が大日如来、中御前《なかのおまえ》が十一面観音、客人宮《まろうどのみや》が毘沙門天《びしゃもんてん》であったという（『吉記《きつき》』）。厳島への信仰はこれら大日如来、十一面観音、毘沙門天への信仰として成長していったわけで、このうちの毘沙門天が武の神の本地であった。

こうして厳島への平氏の信仰が深まるとともに、仁安《にんあん》三年（一一六八）一一月に、厳島神社の神主佐伯景弘《さえきかげひろ》は朝廷に社殿の造営を訴えている。厳島神社は「鎮護国家の祠《ほこら》」「安芸国第一の霊社」として多くの人々の

8

◉観音信仰に基づく祈り
『平家納経』は全三三巻。これは、観音が三三の姿に変化して人々を救うという「三十三応化身《さんじゅうさんおうげしん》」にちなんだ数字である。図は「法華経提婆《だいば》達多《だった》品《ほん》第十二」。

参詣《さんけい》と尊崇を受けてきたので、安芸の国司の重任《ちょうにん》の功によって華麗にして荘厳な社殿の造営を求めるとして、造営すべき建築物とその寸法を記している。この訴えは認められ、安芸守の重任の功により造営すべし、との宣旨《せんじ》が下されたが、当時の安芸守は清盛の家人の後藤太こと藤原能盛《ふじわらのよしもり》であって、清盛は安芸の国力をあげて神社の造営を図ったことになる。世界遺産にも登録された厳島神社が現在のようなかたちをとるようになったのは、このときからである。

それまで海辺を開発して別荘や湊《みなと》をつくってきた清盛は、ここでは海辺に神社を造営したのであるが、これは京の内裏の寝殿《しんでん》にも似た巨大建築であって、そこからは瀬戸内海を舞台とした海辺の王権という構想もうかがえる。その厳島に清盛が後白河上皇とその后《きさき》である建春門院《けんしゅんもんいん》を迎えたのは承安《じょうあん》四年（一一七四）三月二六日で、二人は海に向かって立ち、山を背後にした神社から見る風景に感嘆しているが、このときに建春門院は三柱ある神のうちの大宮に大日経《だいにちきょう》と理趣経《りしゅきょう》を、中御前に天皇の装束と蒔絵《まきえ》の手箱を、客人宮に弓矢や剣、金銅製の馬などを寄せている（「厳島神社文書」）。それぞれ大日如来・十一面観音・毘沙門天という神の本地に見合った神宝を寄せたのである。

源氏と鶴岡八幡宮

平氏が厳島社《いつくしましゃ》に依拠したのに対し、源頼朝《みなもとのよりとも》は鶴岡八幡宮《つるがおかはちまんぐう》に依拠した。鎌倉に入った頼朝がまず行なったのが、由比浜《ゆいがはま》にあった鶴岡若宮《わかみや》を、「祖宗」を崇《あが》めるため小林郷《こばやし》に移すことであった。治承《じしょう》四年（一一八〇）一〇月のことである。

由比の若宮は、源氏の基礎を築いた源頼義《よりよし》が、由比の地に石清水《いわしみず》八幡宮を康平《こうへい》六年(一〇六三)に勧請《かんじょう》したことに始まる。『吾妻鏡《あずまかがみ》』によれば、安倍貞任《あべのさだとう》の征伐を祈って、ひそかに勧請し、瑞垣《みずがき》を由比郷に建てたものという。「今は下若宮」とあるので、同じ八幡神でも若宮であった。これは、すでにみたように一一世紀に若宮信仰が広がったことに伴うもので、石清水の若宮の本地《ほんじ》は十一面観音《かんのん》であり、頼朝が観音を深く信仰していたことから、鶴岡若宮の本地も十一面観音であったと考えられる。頼朝がこの若宮に期待するところは大きかったに違いない。

由比から若宮の在所を遷《うつ》すかどうかが問題になったとき、頼朝は神前で籤《くじ》を引いて新所に定めたというが、もしそのまま由比浜に社殿を整備することになったならば、厳島社と同様に海に直面して構えられたことであろう。だが頼朝は違う選択をして、山懐の地である小林郷に遷すとともに宗《そう》廟《びょう》として祀《まつ》ることにした。源氏の氏神のみならず祖先祭祀《さいし》の場としたのだが、石清水八幡宮が天皇家の宗廟であったのを、ここでは源氏の宗廟としてとらえ直したわけである。

また、遷された地が御所のすぐ近くであることを考えると、御所の鎮守《ちんじゅ》という意味も担っていたのであろうが、鎌倉の谷《やつ》の中央の奥に位置したことは、その後に大きな影響を与えることになる。門前に多くの人々が集住するようになったからである。

治承五年正月朔日《ついたち》に頼朝は鶴岡若宮に参詣《さんけい》しているが、毎年の元旦《がんたん》に神社に詣でる初詣《はつもう》での習慣は、このときの頼朝によって始められたものである。閏《うるう》二月二一日に頼朝は「東西の逆徒蜂起《ぎゃくとほうき》」の鎮静を祈って七日間にわたって神楽《かぐら》を行なっており、幕府の神事儀礼は鶴岡八幡宮の整備とともになされていった。妻政子《まさこ》が頼家《よりいえ》を産むに際しては、鶴岡社頭から由比浜までの参詣の道を、頼朝みずからも参加してつくっている。

鶴岡八幡宮の性格は、頼朝が文治《ぶんじ》三年（一一八七）八月に鶴岡八幡宮で放生会《ほうじょうえ》を開くにあたり、殺生禁断を東国《とうごく》諸国に発し、鎌倉中《かまくらちゅう》や近くの海浜河溝には雑色《ぞうしき》を派遣して伝えたころから大きく変わる。殺生禁断はこれまで王の名のもとで行なわれてきており、ここに頼朝は東国の王として臨み、八幡宮はその王を護持する存在となったことがわかる。放生会そのものは宇佐《うさ》八幡宮に始まり、石清水八幡宮でも行なわれていたが、それに王権がかかわるようになったのは、後三条《ごさんじょう》天皇が延久《えんきゅう》元年（一〇六九）三月に石清水八幡宮に行幸して、翌年八月に行なわれる放生会を勅祭として盛大に行なうこととして諸国に殺生禁断を命じてからである。

生きとし生けるものを保護するこの祭礼は、生き物によって業《なりわい》を営むものを強く律し、山野《さんや》河海《かかい》の場で活動する人々の支配へと及び、さらに殺生を業とする武士の支配へと及んでいったのである。その際に、石清水八幡宮の放生会にはない流鏑馬《やぶさめ》を御家人《ごけにん》に課しているが、これは鳥羽《とば》の城南寺《じょうなんじ》明

9

◉谷の奥に位置した鶴岡八幡宮
空から見た鶴岡八幡宮。中央の道が若宮大路《わかみやおおじ》。谷に抱かれた立地がよくわかる。御所は、当初は八幡宮の東にあったが、のちに八幡宮の前の若宮大路沿いに移転している。

神や京の新日吉祭《いまひえまつり》、さらに諸国一宮で行なわれていた流鏑馬を取り入れたものである。この年八月一五日の鶴岡放生会に関する『吾妻鏡』の記事は、もっぱら流鏑馬の記事で占められており、京の王権とは異なる武家の王権のあり方が、ここに示されたのであった。

その年末に頼朝は鶴岡八幡宮に参詣すると、伊豆《いず》・箱根《はこね》権現《ごんげん》の二所参詣を祈願し、翌年正月にふたたび鶴岡八幡宮に詣《もう》でたのち、同月二〇日に二所参詣へ出発している。これも京の王権による熊《くま》野《の》詣でに倣ったものである。頼朝は京の王権に倣いつつ、みずからの王権を鶴岡八幡宮を中心に組み立てたわけである。

幕府の御願寺となった鶴岡八幡宮

武家政権を築いた平清盛《たいらのきよもり》と源頼朝《みなもとのよりとも》の二人の性格に共通するのは、気配りや気遣いである。清盛は院政とともに成長し、貴族と交わるなかで政権を築いてきただけに周囲に気を遣い、一門の結束を大事にした。遠く厳島《いつくしま》を氏の神としたのも、院への遠慮からであった。

頼朝は京から離れた鎌倉を根拠地としていたぶん、そうした気遣いはしなかったが、頼朝が気を遣ったのは東国《とうごく》の武士たちである。頼朝は関東の有力な武士団に推戴《すいたい》されていた王であるから、武士たちの結束を求めることに心を砕いたのである。

たとえば、以仁王《もちひとおう》の令旨《りょうじ》を得て挙兵すべく御家人《ごけにん》を集めた頼朝は、工藤茂光《くどうもちみつ》や土肥実平《どひさねひら》など、頼朝の命令を大事に思い、身命を捧げようという武士をひとりずつ人気のないところに召し入れると、合戦のことを話し合った。それぞれに「偏《ひと》へに汝《なんじ》を恃《たの》むに依《よ》り仰せ合さる」という慇懃《いんぎん》の言葉を尽くしたところ、皆は「一身抜群の御芳志」に、喜んで「勇敢」を励むことを誓ったという。

これはそれぞれの御家人が「独歩の思」を禁じがたい状況から、「家門草創の期」において「一揆《いっき》」（一味同心）を求めての計らいであったという。したがって一揆を乱すような存在は排除していった。甲斐《かい》源氏の一条忠頼《いちじょうただより》を御所で殺害し、源義経《よしつね》を退けたのもそのひとつであった。こうした武士の一揆の力を示す場としても鶴岡八幡宮《つるがおかはちまんぐう》は整備されたのである。

建久《けんきゅう》二年（一一九一）三月四日、鎌倉に南風が烈《はげ》しく吹き、小町大路《こまちおおじ》あたりからの失火により起こった火事は、多くの御家人の屋敷を焼くとともに、その余炎が飛び火して鶴岡八幡宮馬場本《ばばもと》の塔婆《とうば》を焼き、ついに若宮《わかみや》の神殿や廻廊《かいろう》・経所《きょうじょ》などがことごとく灰燼《かいじん》に帰した。頼朝は大いに歎息《たんそく》し宮の礎石を拝し涕泣《ていきゅう》したというが、すぐに若宮の造営を始め、四月二十六日には若宮の上の地に改めて八幡宮を勧《かん》

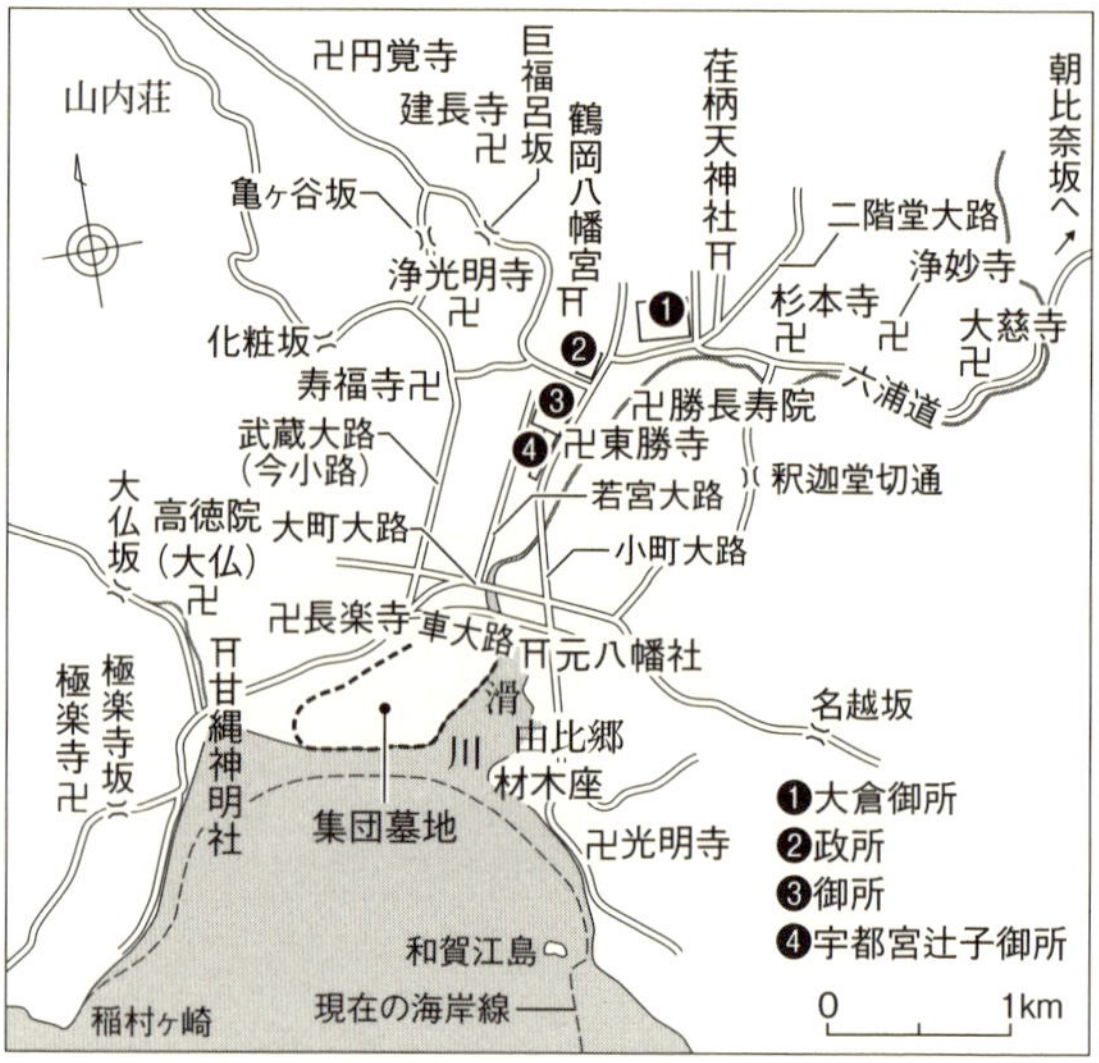

●天然の要塞鎌倉
鎌倉は、海に臨む南以外の三方は谷に囲まれた、天然の要塞《ようさい》だった。周囲の谷は、標高こそ高くても一〇〇m程度だが険しく、鎌倉を囲む城壁の役割を果たしていた。

請《じょう》して、上宮の宝殿《ほうでん》を造営している。

ここに鶴岡八幡宮はいちだんと整備された。二五口《こう》の供僧《ぐそう》が整備されたのも、神主などの祠官《しかん》が整備されたのも、このころとみられ、神楽《かぐら》や修正会《しゅしょうえ》などの法会《ほうえ》も整えられた。以前より高いところに造営されて、鎌倉中の視線を浴びるところとなって、鶴岡八幡宮ははっきりと鎌倉の中心に位置し、幕府と一体化した幕府護持の宮寺《ぐうじ》へと発展していったのである。

建久五年一二月二日に、頼朝は御願《ごがん》の寺社の奉行人《ぶぎょうにん》を定めたが、その筆頭に鶴岡八幡宮の上下宮があり、奉行人として大庭《おおば》景義《かげよし》、安達《あだち》盛長《もりなが》、藤原季時《ふじわらのすえとき》、清原清定《きよはらのきよさだ》の名が見える。なお、ほかの御願寺は勝長寿院《しょうちょうじゅいん》・永福寺《ようふくじ》・同阿弥陀堂《あみだどう》・同薬師堂であった。

鶴岡八幡宮は東国御家人の精神的な拠《よ》り所ともなっていった。頼朝死後の正治《しょうじ》元年（一一九九）一〇月二八日には、幕府の有力御家人の六六人は鶴岡八幡宮の廻廊に集結して、頼家《よりいえ》に結城朝光《ゆうきともみつ》を讒《ざん》訴《そ》した梶原景時《かじわらかげとき》を排斥することを一味して誓った訴状を記している。まさに鶴岡八幡宮は御家人の結集の場であった。また幕府の危機に際しては、八幡大菩薩《はちまんだいぼさつ》が託宣を告げて救う存在ともなっていた。建仁《けんにん》三年（一二〇三）正月二日には、大菩薩が巫女《みこ》に託宣して「今年中、関東に事有るべし。若《わか》君《ぎみ》（頼家の子一万《いちまん》）家督を継ぐべからず。岸上の樹、其の根已《すで》に枯れ、人知れずして梢《こずえ》の緑を恃《たの》む」と告げたといい、そのとおりに若君の一万は将軍となることができず、頼家の弟の実朝《さねとも》が継承したのである。

鶴岡八幡宮の性格の変化

鶴岡八幡宮《つるがおかはちまんぐう》のさらなる大きな転機となったのは、承久《じょうきゅう》元年（一二一九）に右大臣就任の拝賀のために鶴岡八幡宮に参拝した将軍源実朝《みなもとのさねとも》が、甥《おい》の公暁《くぎょう》によって殺害された事件にある。源氏将軍を守るはずの神のその前で、将軍が殺害されたのである。また幕府の御家人《ごけにん》がその後継者に源氏を迎えられずに九条《くじょう》家より摂家《せっけ》将軍を迎えたことから、源氏の氏神という性格よりも、幕府の守護神、鎌倉の鎮守《ちんじゅ》としての性格をより強めてゆく。

承久《じょうきゅう》の乱《らん》（一二二一年）にあたっては、世上無為の祈禱《きとう》として大仁王会《だいにんのうえ》が、嘉禄《かろく》元年（一二二五）五月には千僧供養《せんそうくよう》がそれぞれ行なわれて、天下の疫気・炎旱《えんかん》に対処する祈りがなされている。そしてその年末には幕府御所が八幡宮の前の若宮大路《わかみやおおじ》沿いに移転してきて、ここに八幡宮は名実ともに鎌倉の中心となった。

天福《てんぷく》二年（一二三四）四月五日、執権《しっけん》の北条泰時《ほうじょうやすとき》は鶴岡八幡宮に大般若経《だいはんにゃきょう》一部を書写して納め、願の成就を祈り、さらに仁治《にんじ》元年（一二四〇）には、鶴岡八幡宮と得宗《とくそう》邸がある山内《やまのうち》とを結ぶ「山内道路」（巨福呂坂《こぶくろざか》）や八幡宮と東の六浦《むつら》を結ぶ朝比奈《あさひな》坂の切通《きりどお》しを整備した。これらをはじめとして、泰時の鎌倉大整備事業は、鶴岡八幡宮を中軸にして行なわれている。鎌倉の西の境界の地に造営された大仏は、泰時が勧進上人《かんじんしょうにん》の浄光《じょうこう》に助成したもので、阿弥陀《あみだ》仏を本地《ほんじ》とする鶴岡八幡宮とこの阿弥陀の大仏とは、両者相まって篤《あつ》い信仰の対象となった。『東関紀行《とうかんきこう》』は「鶴が岡の若宮は、松柏《しょうはく》のみどりいよいよしげく、頻繁のそなへかくることなし」と、鶴岡八幡宮の繁栄をうたっている。

宝治《ほうじ》元年（一二四七）四月に、幕府は後鳥羽《ごとば》上皇の御霊《ごりょう》をなだめるべく、鶴岡の乾《いぬい》の地に新宮《しんぐう》を建立しているが、これは新たな政治の変動を予感させるものであった。その直後の五月に鶴岡八幡宮の鳥居の前に三浦泰村《みうらやすむら》を誅《ちゅう》すべしという立て札が立てられると、やがて事件は北条時頼《ときより》が三浦氏を滅ぼす宝治合戦《ほうじかっせん》へと発展していったのである。このときに時頼の外戚《がいせき》であった安達《あだち》氏は、鶴岡の境内に陣を張っていた。

戦後には、時頼の戦勝を祈った三井寺《みいでら》の隆弁《りゅうべん》を鶴岡の別当《べっとう》に任じ、さらにみずからの後継者の生誕を祈らせた。隆弁が鶴岡八幡宮の宝前《ほうぜん》で建長《けんちょう》二年（一二五〇）の元旦《がんたん》から祈禱を開始すると、八月に妊娠するという夢告があり、翌建長三年二月に境内の三島《みしま》社でさらに祈ると、一二日の夢の中で白髪の翁《おきな》が五月一五日の酉剋《とりのこく》（午後六時前後）に男子を平産すると告げたところ、そのとおりに出産したという。このときに生まれたのが時宗《ときむね》である。続く建長四年に、時頼は宗尊親王《むねたかしんのう》を将軍に迎え、鶴岡八幡宮の大修理を行ない、夷三郎大明神《えびすさぶろうだいみょうじん》や大黒天《だいこくてん》社などの御霊《ごりょう》系の神社を勧請《かんじょう》している。鶴岡八幡宮は新たな信仰を受け

10

◉七つの切通し
谷に囲まれた鎌倉の出入り口が、亀ケ谷《かめがやつ》坂・化粧《けわい》坂・巨福呂坂・大仏《だいぶつ》坂・極楽寺《ごくらくじ》坂・朝比奈坂・名越《なごえ》坂の七つの切通しであった。写真は、朝比奈坂の切通し。

入れつつ、得宗中心の政治を支える神社として展開していったことがわかる。

執権や得宗となった北条氏代々に共通する性格は、政治的決断力である。朝廷に戦いを挑んで勝利した北条義時《よしとき》、評定《ひょうじょう》の場から将軍を排除し、貞永式目《じょうえいしきもく》を制定した泰時《やすとき》、三浦氏を滅ぼし、摂家将軍を京に追いやって皇族将軍を迎えた時頼、その将軍を追放して、蒙古《もうこ》合戦に挑んだ時宗、それぞれに重大な局面を決断力によって切り抜けたが、その支えとなったのも鶴岡八幡の神意である。

なお足利高氏《あしかがたかうじ》（尊氏）が挙兵して幕府に叛《そむ》くようになったのは、丹波《たんば》の篠村《しのむら》八幡宮（京都府亀岡《かめおか》市）でのことであり、正慶《しょうきょう》二年（元弘《げんこう》三年〈一三三三〉）四月に高氏はここに立ち寄って願文《がんもん》を納めている。足利氏は頼朝の時代に鶴岡八幡宮に壇所を設けて以後、源氏の八幡信仰を継承していたのである。それとともに本領である足利荘に大日如来《だいにちにょらい》を本尊とする鑁阿寺《ばんなじ》や樺崎寺《かばさきでら》（ともに栃木県足利市）を建てていたことも忘れてはならない。

以上、本章では中世の政治の型がいかにつくられたのかを考えてきた。これにより中世の文化・社会・政治の枠組みの形成過程が明らかになったことから、つぎは、その枠組みを受けて、中世の人々がどのように動いていったのかを、その言説に注目して探ることにしたい。

第四章

中世の生活と宗教

身体に即した住居

方丈の庵から

中世の政治や文化は、寝殿《しんでん》造りの御所や国司《こくし》・武士が築いた館をその舞台として展開してきたのだが、そこに暮らす人々の住宅への思いまでが記録に残されることはなかった。ところが鴨長明《かものちょうめい》は、みずからの体を置く住宅について事細かに記した。

ゆく河の流れは絶えずして、しかももとの水にあらず。よどみに浮《うか》ぶうたかたは、かつ消え、かつ結びて、久しくとどまりたるためしなし。世の中にある人と栖《すみか》と、またかくのごとし。

川の流れに世の移り変わりを見て、人と住みかとの動きを記した『方丈記《ほうじょうき》』は、その書名からも知られるように、長明が住んだ家から見た世相や、それを綴《つづ》った場と心境とを語った、傑出した作品である。ここに中世の人々の自立的な思考が誕生したといえよう。これまで長明は遁世者《とんせい》としてとらえられ、その思想を隠遁者《いんとん》のそれとして消極的にみる見方が広く行なわれてきたが、じつは僧俗の世界から積極的に離脱した遁世者でなければ、みずからの思考を生み出すことはできなかったのである。

その長明は一二世紀なかばに下鴨社《しもがもしゃ》の祠官《しかん》の家に生まれ、芸能に優れ、和歌にも秀でて源平の争乱期を迎えたが、その三〇歳あまりのころに京の鴨川《かもがわ》の河原の近くに結んだ庵《いおり》は、築地《ついじ》・車宿《くるまやどり》・居《い》屋《や》からなる、白波《しらなみ》（盗賊）にも襲われかねない粗末なものであったという。この居所から長明は京の大火と飢饉《ききん》・地震などの惨状を近くに見て、大きな衝撃を受けたのであるが、やがて京の世界が源平の争乱後に立ち直ると、後鳥羽《ごとば》上皇に和歌の才能を見いだされ、『新古今和歌集《しんこきんわかしゅう》』の寄人《よりゅうど》（和歌を撰定する職員）となった。しかし長明が琵琶《びわ》の秘曲を弾いたことで問題が生じ、さまざまな事情も重なって、ついに遁世するに至る。

一三世紀初頭、六〇歳に近くなって、長明は京の郊外の日野《ひの》に庵を建てた。広さ方丈（一丈〈約三メートル〉四方＝約九平方メートル）、高さ七尺（約二・一メートル）、簡素な屋根を葺《ふ》き、継ぎ目に掛け金をかけ移動を容易にしたものである。さらにその日野山の奥に住んだときには、東に三尺余の庇《ひさし》をかけ、南に竹の簀子《すのこ》を敷き、その西に閼伽棚《あかだな》をつくり、北に寄せて障子を隔てて阿弥陀仏《あみだぶつ》の絵像を安置し、東の際に蕨《わらび》の干し草を敷いて寝床とした。西南には竹のつり棚を構えて黒い皮籠《かわご》を三つ備え、和歌・管絃《かんげん》の書、源信《げんしん》の『往生要集《おうじょうようしゅう》』などを入れ、そのかたわらに琴・琵琶を立て掛けておいた、という。

1

◉鴨長明由来の河合神社
鴨長明が生まれた家は、下賀茂社の摂社河合《かわい》神社の祠官を代々つとめていた。現在河合神社の境内には、長明の方丈の庵が復元されている。

長明はこのような住宅について詳しく記したあと、「すべて世の人の栖《すみか》を作るならひ、必ずしも事のためにせず」「われ今身のためにむすべり。人のために作らず」と述べている。自分はわが身のために家をつくったのであると力説している。「この所に住みはじめし時はあからさまと思ひしかども、今すでに五年《いつとせ》を経たり。仮の庵もややふるさととなりて」と、仮の住居と思っていたのだが、住みつくうちに故郷のようになったとも語っている。

　長明は仮の住まいという考えから出発し、やがてわが身のために住宅を建てることを考えるようになり、そこに住むうちに故郷になったと記している。ここに身体に基づく住宅論の萌芽《ほうが》が認められよう。平安京《へいあんきょう》に都市が形成されはじめてから約二〇〇年、貴族でもなく、武士でもない長明のような隠遁者だからこそ、その身を置く住宅についての思想が生まれたのである。

　考えてみれば、『方丈記』はある種の自伝であり、こうした自伝を書くことも、みずからを振り返ってみるという点で、住宅論と共通するものがある。外からでなくみずからを見つめて

2

ゆくことから、住宅論の萌芽は生まれたのである。同じころ、月を愛《め》で花を愛でて漂泊の旅を繰り返していた歌人西行《さいぎょう》も、庵に身を置いたわが身のありさまをこう詠んでいる。

心なき　身にもあはれは　知られけり　鴫《しぎ》立つ沢の　秋の夕暮

（情趣を解する心のない身にも、もののあわれはおのずから知られることだ。鴫の飛び立つ沢の秋の夕暮れ時よ）

ここからも庵に生きる生活者の心の動きがよくうかがえる。ただこの庵は、京中の住宅ではない。これに対して、都市の内部において、どのような住宅を構えたらよいのかについて記したのが、歌人の藤原定家《ふじわらのさだいえ》である。

定家の京の家

藤原定家《ふじわらのさだいえ》の日記『明月記《めいげつき》』はおもしろい。多くの貴族の日記が行事や公事《くじ》の進行を味気ない文章で記しているのに対し、個人の思いをなまなましく記しているからである。その治承《じしょう》四年（一一八〇）九月条にはこのように記されている。

◉西行の庵
年末、みずからの庵に座って外を眺める西行。庵の前では子供たちが、先端の曲がった杖《つえ》で毬《まり》を打つ、「毬打《ぎっちょう》」というホッケーのような遊びに興じている。（『西行物語絵巻《さいぎょうものがたりえまき》』）

世上の乱逆・追討、耳に満つと雖《いえど》も之《これ》を注さず。紅旗《こうき》・征戎《せいじゅう》、吾《わ》が事に非《あら》ず。

（世の中の乱逆や追討について、話がいっぱい入ってくるがこれを記さない。紅旗〔宮廷の象徴〕を翻しての征伐は私とはかかわりがないことだ）

同居する父俊成《としなり》が重病ということで気の晴れないなか、源頼朝《みなもとのよりとも》の追討のために平氏軍が京を発して東下するという情勢下、自分は戦乱に関係ないのだ、と言い放っている。こうした心情を吐露する王朝びとは、これまで生まれてはこなかった。この部分については、のちに書き加えた文章であろうという解釈もなされてきたが、原本を精査した結果、やはり若き定家の書いたものと認めてよいことがわかっている。

その定家はみずからが病弱だったせいもあり、日ごろから自分の身体に注意を払っていて、『明月記』にはその病状がよく記されている。寛喜《かんぎ》二年（一二三〇）八月二十七日条をみてみよう。

「夜になって寝入ったあと、夜半になっていつものように便所に向かったところ、たちまち矢を射るような激しい下痢に襲われ、驚いていると、前後不覚の体となり、下女らを呼んだのだが、来る前に意識を失ってしまった。二、三人が来て助け起こされ、やっと気がついて、嘔吐《おうと》をもよおした。戻ることもできずに路板に臥《ふ》せってしまい、狼狽《ろうばい》してわけもわからぬままに、這《は》いつくばって寝所に戻った」

ここまで記すものかと思うほどに、みずからの症状をリアルに記しているのがわかる。翌日、定家の家にやってきた心寂房《しんじゃくぼう》というかかりつけの医僧は、蠅《はえ》を飲み込んでそれが腹の中に入ったためと診断している。このように病状を詳しく記した日記はほかになく、病気に関する定家の知識の出所などもあわせて、『明月記』は重要な史料となっている。

住んだ家についても定家は多大な関心を寄せていた。嘉禄《かろく》二年（一二二六）十一月十三日条には、この日は吉日なので、門を立て新屋を上棟した。場所は京極《きょうごく》の末で、小路を東西に開いて家の西に築垣《ついがき》を築き、南面して唐門《からもん》を構え、前路の南に芝築垣を築き、その隣境には竹を植えて行き止まりにした。門から七丈あまりのところに狭い三間四面《さんけんしめん》の屋を建て、その東に三間四面、七尺間庇《ひさし》の持仏堂《じぶつどう》を、西には五間の丈間の平屋を建て侍《さむらい》所《どころ》とした。全体は倹約をもととして建てた、と記している。

翌年二月六日には、心寂房が持ってきた三尺の真木《まき》と白の八重の梅とを植えたのをはじめ、つぎつぎにさまざまな木を植えている。閏《うるう》三月一日には三年前に植えた梨木《なしのき》の花が初めて開き、翌二日にも数年前の春に接《つ》いだ八重桜の花が開こうとしているのを見て、いたく喜んでいる。

定家の和歌といえば、本歌取りや古典を背景とした技巧的な

3

◉病への関心
一二世紀には、さまざまな病の紹介や、病に関する説話からなる絵巻『病草紙《やまいのそうし》』が成立しており、病に対する関心の高まりが見てとれる。図は、嘔吐と下痢を繰り返す病「霍乱《かくらん》」。

歌が多いが、むしろそれだけに、身を置く住宅のあり方については細心の注意を払っていたというべきであろう。後鳥羽《ごとば》上皇からの突然の命令に応じて、和歌を詠まなければならない、そうしたことがしばしばあった。これに不平不満を記しつつも、その命にこたえており、おそらく遠く古典の世界と現実の世界との懸け橋になっていたのが住宅であったのだろう。

兼好による住宅論の展開

藤原定家《ふじわらのさだいえ》が後世に与えた影響は大きかった。定家の和歌の流れは御子左《みこひだり》流として和歌界の主流となってゆくが、その和歌の流れから教えを受けた兼好法師《けんこうほうし》は、『徒然草《つれづれぐさ》』に「京極《きょうごく》入道中納言は、なほ一重《ひとえ》梅をなん、軒《のき》近く植ゑられたりける。京極の屋の南向きに、今も二本侍《はべ》るめり」と、定家の植えた梅が今に残っている、と記している。住宅論を本格的に展開したのはこの兼好である。

筆をとれば物書かれ、楽器をとれば音《ね》をたてんと思ふ。盃《さかずき》をとれば酒を思ひ、賽《さい》をとれば攤《だ》打たん事を思ふ。心は必ず事に触れて来《きた》る。

『徒然草』一五七段である。筆を執ると、そこから物がおのずと書かれてゆく、と記しており、じつによく身体の作用を知った物言いである。ならば兼好は筆を執る動作とともに『徒然草』を記すようになったといえよう。その序はこう始まっている。

つれづれなるままに、日くらし硯《すずり》にむかひて、心にうつりゆくよしなし事を、そこはかとなく書きつくれば、あやしうこそものぐるほしけれ。

書くという行為によってさまざまなことが心に映り、それを書きつけてゆくうちに、物狂おしい状態になっていった、と記している。まさに筆を執るがままに『徒然草』は記されたのである。兼好は朝廷に蔵人《くろうど》として仕えたのち一四世紀初頭に遁世《とんせい》し、多くの人々と交わるなかで、これを著わしている。

その一二三段では「人の身に、止《や》むことを得ずしていとなむ所」として、「第一に食ふ物、第二に着る物、第三に居《い》る所なり。人間の大事、この三つには過ぎず」と指摘し、身体にとって三つの重要なこととして、食・衣に続いて「居る所」（家）をあげている。さらに五八段は、道心があれば住むところなどはどうでもよいと主張する人に対して、そう語る人は後世の何たるかを知らない人であり、「閑《しずか》な」住環境こそ修行に大切であると力説する。飢えを助け、嵐を防ぐよすがは大事である、

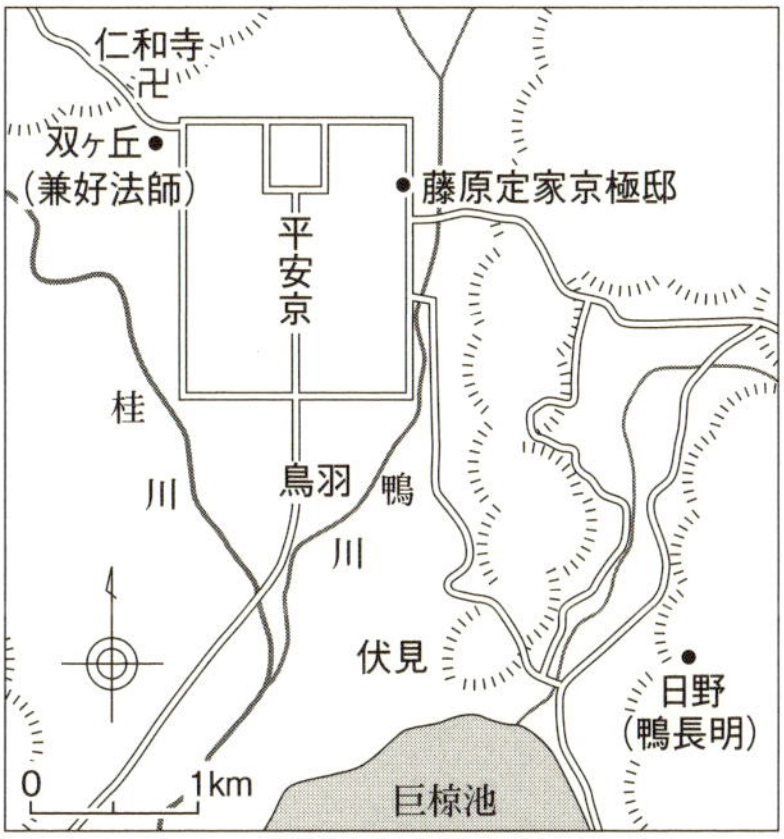

◉長明・定家・兼好の住居
京の郊外日野《ひの》に庵を結びそこで没した長明《ちょうめい》に対し、定家の家は平安京のなかにあった。一方、兼好は遁世《とんせい》した晩年は、仁和寺《にんなじ》近辺の双ヶ丘《ならびがおか》に居を構えたという。

とも説いている。

遁世者であるからこそ住む家は重要であると語っているわけで、こうして住宅論を本格的に開陳したのがつぎの五五段である。

家の作りやうは、夏をむねとすべし。冬はいかなる所にも住まる。暑き比《ころ》わるき住居《すまい》は、堪《た》へがたき事なり。深き水は涼しげなし。浅くて流れたる、遙《はる》かにすずし。こまかなる物を見るに、遣戸《やりど》は蔀《しとみ》の間《ま》よりも明《あか》し。天井の高きは、冬寒く、灯《ともしび》暗し。造作は、用なき所をつくりたる、見るも面白く、万《よろず》の用にも立ちてよしとぞ、

家は夏を念頭に置いて建てるべきこと、涼しさと明るさの演出が大事なこと、無用な部分をつくるのもまたよい、としている。人々がいかに住むかを念頭に置いて、住宅とはこうあるべきであると、住宅論を展開したものとわかる。

この段は日本人の感性をよく物語るものとして広く受け入れられているが、それは兼好が身体性に基づいて家のあり方を主張していたがためである。話の終わりに「とぞ、人の定めあひ侍《はべ》りし」とあるのは、住宅について人々と話し合ったことを物語っており、これは兼好ひとりの住宅論ではなく、当時の人々が考えていたものとわかる。多くの人々が身体に添って周囲の物事を考えるようになっており、『徒然草』はその代表的作品だったのである。

医者と養生

身体への強い関心からは、当然、病や養生などが問題とされてくるが、その点で兼好法師《けんこうほうし》に大きな影響を与えたのは医者の梶原性全《かじわらしょうぜん》であった。つぎに掲げるのは、性全が著わした『頓医抄《とんいしょう》』の養生法について記した一節である。

云、凡人ハ常ニ頭ヲ涼クシ足ヲ温ニスベシ。又云、八月以後ニハ微火ニ足ヲ暖ムベシ。又云、暑月ナリトモ足ヲバ不可冷、脚気ヲ令得也。又云、凡《オヨ》ソ春夏ハ汗ヲ可出、秋冬ニハ汗ヲ不可出也。

（人はつねに頭は涼しく足を温めておくように、また旧暦八月以後はわずかな火でも暖めるように、暑い月でも足を冷やさぬようにして脚気にならないように、春夏は汗を出すように、秋冬は汗を出さないようにすべきである）

性全は仏教説話集『沙石集《しゃせきしゅう》』を著わした無住《むじゅう》の同族で、源頼朝《みなもとのよりとも》の側近であった梶原景時《かげとき》の流れを汲《く》み、西大寺《さいだいじ》の叡尊《えいぞん》や東福寺《とうふくじ》の円爾《えんに》弁円《べんえん》などに学んだ僧医である。弁円門下にあった導生《どうしょう》が伝える宋《そう》の医学に、武士の間で行なわれてきていた民間医術を積極的に取り入れて、新しい医学を切り開いた。和文で記す『頓医抄』五〇巻を嘉元《かげん》二年（一三〇四）に完成させると、さらにみずからの経験を交えて『万安方《ばんあんほう》』を著わしている。

それまでの医書では、朝廷の医師である丹波康頼《たんばのやすより》が永観《えいかん》二年（九八四）に著わした『医心方《いしんほう》』がよく知られているが、それに学びつつも、新たに日本に将来《しょうらい》された、宋の太宗《たいそう》の命でなった『太平聖恵方《たいへいせいけいほう》』の重刊本に基づいて、みずからの経験をもふまえて著わしたのである。

『頓医抄』でとくに注目されるのは、第四三・四四巻に解剖生理の門を立項して、「五《ご》臓六腑《ぞうろっぷ》形」と称して内臓の図を付していることである。宋の宜州《ぎしゅう》の刑務官である呉《ご》簡《かん》が一一一三年に「五十六人が腹を割きて詳《つまび》らかに五臓六腑を見」て記した解剖図を収載するとともに、内臓の位置や形態、機能を説明している。しかしたんに訳しただけではなく、それに対する自己の考えも載せている。たとえば喉《のど》に孔《あな》が三つあると原本に見えると紹介しつつも、他書によれば孔は二つであると訂正している。さらに四五巻以後は、薬や味覚をはじめとして日ごろの養生について詳しく記し、きわめて実用的な書物であったことがわかる。

このように中世びとは身体について注意を払い、そこからわが生き方や住み方を考えるようになったのだが、それと並行して、新たな宗教運動が大きな広がりを示すようになっていた。これもまさに身体の思考ともいうべきものである。

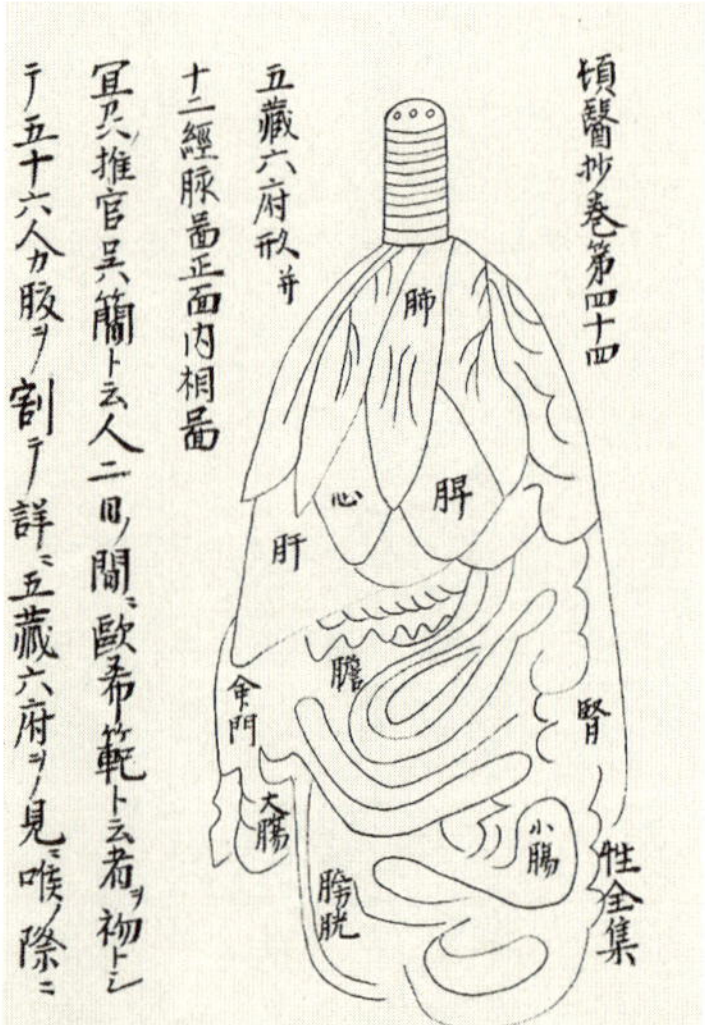

4
◉『頓医抄』に付された内臓の図
この内臓図は間違いが多かったが、人体解剖の経験のない日本では長くこの図が流通した。江戸時代の宝暦《ほうれき》四年（一七五四）に山脇東洋《やまわきとうよう》が行なった解剖が、日本初といわれる。

仏教信仰の展開

勧進と作善

勧進《かんじん》活動に一生を捧げた重源《ちょうげん》は、みずから南無阿弥陀仏《なむあみだぶつ》と名のり、その生涯にわたる作善《さぜん》の数々を書き上げている。それが『南無阿弥陀仏作善集』である。

生年十九にして初めて大峰《おおみね》を修行す。已上《いじょう》五ヶ度。三度は深山にして御紙衣《かみこ》を取りて料紙《りょうし》を調《ととの》へて如法経《にょほうきょう》（法華経《ほけきょう》・大日経《だいにちきょう》）を書写し奉《たてまつ》る。二度は持経者《じきょうしゃ》十人を以《もっ》て、峯《みね》の内して千部の経を転読せしむ。

自伝的要素のある書物で、この引用部分では、一九歳から五度も大峰修行を行ない、うち三度は深山で紙の衣を料紙にして経を書写し、二度は法華経読みの持経者一〇人に転読（声を出して読むこと）させたと記している。勧進とは、信心を人々に勧め、仏の道との結縁《けちえん》を求める行為である。

重源はもとは紀氏《きし》に生まれた武士であったが、醍醐寺《だいごじ》で出家したのち、聖《ひじり》として上醍醐《かみだいご》で活動し、大峰や熊野《くまの》・御嶽《みたけ》（金峯山《きんぷせん》）など各地の修験《しゅげん》の場で修行した。その後、大陸に渡り、帰朝後には高野《こうや》山《さん》の別所《べっしょ》を中心に勧進活動を始めたのである。

重源と同じころに生まれた西行《さいぎょう》も、数奇《すき》により和歌と仏道の修行をする聖の活動をするかたわら、高野山の蓮華乗院《れんげじょういん》（大会《だいえ》堂《どう》）の造営の勧進にかかわった。摂津渡辺党《せっつわたなべとう》の武士の文覚《もんがく》も、神護寺《じんごじ》の造営のための勧進を開始するなど、この一二世紀後半には、広く遁世《とんせい》の聖や別所の聖たちが勧進上人《しょうにん》となり、作善のために民衆に働きかけるようになっていたのである。彼らは民衆の信仰を集めた寺院や鐘、仏像の造営などにかかわるとともに、橋や道路、港湾の修理・造築など公共性の高い土木事業に精力的にかかわっていった。

一般的に仏への結縁を勧める作善には、大別して持経《じきょう》・持《じ》仏《ぶつ》・持戒《じかい》の三つがあった。持経とは、経典そのものへの強い信仰であり、経を読む読経、経を書写する写経、経を経塚に埋める埋経《まいきょう》などを行なうもので、平氏が一門の発展を祈って厳島《いつくしま》神社に奉納した『平家納経《へいけのうきょう》』は、持経に基づいている。

持仏とは、仏そのものの功徳への信仰で、阿弥陀仏への信仰による念仏をはじめ、観音菩薩《かんのんぼさつ》や地蔵菩薩、弥勒《みろく》菩薩や釈迦《しゃか》如《にょ》来《らい》などそれぞれの功徳を強調し、勧進によって仏像をつくり、

5

その仏に帰依し真言《しんごん》を唱えることで人々は救われる、と説いた。持戒とは、殺生を慎み、精進の行業《ぎょうごう》によって仏の道に結縁するもので、病気になったときや、死のまぎわに戒を授けられ、その戒をたもつことで往生がもたらされるとされた。

こうした作善の訴えは、源平の争乱を経てから、ことに強く意識されはじめた。寺院の大衆《だいしゅ》が蜂《ほう》起《き》して朝廷の存在を問い、平氏が南都《なんと》の焼き討ちによって鎮護国家の象徴である東大寺《とうだいじ》の大仏を焼くなど、仏法の滅燼《めつじん》を思わせるような事件がつぎつぎと起きたからである。折からの養和《ようわ》元年（一一八一）の大飢饉《ききん》や、源平の争乱、さらには文治《ぶんじ》元年（一一八五）の地震など、鴨長明《かものちょうめい》が『方丈記《ほうじょうき》』で綴《つづ》った惨状が人々に「末の世」を強く実感させていったからである。

その時期に広範な民衆に大きな影響を与えたのが、東大寺の再建を担った重源の勧進活動である。重源は、東大寺大仏の再建を後白河《ごしらかわ》法皇に依頼されると、奥州《おうしゅう》の藤原秀衡《ふじわらのひでひら》や鎌倉の源頼朝《みなもとのよりとも》などの協力をも取りつけ、広く民衆からの喜捨を募る精力的な活動をした結果、文治元年に大仏開眼《かいげん》の供養を行ない、建久《けんきゅう》六年（一一九五）に大仏殿の供養を行なっている。

重源は各地に「別所《べっしょ》」と称される宗教施設を根拠地として設け、勧進集団を組織・動員してこの事業を成し遂げた。みずからは「南無阿弥陀仏」と称し、信仰をともにする同朋《どうぼう》には法華経の経文から一字をとって「安阿弥陀仏《あんあみだぶつ》」などのように命名し、この南無阿弥陀仏と同朋の持戒の集団を核にして、その外縁部にも多くの協力者を組織して勧進を行なった。巨大建造物である大仏と大仏

◉重源の勧進活動を記す碑
奈良時代に行基《ぎょうき》がつくった河内《かわち》の狭山池《さやまいけ》が傷んできたのを、建仁《けんにん》二年（一二〇二）に重源が修理して再興した。それを記す「重源狭山池改修碑」が発掘調査で見つかっている。

殿・南大門《なんだいもん》の造営のために新たな技術が必要になると、大仏様《だいぶつよう》と称される建築技術を大陸から導入し、また多くの技術者を建築・土木を請け負う勧進集団に組織して再建を果たしたのである。

こうして勧進による巨大寺院や寺院再興の方式が確立し、こののち多くの寺院や公共建築の造営・再興に勧進は力を発揮するようになった。東大寺の再建は建仁《けんにん》三年（一二〇三）の総供養でほぼ終了するが、それと並行して行なわれていた興福寺《こうふくじ》の再建にも、多くの仏師や絵師、大工などが動員され、これによって美術の流れは大きく変わるが、それは持仏の作善の広がりとともにあった。

生身の仏たち

嘉禎《かてい》二年（一二三六）二月に亡くなった興福寺大乗院《こうふくじだいじょういん》の実尊《じつそん》大僧正の菩提《ぼだい》を弔うため、弟子の尊遍《そんべん》は、実尊の形見としてその姿に擬した地蔵菩薩《ぼさつ》をつくっている。

今この像は、先師大僧正実尊の出離生死頓証菩提《しゅつりしょうじとんしょうぼだい》のため、造立する所なり。弟子尊遍彼の御在世の間、真と云《い》ひ、俗と云ひ、厚恩を蒙《こうむ》るも一塵《いちじん》の報酬の実無し。滅後の今、これを悲しみ、これを歎《なげ》く余り、一体の形像を造り、聖霊の御質《ごしち》に擬し、昼夜親近し、常に奉仕に随《したが》はむ。

これは、奈良の新薬師寺《しんやくしじ》にあるその地蔵菩薩の胎内に納められた尊遍の願文《がんもん》の一節である。師である実尊大僧正の菩提のためにつくったものであり、生きておられたときには、教えといい、世俗のことといい、大きな恩を受けたのにそれに報いることができなかったゆえ、その死後になって悲しく思い、お姿に似せた仏像をつくり、昼夜お仕えしたい、と記している。この仏像は裸形《らぎょう》なので、実尊の生前の衣が着せられて奉仕がなされたものと考えられる。

奈良の伝香寺《でんこうじ》に伝わる地蔵菩薩も同じく裸形像で、これには現代の衣を着せて崇拝されているが、胎内への納入品から安貞《あんてい》二年（一二二八）頃の作とみられている。これらの造像の背景には、仏を生《しょう》身《じん》の存在と見なす「生身の仏」という考えの広がりがあった。

東大寺《とうだいじ》の大仏を再建する際、大仏の胎内に仏舎利《ぶっしゃり》が込められたように、この考えは東大寺再興の時期から広くみられ、仏像を身近な身体の延長としてとらえるようになったことの現われである。源頼朝《みなもとのよりとも》が再建に尽くした信濃《しなの》の善光寺《ぜんこうじ》（長野市）の阿弥陀《あみだ》仏は、生身の阿弥陀と称され、ここには重源《ちょうげん》や明遍《みょうへん》、証空《しょうくう》、然阿《ねんあ》、親鸞《しんらん》、一遍《いっぺん》らをはじめ多くの念仏者が訪れ、そこから啓示を受けている。また、それが模刻《もこく》された阿弥陀三尊は、各地に建てられた新善光寺に安置されていった。

模刻といえば、京の嵯峨《さが》にある清凉寺《せいりょうじ》の栴檀釈迦《せんだんしゃか》像は、大陸に渡った僧奝然《ちょうねん》が寛和《かんな》二年（九八六）に請《しょう》来《らい》したものだが、その原像はインドの優塡王《うでんおう》が釈迦を思慕してつくったものといわれ、それを奝然が入《にっ》

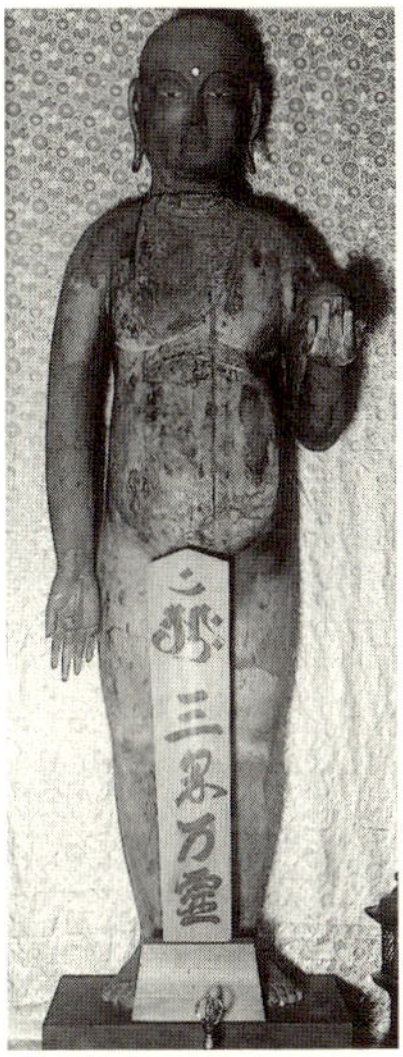

6

◉新薬師寺の生身の仏
この裸形の地蔵菩薩は、本堂安置の景清《かげきよ》地蔵尊を昭和五九年（一九八四）に修理した際に、その胎内から発見された。

宋《そう》中に台州《だいしゅう》で模刻したものという。この胎内には絹製の五臓を納めて生身の釈迦と称されて信仰を集め、これもまた「生身の如来《にょらい》」であるとの信仰が高揚して、その模刻が多くつくられた。

そのうちもっとも著名なのが、興福寺の覚盛《かくじょう》・円盛《えんじょう》・有厳《ゆうごん》らとともに自誓受戒《じせいじゅかい》という方法で律宗《りっしゅう》を起こした叡尊《えいぞん》によってつくられ、建長《けんちょう》元年（一二四九）に奈良の西大寺《さいだいじ》に安置された釈迦像である。これには多くの人々が結縁《けちえん》しているが、叡尊は畿内近国の各地に赴き、戒の授受を行なうなかで、多くの比丘《びく》や比丘尼《びくに》が生まれており、こうした人々の信心をこの像は引き寄せたのであろう。

人々の持仏の要望にこたえたのが仏師である。なかでも運慶《うんけい》・快慶《かいけい》の活躍により、以後、慶派と称される南都《なんと》仏師が成長していった。快慶は重源から「安阿弥陀仏《あんあみだぶつ》」の名を与えられて信仰心をともにして、東大寺の僧形八幡神像《そうぎょうはちまんしんぞう》や顔だちの整った多くの阿弥陀如来像をつくってゆき、運慶は、東国《とうごく》の武士の注文により仏像をつくっていった。伊豆《いず》韮山《にらやま》の北条《ほうじょう》氏の館に付属する願成就院《がんじょうじゅいん》（静岡県伊豆の国市）の阿弥陀如来像や不動明王《ふどうみょうおう》・二童子像、毘沙門天《びしゃもんてん》像などは北条時政《ときまさ》の発願《ほつがん》によって文治《ぶんじ》二年（一一八六）に、三浦半島の浄楽寺《じょうらくじ》（神奈川県横須賀市）の阿弥陀三尊像、不動明王像、毘沙門天像などは和田《わだ》義盛《よしもり》の発願により、文治五年に制作されたものである。また平成二〇年、海外流出するかと話題になった、足利《あしかが》市の樺崎寺《かばさきでら》旧蔵の大日如来《だいにちにょらい》像も、運慶の作品である。

これに先立つ定朝様《じょうちょうよう》の仏像が、浅く平行して流れる衣文《えもん》や、円満で穏やかな表情、浅い肉付けを特色とするのに対して、運慶の作品は男性的な表情や変化に富んだ衣文、量感に富む力強い体軀《たいく》などを特徴としていて、そこには今に生きる生身の仏がめざされていたかのごとくである。運慶がつくった仏像というだけで、それが生身仏であるという見方が生まれるようになったのもうなずける。

運慶は、やがて建久《けんきゅう》七年（一一九六）には康慶《こうけい》、快慶、定覚《じょうかく》らとともに東大寺大仏の両脇侍《わきじ》像と四天王《してんのう》像の造立に携わり、建仁《けんにん》三年（一二〇三）には東大寺南大門金剛力士《なんだいもんこんごうりきし》（仁王《におう》）像を造立している。この金剛力士像は高さ八メートルに及ぶ巨大なもので、その解体修理の結果、像内

7

◉東大寺南大門金剛力士像
解体修理の際、金剛力士像の吽《うん》形《ぎょう》の像内から納入文書が見つかった。また、阿形《あぎょう》（写真上）が右手に持つ金剛杵《こんごうしょ》の裏側からも、銘（写真下）が見つかっている。四行目の安阿弥陀仏《あんあみだぶつ》（快慶）の名が三行目の運慶より一段低く書かれている。

納入文書から運慶、快慶、定覚、湛慶《たんけい》（運慶の子）らが小仏師《しょうぶつし》を率いて二か月でつくったものであることがわかった。さらに承元《じょうげん》二年から建暦《けんりゃく》二年（一二〇八～一二一二）にかけて、一門の仏師を率いて、興福寺北円堂《ほくえんどう》の本尊弥勒《みろく》菩薩坐像と無著《むちゃく》・世親《せしん》像をつくっている。

念仏の勧め

勧進《かんじん》がモノを通じて仏への結縁《けちえん》を促したのに対して、同じ勧進でも念仏勧進は心に直接訴えた。重源《ちょうげん》と同じころに、ひたすらなる念仏勧進へと突き進んだのが法然《ほうねん》である。

観念の念にもあらず、又学文をして念の心を悟りて申す念仏にもあらず。ただ極楽往生のためには、南無阿弥陀仏《なむあみだぶつ》と申して、疑なくて往生するぞ、と思とりて申すほかには別の子細候《そうら》はず。

法然の『一枚起請文《いちまいきしょうもん》』の一節で、阿弥陀仏の救いを一途《いちず》に求めることを勧めている。このように作善《さぜん》の勧めのなかでも、直接に阿弥陀仏への結縁を勧める作善を求めたのである。

法然は、美作《みまさか》の武士、久米《くめ》の押領使《おうりょうし》であった漆間時国《うるまのときくに》の家に生まれたが、私の合戦で父が討たれたのを契機に比叡山《ひえいざん》に登ったところ、山での修行・戒律の衰退は著しく、比叡山の別所《べっしょ》のひとつである黒谷《くろだに》の別所に赴き、叡空《えいくう》に師事して「法然房源空《ほうねんぼうげんくう》」と名のり、聖《ひじり》としての修行を始め、やがて念仏勧進へと進んでいったのである。

承安《じょうあん》五年（一一七五）の四三歳のときに、善導《ぜんどう》の『観経疏《がんぎょうしょ》』によって専修《せんじゅ》念仏を主張し、比叡山を降りて東山吉水《ひがしやまよしみず》に住んで、念仏の教えを広めたといわれ、この年が浄土宗《じょうどしゅう》の立宗の年とされているが、著作によって本格的にその立場を示したのは、建久《けんきゅう》九年（一一九八）に『選択本願念仏集《せんちゃくほんがんねんぶつしゅう》』を著わしたときであった。

その活動により九条兼実《くじょうかねざね》らの貴族や熊谷直実《くまがいなおざね》らの武士の多くの信仰を獲得するが、元久《げんきゅう》元年（一二〇四）に比叡山の僧徒が専修念仏の停止を迫って蜂起《ほうき》したことから、『七箇条制誡《しちかじょうせいかい》』を草し、門弟の署名を添えて延暦寺《えんりゃくじ》に送った。しかし南都《なんと》の興福《こうふく》寺《じ》からも笠置寺《かさぎでら》の貞慶《じょうけい》が執筆した奏状が出され、建永《けんえい》二年（一二〇七）に念仏停止の宣旨《せんじ》が出され流罪に処された（「建永の法難」）。やがて赦免になり讃岐《さぬき》から帰京した翌年の建暦《けんりゃく》二年（一二一二）に、遺言として著わしたのが『一枚起請文』である。

配流《はいる》に至ったのは、弟子の住蓮《じゅうれん》や安楽《あんらく》による、一念の信で往生するという一念義の考えとその行動が原因であったが、このように宗論の果てに処刑されたり、流罪とされたりしたことはこれまでになかっただけにその影響は大きかった。だがこれを契機にして、念仏宗は活動の場を日本列島の隅々へと広げてい

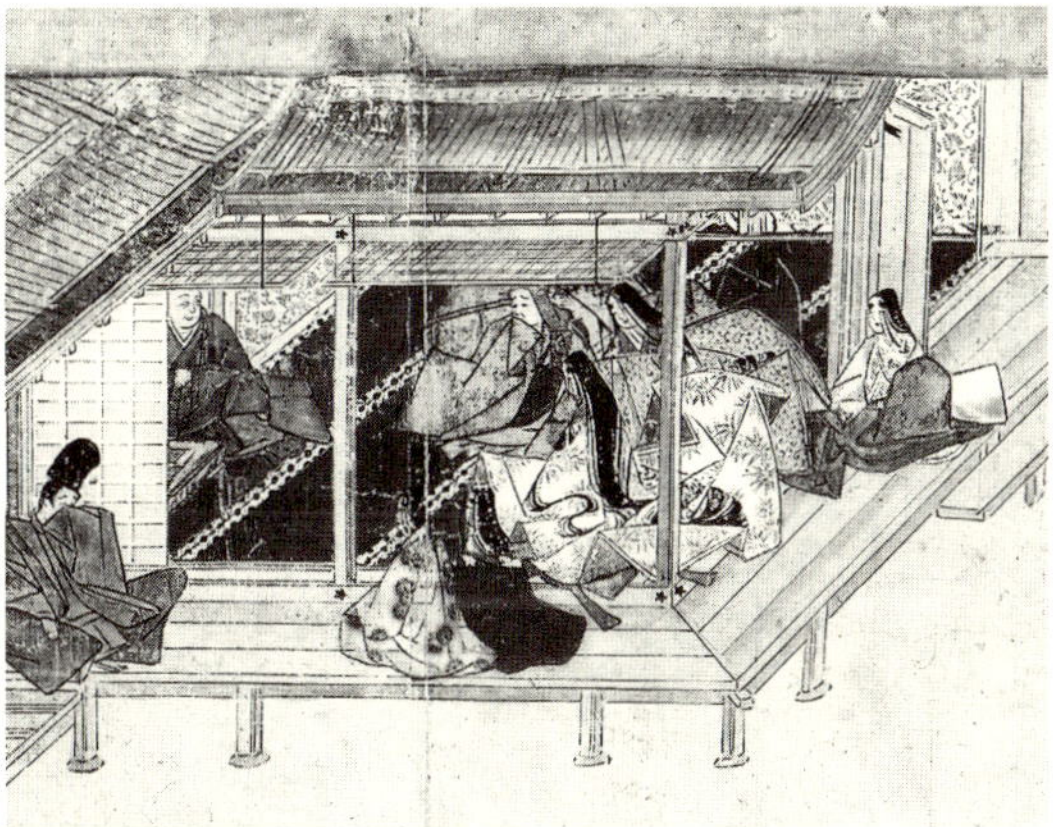

8

◉法然の女人往生論
女人は往生できないという従来の説を批判し、念仏によって女人も往生するととなえた法然は、女性たちに広く支持された。図は、女性たちの前で説法する法然。（『法然上人絵伝《ほうねんしょうにんえでん》』）

った。京の西山往生院《にしやまおうじょういん》にあった証空《しょうくう》の西山義《せいざんぎ》は畿内近国を中心に、弁長《べんちょう》の鎮西義《ちんぜいぎ》は筑後《ちくご》の善導寺《ぜんどうじ》を中心に鎮西（九州）で、そして弁長の弟子良忠《りょうちゅう》は関東で活動し、また浄土真宗を開いた親鸞《しんらん》は配流先の越後《えちご》から東国《とうごく》へと布教を開始していった。

浄土宗は新たな仏事の芸能を伴って広まってもいった。『徒然草《つれづれぐさ》』二二七段は、「六時礼讃《ろくじらいさん》」を法然の弟子安楽がつくり、「後嵯峨《ごさが》院の御代《みよ》」に京の太秦《うずまさ》の善観房《ぜんかんぼう》が節《ふし》をつけて声明《しょうみょう》にしたと記しており、「法事讃《ほうじさん》」も同様に、善観房が始めて広まったと記している。実際、鎌倉では、宝治合戦《ほうじかっせん》（一二四七年）の際に将軍頼朝《よりとも》の法華堂《ほっけどう》にこもった三浦《みうら》一族が、浄土宗に帰依する武士の行なう法事讃に基づいて、念仏を唱えつつ自害している。

こうして浄土宗は専修念仏の勧進という手段を通じて日本列島に広がったが、大陸との交流のなかから広まったのが禅宗《ぜんしゅう》である。

禅と身体のかかわり

大陸に渡って帰朝したのち、坐禅《ざぜん》を通じて仏法を体得する禅宗《ぜんしゅう》の教えを博多《はかた》の周辺で広めていた栄西《えいさい》は、鎌倉に下って幕府の源実朝《みなもとのさねとも》や北条政子《ほうじょうまさこ》の帰依を受け、その後援を得て活動を展開した。

> 人一期《いちご》を保つに命を守るを賢《けん》となす。その一期を保つに源は養生に在《あ》り。その養生の術を示すに五臓を安んずべし。是《こ》れ妙術なり。

栄西は『喫茶《きつさ》養生記《ようじょうき》』のなかで、このように養生に注目している。建保《けんぽう》二年（一二一四）二月四日、将軍源実朝が前夜の酒で二日酔いに苦しんでいるのを見た栄西は、「良薬」と称し、寺から茶を取り寄せて勧めるとともに、「茶の徳」について坐《ざ》禅《ぜん》の余暇に書き出した一巻の書を献上した（『吾妻鏡《あずまかがみ》』）。これが『喫茶養生記』である。

このなかで栄西は養生の重要性を強調し、「茶は養生の仙薬なり。延命の妙術なり」と、茶が養生に最適であると記し、「多く痩《そう》を病む人有《あ》り。是《こ》れ茶を喫せざるの致す所なり。若《も》し人心神快からざれば、その時、必ず茶を喫し、心臓を調《ととの》へて万病を除愈《じょゆ》すべし」と、心身の健康のために茶を勧めている。喫茶の習慣はここから広まったのである。

栄西は自伝も記していた。江戸時代に編纂《へんさん》された『霊松一枝《れいしょういっし》』に載る「入唐縁起《にっとうえんぎ》」がそれである。「予ハ備中吉備《びっちゅうきび》津宮神主子孫也《つのみやかんぬしのしそんなり》」と始まって、備中の吉備津宮の神主の子として、「保延《ほうえん》七年辛酉《しんゆう》歳（一一四一）四月」に生まれたと記している。みずからが生まれた年月までも記しているところに、みずからの身体への大いなる関心がうかがえる。

9

◉茶を広めた栄西
平安時代にも茶は飲まれていて、嵯峨《さが》天皇なども茶を愛好していた。しかし、喫茶の習慣が広く普及したのは栄西以降といえる。ちなみに、栄西が紹介した茶は抹茶である。

なお栄西は、禅宗こそが護国の仏教であり、鎮護国家にふさわしいと説いた『興禅護国論《こうぜんごこくろん》』を著わしたが、それは積極的に正しい仏法を政治家に知らしめようという強い意欲に基づいていた。鎌倉に下って寿福寺《じゆふくじ》の長老になると、幕府の援助を得て、「武家の寺」として建仁寺《けんにんじ》を京都に建立している。頼朝《よりとも》が武家の神社として六条八幡宮《ろくじようはちまんぐう》を京都に建てたのに倣ったものであり、その建仁という年号を寺号としたところに、栄西のめざした方向がうかがえる。

栄西は重源《ちようげん》の跡を継いで東大寺《とうだいじ》の大勧進《だいかんじん》となり、焼失した国王の氏寺《うじでら》である法勝寺《ほつしようじ》の八角九重塔を勧進によって再興すると、通常は没後に与えられる国師《こくし》号を生存中に朝廷に要求した。このことを『明月記《めいげつき》』に記した藤原定家《ふじわらのさだいえ》は、強引なやり方に批判を加えているが、その行動力によって、禅宗が鎌倉と京の世界に根付いたことは疑いない。

この栄西を建仁寺に訪ねて弟子の明全《みようぜん》から禅を学ぶなか、やがて大陸に渡って禅の修行に励み、曹洞《そうとう》禅を日本にもたらして広めたのが道元《どうげん》であって、その語るところを記したのが『正法眼蔵随聞記《しようぼうげんぞうずいもんき》』である。それからも禅宗の身体性がよくうかがえる。

心の念慮・知見を一向《いつこう》捨てて、只管打坐《しかんたざ》すれば、道《みち》は親しみ得《う》るなり。然《しか》れば、道を得ることは、正《まさ》しく、身《しん》を以《もつ》て得るなり。これに依《よ》つて、坐《ざ》を専《もつぱ》らにすべしと覚ゆるなり。

身心を放下《ほうげ》して、身命を惜しまずに只管打坐（ひたすら坐禅すること）を求めている。そうした厳しい禅修行のうえでは病や養生が問題となってくるが、それについてはつぎのように語っている。

仏道のためには、命を惜しむことなかれ。また命を惜しまざることなかれ。依《よ》り来らば、灸治《きゅうじ》一所、瀉薬《しゃやく》一種なんど用ひん事は、行道《ぎょうどう》の障《さわ》りともならず。行道をさしおきて、病を先《さき》として、後《のち》に修行せんと思ふは、非なり。

身体を整える養生は大事ではあっても、行道が先であって養生を先としてはならないと説く。そして身と心の関係を「身の威儀を改むれば、心も随《したが》つて改まるなり。先《ま》づ、律儀《りつぎ》・戒行《かいぎょう》を守れば、心も随って改まるなり」と語り、身の威儀を正し、戒律を守ることが重要であるとし、それとともに心も改まってくると力説している。

道元は当初、三井寺《みいでら》で天台《てんだい》教学を修めていたが、承久《じょうきゅう》の乱《らん》（一二二一年）後に明全《みょうぜん》とともに博多から宋《そう》に渡って諸山をめぐり、曹洞宗の天童如浄《てんどうにょじょう》から印可を受け、安貞《あんてい》二年（一二二八）に帰国すると、やがて京都の深草《ふかくさ》に興聖寺《こうしょうじ》を開いた。

しかしその徹底した坐禅ひたすらの教義は、比叡山《ひえいざん》からの弾圧を受けることになり、寛元《かんげん》元年（一二四三）に、在京人《ざいきょうにん》（京都を守護する西国《さいごく》の有力な御家人《ごけにん》）のひとりである波多野義重《はたのよししげ》の招きによって越前《えちぜん》の志比荘《しひのしょう》（福井県吉田《よしだ》郡）に移ると、寛元二年に大仏寺《だいぶつじ》を開いて同四年に永平寺《えいへいじ》と改めた。こうして曹洞宗の基礎がまずは北陸地方に築かれたのである。

鎌倉をめざす動き

新たな動きを始めた仏教の教えは、武家政権の地である鎌倉をこぞってめざした。布教の試金石として鎌倉をとらえ、競って入ってきたのである。紀行文の『海道記《かいどうき》』は、こう記している。

　東国はこれ、仏法の初道なれば、発心沙弥《ほっしんじゃみ》のことさらに修行すべき方《かた》なり。
　（東国は仏法を広めてゆくところであるから、発心したばかりの人が修行するのによい）

その先頭を切ったのは禅宗《ぜんしゅう》の栄西《えいさい》であり、承久《じょうきゅう》の乱《らん》後には念仏者が続き、確証はないものの道元《どうげん》も執権《しっけん》北条時頼《ほうじょうときより》の招請によって鎌倉に下向したという。

浄土宗《じょうどしゅう》の念仏者に対しては、建永《けんえい》の法難に続いて嘉禄《かろく》三年（一二二七）にも京都で法難が起きた。この法難は、天台《てんだい》僧の定照《じょうしょう》が『弾選択《だんせんちゃく》』を著わして、法然《ほうねん》の『選択本願念仏集《せんちゃくほんがんねんぶつしゅう》』を批判したところ、それに法然の弟子隆寛《りゅうかん》が『顕選択《けんせんちゃく》』を著わして反批判したことが発端となって、延暦寺《えんりゃくじ》の奏聞《そうもん》により、四〇人以上が逮捕され、隆寛らが流罪になった事件である。しかしこの法難を契機に浄土宗は急速に各地に広まり、鎌倉でも北条氏の一門の名越《なごえ》氏に支えられて、善光寺《ぜんこうじ》や長楽寺《ちょうらくじ》、悟真寺《ごしんじ》、蓮華寺《れんげじ》などの浄土宗の寺院がつぎつぎに建てられていった。

親鸞《しんらん》は建永の法難で越後《えちご》に流され、赦免ののちもそのまま越後の国府《こくふ》

●日蓮の法難
日蓮の激しい主張はたびたび法難を招いた。文永《ぶんえい》八年（一二七一）には、鎌倉の竜口《たつのくち》で処刑されそうになったが、光る物体が現われて難を逃れたという。（狩野探幽《かのうたんゆう》筆『日蓮聖人龍口法難図《にちれんしょうにんたつのくちほうなんず》』）

にあったが、建保《けんぽう》二年（一二一四）に越後を出て常陸《ひたち》へと向かうと、笠《かさ》間《ま》の稲田《いなだ》郷に居を定めた。ここの領主は歌人の塩谷朝業《しおのやともなり》・笠間時朝《ときとも》であり、主著の『教行信証《きょうぎょうしんしょう》』はここで執筆を始めたが、常陸は罪人の配流《はいる》の地であり、都からの文化を受け入れる素地があった。このあとにも律《りっ》宗《しゅう》の忍性《にんしょう》が筑波山《つくばさん》のふもとの三村極楽寺《みむらごくらくじ》（茨城県つくば市）に入って教えを広め、やがて鎌倉に入っている。一遍《いっぺん》も常陸を経て鎌倉をめざしたので、あるいは親鸞も鎌倉をめざしていたのかもしれない。しかし親鸞は笠間にとどまり、村の道場を中心に布教活動を続け、京に帰っても貴族などとの交わりは薄かった。そこに親鸞の特徴が見いだせる。

浄土宗の動きを批判し、持経者《じきょうしゃ》の流れを引いて法華経《ほけきょう》への信心を強く勧めたのが日蓮《にちれん》である。安房《あわ》の小湊《こみなと》に生まれて、比叡山《ひえいざん》に登って勉学したのち、鎌倉に入った日蓮は、名越《なごえ》で法華宗の布教を行なっていたところ、建長《けんちょう》五年（一二五三）に浄土宗の信者により襲われる「松葉ヶ谷《まつばがやつ》の法難」にあう。しかしこれにひるむことなく、日蓮は『立正安国論《りっしょうあんこくろん》』を著わして北条時頼《ときより》に勧めるなど、積極的に幕府に教えを広める努力を重ねたのである。

念仏宗や法華宗が信心を重視して布教を試みたのに対して、同じく鎌

10

倉を布教の場とした禅宗や律宗《りっしゅう》の場合は、戒律の実践の行を訴えた。大陸からもたらされた禅宗は修行を重視し、律宗は顕密《けんみつ》仏教で衰退していた戒律の復興を提唱していたが、これらを積極的に受け入れたのが北条時頼である。時頼は新たに後嵯峨《ごさが》上皇の皇子の宗尊《むねたか》親王を鎌倉に将軍として迎えると、建長五年に禅院として建長寺《けんちょうじ》を建て、宋《そう》から渡ってきていた蘭渓道隆《らんけいどうりゅう》を開山《かいさん》とした。この影響は大きく、時頼の子時宗《ときむね》は少年時から禅僧を精神的な拠《よ》り所として成長し、無学祖元《むがくそげん》を開山として円覚寺《えんがくじ》を建立している。以後、幕府の厚い保護のもとで禅宗は鎌倉に定着していった。

律宗では忍性《にんしょう》が東国《とうごく》に下って布教した結果、北条氏の一門の北条重時《しげとき》や金沢実時《かねざわさねとき》の帰依を受けるようになり、忍性の師である叡尊《えいぞん》は時頼に招かれて鎌倉に下り、その帰依を受けている。重時の別荘の極楽寺《ごくらくじ》は律院として整えられ、実時の別荘の金沢称名寺《しょうみょうじ》も律院として整備されたのである。

ここでとくに注目したいのは、多くの寺院が谷《やつ》の奥に立地している点である。今でも鎌倉の地を歩くと、小さな谷の奥に寺院が建ち、周囲の自然の風景と溶けこんで、都会の喧噪《けんそう》を逃れようとして訪れた人々を包むように迎えてくれるが、そうした風景の原形はこの時期に形成された。

京から下ってきた後深草院二条《ごふかくさいんにじょう》はその日記『とはずがたり』で、京とは違って鎌倉では人々の住まいが谷の奥までぎっしりと詰まっているのを見て、息がつまるようだ、と記している。しかしこの谷こそが新たな精神文化を育てる場となった。谷の地は、修行と信仰の二つをともに求める新たな信仰の場として絶好であって、谷の奥には、修行・瞑想《めいそう》の場となり、時に葬送の場ともなったやぐら（岩窟）が設けられた。

一遍とともに

一遍の生い立ち

時宗《じしゅう》の祖師である一遍《いっぺん》は、弘安《こうあん》五年（一二八二）に決意して鎌倉入りを試みている。

聖《ひじり》、宣《のたま》はく、鎌倉入りの作法にて化益《けやく》の有無を定むべし。利益《りやく》たゆべきならば、是《これ》を最後と思ふべき由《よし》、時衆《じしゅう》に示して、三月一日、小袋坂《こぶくろざか》より入り給ふに、（『一遍聖絵《いっぺんひじりえ》』）

鎌倉入りのあり方次第で今後の布教の成否を定めようと考えており、もしうまくゆかないならば、これが最後と思いなさい、と悲壮な覚悟をもって時衆に語って臨んだのであった。一遍の真の目的は、鎌倉幕府に直接に信仰を訴えることにあり、あえて得宗《とくそう》の北条時宗《ほうじょうときむね》が別荘を構える山内荘《やまのうちのしょう》の巨福呂坂《こぶくろ》（小袋坂）を通ろうとしたのである。当日は「太守《たいしゅ》山内へいで給事《たまふこと》あり、この道よりは悪《あ》しかるべき」と、「太守」時宗《ときむね》が通るのでやめるようにという忠告を受けていたのにもかかわらず、強行しようとしたことがその点を物語っている。

阻止はされたが、これを契機に鎌倉の西の片瀬《かたせ》に舞台を設けて繰り広げた踊り念仏の成功により、一遍の活動は新たな発展を迎えることになる。その一遍が注目したのも身体の作用であり、たどり着いたのが踊り念仏である。そこで一遍の足取りを具体的に追うことで、身体に注目した時代の様相を探ることにしよう。

一遍を探る材料は、まず一遍の近くにいた親族で弟子の聖戒《しょうかい》が「一人《いちのひと》の勧め」のために、また「一念の信を催さむがため」に一遍の生涯を詳細に描いた『一遍聖絵』（以下『聖絵』と称す）があげられる。正安《しょうあん》元年（一二九九）八月二三日に詞書《ことばがき》を聖戒が、絵は法眼円伊《ほうげんえんい》が描き、外題《げだい》は世尊寺経尹《せそんじつねただ》が書いた絵巻である。一遍は死の直前に書物などを焼いてしまったため、その言動を知る材料が少ないなかにあって、この絵巻は一遍の言動や一遍からの手紙に基づいて記されており、比較的客観的な態度も認められる。もちろん聖戒の主張が込められていることも考慮する必要はあるが、史料としての価値は高い。

ほかに『一遍上人絵詞伝《しょうにんえことばでん》』（以下『絵詞伝』）という、一遍と早くに同行《どうぎょう》し、時衆となって一遍亡きあとに時宗教団を形成した他阿弥陀仏真教《たあみだぶつしんきょう》の行状をもあわせて描いた絵巻もあり、その前半の四巻が一遍の行状にあてられている。さらに一遍の行状を年譜として記した『一遍上人年譜略《ねんぷりやく》』（『年譜略』）もあるの

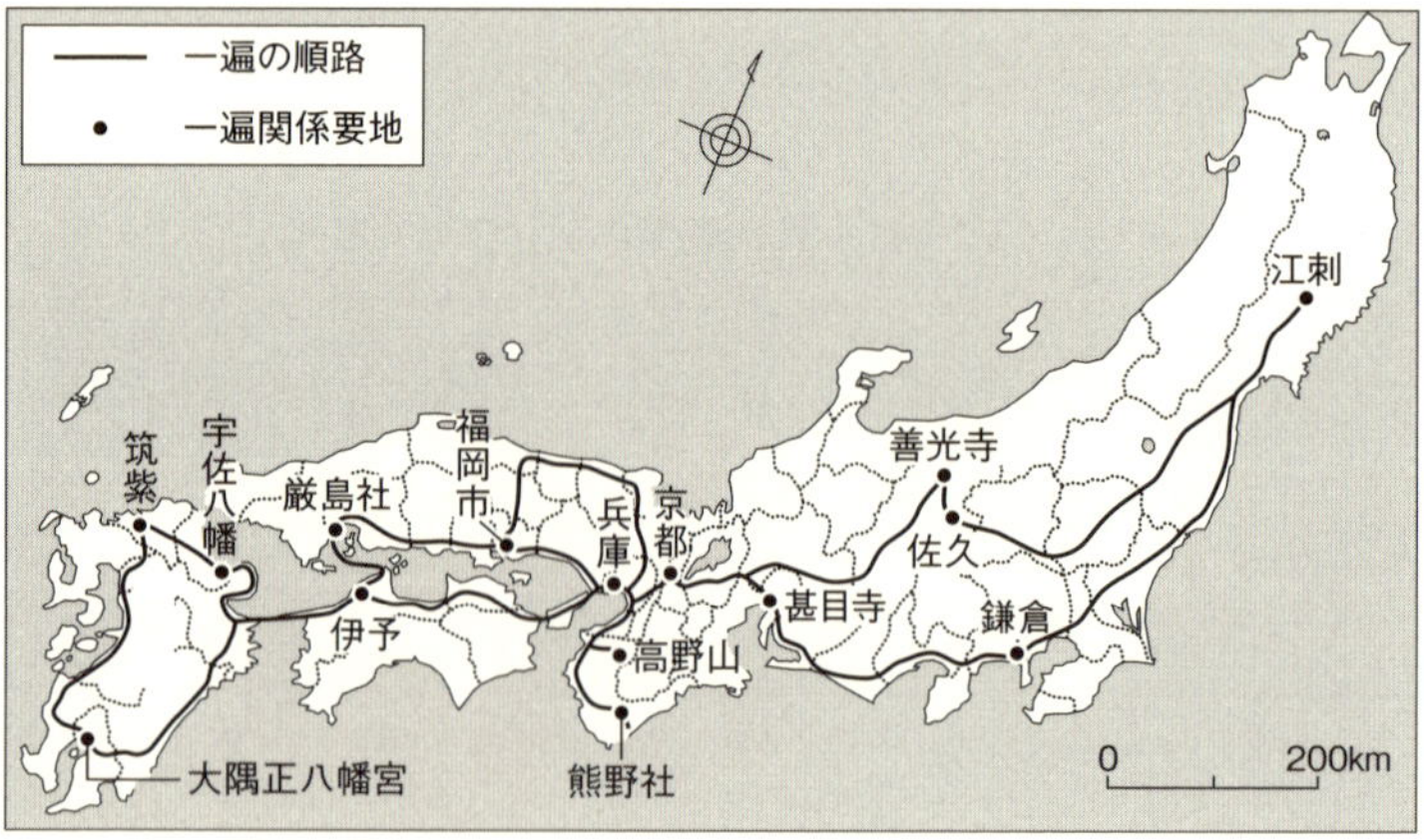

●一遍の足跡
伊予国に生まれた一遍は、正応《しょうおう》二年（一二八九）の臨終まで、西は九州大隅《おおすみ》、東は奥州江刺《おうしゅうえさし》に至る全国各地を精力的に遊行している。

で、これらから総合的に一遍をとらえてゆきたい。

一遍は延応《えんおう》元年（一二三九）に伊予国《いよのくに》の武士・河野通広《こうのみちひろ》の子として誕生した。『聖絵』は、早くに母に先立たれたことから出家して法名を随縁《ずいえん》と号し、建長《けんちょう》三年（一二五一）に九州に渡ったところから始まっているが、『絵詞伝』は、建長年間に一遍が親族に危うく殺害されそうになり、敵の太刀を奪って、難を逃れ発心《ほっしん》するに至るという場面から始まっている。しかし両絵巻ともこの付近の一遍の動きについては省略が多い。

ところが『年譜略』は、寛元《かんげん》三年（一二四五）の七歳のときに天台宗《てんだいしゅう》の継教寺《けいきょうじ》に学び、宝治《ほうじ》二年（一二四八）に母の死にあって出家の志をもつようになったこと、建長三年に九州に渡ったのは、父に連れられてのことであったとし、すぐに帰郷して建長五年に継教寺の教縁《きょうえん》を師として出家して随縁と号したという。絵巻よりも無理なく理解でき、とくに随縁という最初の法名がどうして付けられたのかがよくわかる。ただ、さらに比叡山《ひえいざん》に登ったとするのだが、その根拠は明らかではない。

一遍にとって弘長《こうちょう》三年（一二六三）という年は重要な時期であったらしい。『年譜略』は、この年に父が亡くなったことから、九州に渡って浄土宗西山義《じょうどしゅうせいざんぎ》に属する大宰府《だざいふ》弘西寺《こうさいじ》の聖達《しょうたつ》上人の門をたたき、天台宗を捨てて浄土門に入り、智真《ちしん》と法名を改めたとしている。『聖絵』は、この年に父の死を知らされていったん郷里に帰ると、俗塵《ぞくじん》に交わるなかで、悩んだ末にある境地に達したとする。すなわち子供の遊んでいた輪鼓《りゅうご》（ひもで回して投げ上げたりする遊具）が地に落ちて止まるのを見て、回せば回る、回さなければ回らぬ、人の輪廻《りんね》もこのようなものである、と仏法の奥旨《おうし》を悟ったという。これを聞いた聖戒は出家の志を抱き、大宰府に赴く一遍についていったという。

こうして一遍は修行の旅に出る。阿弥陀仏の霊場である信濃《しなの》の善光寺《ぜんこうじ》に参詣《さんけい》し、文永《ぶんえい》一一年（一二七四、『年譜略』では翌建治《けんじ》元年）には阿弥陀仏を本地《ほんじ》とする熊野《くまの》へと向かった。

信仰への確信をつかむ

『聖絵《ひじりえ》』によれば、熊野《くまの》参詣《さんけい》に赴く途中、一遍《いっぺん》がある僧に念仏を勧めて札《ふだ》を渡そうとしたところ、「自分は一念の信を起こしていない」と僧（じつは熊野権現《ごんげん》）に断わられることがあった。周囲の道者が見ているなかで断わられて迷いが生じたが、「一念の信が起こらずともよいから受け取るように」と強引に渡したところ、僧はこれを受け取り、まわりにいた道者たちもそれに見習った。

しかしこのようなかたちの念仏勧進《かんじん》でよいのかと思い悩みつつ、熊野本宮《ほんぐう》の証誠殿《しょうじょうでん》の前で祈ったところ、山伏《やまぶし》姿の権現からお告げがあったという。

御房《ごぼう》の勧めによりて、一切衆生《しゅじょう》初めて往生すべきにあらず。阿弥《あみ》陀仏《だぶつ》の十劫正覚《じゅうごうしょうがく》に、一切衆生の往生は南無《なむ》阿弥陀仏と決定する所也《なり》。信・不信を選ばず、浄・不浄を嫌はず、その札を配るべし。

一遍が勧めることで往生するのではなく、衆生の往生は南無阿弥陀仏

●熊野権現のお告げ
右の図で一遍の前に立つのが、熊野権現の化身である山伏。左の図は童子に札を渡しているところ。
（『一遍聖絵』）

と唱えることで定まってくるものであるから、その札を配るように、と告げたのである。これを聞いて一遍が目を開くと、童子が一〇〇人ばかりやってきて手を捧げ、念仏を受けたいと言ってきた。そこで札を渡すと、受け取った童子たちは口々に南無阿弥陀仏と申して消え去った、という。

ここに一遍は他力本願と、「南無阿弥陀仏」と書かれた札を賦《くば》る賦算《ふさん》の意義を確信する。熊野の本地《ほんじ》である阿弥陀仏から信仰への確信が与えられたからである。

こうして得た確信を契機にして、一遍は「南無阿弥陀仏　決定《けつじょう》往生六十万人」と記した念仏の形木《かたぎ》を、同行《どうぎょう》してきた超一《ちょういち》ら三人に渡して賦算を行なうように託して別れを告げたという。恩愛の情を断ち切り、「捨《すて》聖《ひじり》」としての念仏勧進を一遍はめざし、新たな身体性を求める遊行《ゆぎょう》へと一遍は進んでいったのである。

注目したいのは、熊野を出て伊予《いよ》を経て九州に入った一遍が、建治《けんじ》二年（一二七六）、筑前《ちくぜん》の武士の「屋形《やかた》」（館）を訪れたときのことである。酒宴の最中の武士に念仏を勧めると、家主は装束を正して手を洗い、口をすすいで受けたのであった。

11

家主が、「此僧は日本一の狂惑《おうわく》のものかな。なむぞのたふと気色《けしき》ぞ」と、一遍を日本一の狂惑のものと言いつつも、尊い気色がすると語ると、これを聞いた客人から、ならばどうして念仏の勧めを受けたのかと問われ、「念仏には狂惑なきゆへなり」と、念仏は人をだますものではないからだ、と返答した。そこで一遍は、この武士はまことの信心の持ち主である、と褒め称《たた》えたという。

下の絵は、屋形の庭で家主が一遍の勧めで念仏を受けている場面を描いている。武士の屋形らしく、出入りの門は侍によって固められており、門の上の櫓《やぐら》には盾や弓矢が備えられ、屋形の内には厩《うまや》と馬場があり、鷹《たか》もいる。絵の中央右寄りに、観音《かんのん》開きの扉があって縁《えん》で犬が寝ころんでいる板葺《いたぶき》の建物があるが、これは家主の信心を物語るために描かれた持仏堂《じぶつどう》であろう。主屋では酒宴の真っ最中で、鼓《つづみ》を手にした遊女がそばに侍《はべ》っている。一遍は庭にあって腰をかがめ、身には七条袈裟《しちじょうけさ》をまとって、念仏を主人に勧めている。

近年、『聖絵』の修理が行なわれた際、これには改変の跡があって、当初、一遍は褌《ふんどし》だけの姿で描

12

◉念仏を主人に勧める
武士の屋形の庭で家主に念仏を授ける一遍（画面左中央）と、それを終えて門から出て行く一遍（画面右下）。異なる場面をひとつの絵に描く「異時同図法」である。（『一遍聖絵』）

かれていたことが明らかになった。絵巻が絹本であることから、裏に紙が貼《は》られており、それを剝《は》いだところ、わかったのである。リアルに描いたものの、さすがに宗祖をその姿に描いておくのはしのびがたいということで、表面から袈裟を描き足す修正が施されたのであろう。

『聖絵』は、九州各地で念仏勧進の遊行をしたこのときの修行の旅の苦しさを記している。「九国修行の間は、ことに人の供養などもまれなりけり」というように、人々からの食事の提供もままならず、たまたまある僧から贈られた破れ七条袈裟を腰にまとい、縁に従い足に任せての念仏を勧める旅であったという。その苦難のさまが当初の絵に表現されていたのである。

一遍はこののち九州を南に下って大隅正八幡宮《おおすみしょうはちまんぐう》（現在の鹿児島神宮、鹿児島県霧島市《きりしまし》）に参詣し、苦難の九州修行の最後に、豊後《ぶんご》で大友兵庫頭頼泰《おおともひょうごのかみよりやす》の帰依を受け、そこで衣を与えられ、法門を談じたところ、七、八人が同行の契りを結ぶようになったという。このときに同行として加わったのが、のちに教団を継承する他阿弥陀仏真教《たあみだぶつしんきょう》であった。この同行の僧の参加によって、一遍の教団は小さいながらもここに成立したとみるべきであろう。

東に向かう旅

弘安《こうあん》元年（一二七八）に九州を出て伊予《いよ》に渡った一遍《いっぺん》は、仏法東漸《とうぜん》の流れに沿って東へと向かう途中、備前国藤井《びぜんのくにふじい》（岡山市）で吉備津宮《きびつのみや》神主の子息の家を訪ねたが、その際念仏を勧めたところ、子息の妻女が発心《ほっしん》を抱き、一遍の導きで出家することがあった。そのまま一遍が備前の福岡市《ふくおかいち》（岡山県長《おさ》船町《ふね》）まで来て念仏を勧めていると、そこに妻を出家させたことに怒って亭主が追いかけてきた。

件《くだん》の法師原いづくにてもたづねいだして、せめころさむとて出《い》でけるが、福岡の市《いち》にて聖《ひじり》にたづねあひたてまつりぬ。大太刀わきにはさみて聖のまへにちかづき侍《はべ》りけるに、

大太刀をわきに挟んですぐにも殺そうと気色ばむ神主の子息であったが、「汝《なんじ》は吉備津の宮の神主の子息か」と問われると、その一言に一瞬にして怒りが消え、害心も失せて身の毛もよだつほどに一遍を尊く思う心が起き、出家を遂げたという。それとともに国中への念仏の勧進《かんじん》によって、弥阿《いやあ》弥陀仏《みだぶつ》や相阿《そうあ》弥陀仏《みだぶつ》をはじめとする二八〇余人もの人が出家したのであった。

『聖絵《ひじりえ》』は、神主の子息の家で妻女が出家する場面に始まり、その神主の子息を福岡の市で出家させている場面までを描いているが、圧巻は、一遍と武士の対決の場面である。身命を捨てて念仏勧進を行なおうとする迫力ある一遍の姿が描かれている。

周囲には市のにぎわいが表現されており、備前焼の大甕《おおかめ》が並び、米や衣類・魚類の販売の風景が描かれている。そのなかで多くの人々の視線は、一遍と子息主従三人の対決に集まっている。一遍は子息に向かって指さして語っている風情であるが、これは詞書《ことばがき》の「汝は吉備津の宮の神主の子息か」と問うている場面であろう。子息は刀に手をかけて身を乗り出し、今にも斬らんという構えであり、郎従《ろうじゅう》二人も刀に手をかけている。

ここに福岡の市という市が描かれている点にも注意したい。それまでの布教の対象は武士の館が中心であったが、それが市に来る人々に勧めるように変わっているからである。一遍の時代からややのちに、近くの福岡宿にやってきた今川了俊《いまがわりょうしゅん》は、その紀行文『道行《みちゆ》きぶり』で、「その日は福岡に着きぬ。家ども軒を並べて、民の竈賑《かまどにぎわ》ひつつ、まことに名にし負ひたり。それよりこなたに川あり。みのの渡《わたり》といふ」と記し、軒を並べた福岡宿の家々のにぎわいを描いている。これによれば、福岡の市はどうも福岡宿の近くにある吉井《よしい》川の「みのの渡」に立てられたようである。宿や市などがこの時期に生まれ、にぎわっていったことを絵は物語っている。

こうして多くの信奉者を得て、弘安二年の春に上洛《じょうらく》し、京の因幡堂《いなばどう》に泊まっていたところ、堂の執行《しぎょう》の覚順《かくじゅん》が聞きつけて、縁《えん》にいた一遍を廊《ろう》に招じ入れるという厚遇を受ける。因幡堂は六角堂《ろっかくどう》や革堂《こうどう》などと並んで、民衆の信仰が寄せられた洛中《らくちゅう》のお堂のひとつである。やがて信濃《しなの》に向かって、四八日を経て善光寺《ぜんこうじ》に到着すると、その年末に踊り念仏を創始したのである。

13

◉福岡の市での対決
この場面でも、やはり絵の改変が認められる。子息の二人の郎従のうち向かって右側の者が、もとは弓を射かける姿だった。見る人を対決の場面に集中させるためだろう。（『一遍聖絵』）

踊り念仏の始まり

信濃国佐久郡《しなののくにさく》の伴野《ともの》（長野県佐久市）の市庭《いちば》の在家《ざいけ》で一遍《いっぺん》が歳末の別時《べつじ》念仏（特定の期間に行なう念仏）を行なっていたとき、紫雲が空に漂う奇瑞《きずい》が起きたことから、近くの小田切《おだぎり》里の武士に招かれ、そこで踊り念仏が始められた。

小田切の里、或《ある》武士の屋形《やかた》にて、聖《ひじり》をどりはじめ給《たまい》けるに、道俗おほくあつまりて結縁《けちえん》あまねかりければ、次第に相続して、一期《いちご》の行儀と成れり。

このように人々が集まって結縁し、以後、踊り念仏は一遍が亡くなるまで行なわれるようになったという。その踊り念仏の絵を見ると、画中に念仏房と記された人物を真ん中にして僧俗を交えて円を描くように踊っている。一遍は、招かれた武士の屋敷の縁《えん》にいて、武士の夫婦から食事の提供を受けている。武士は「小田切の里、或武士の屋形にて」としか記されておらず、顔も描かれていないので、これにはなんらかの事情があっ

14

●踊り念仏の創始
多くの牧がある佐久は、馬の産地だった。馬の跳躍する姿が、踊り念仏を考案するヒントとなったのかもしれない。（『一遍聖絵』）

たのであろう。
『聖絵《ひじりえ》』は、踊り念仏の始まりについてつぎのように語っている。空也《くうや》上人が京の市屋《いちや》や四条《しじょう》の辻《つじ》などで始めたものであるが、以後、それに学ぶ者はいたにしても利益《りやく》があまねく及んでいなかったところ、今に時が至って、機が熟したものである、と。

新たな宗を立てるためには、その根拠となる先師の例が必要とされたため、空也が持ち出されたのであろう。さらに新宗には拠《よ》るべき経論も必要とされたが、『聖絵』は、踊り念仏の経論の根拠として、「かつて更《さら》に世尊を見し者は、即《すなわ》ち能《よ》く此事を信じ、謙敬して聞きて奉行し、踊躍《ゆやく》して大歓喜す」という「無量寿経《むりょうじゅきょう》」に見える一文や、「行者《ぎょうじゃ》は心を傾け、常に対目騰神《たいもくとうしん》、踊躍して西方に入る」といった『善導和尚御釈《ぜんどうかじょうおんしゃく》』に見える一文をあげている。

しかし踊り念仏を批判する人の数は多かった。近江《おうみ》国の守山《もりやま》の琰魔《えんま》堂で、延暦寺《えんりゃくじ》の重豪《ちょうごう》という僧が詰め寄った話を『聖絵』は載せている。重豪が、「心が鎮まれば踊り跳ねる必要はないのではないか」と問うと、一遍は「跳ねば跳ね　踊らば踊れ　春駒《はるこま》の　法《のり》の道をば　知る人ぞ知る」という歌をもって答えている。ともかく踊り跳ねなさい、そうすれば阿弥陀の法の声が聞こえてこよう、というのである。重豪はやがて発心《ほっしん》して念仏の行者となり、今は摂津《せっつ》の小野《おの》寺《でら》に住んでいると記しているが、一遍にはこうした批判が数多く寄せられたのであろう。

踊り念仏を始めた契機を考えると、第一に一遍の早くからの身体性への注目があげられる。そして第二には、同行《どうぎょう》の集団が膨れ上がるなかで、その集団の結びつきを強めてゆく必要性があげられる。踊り念仏を行なうことによる一体感は集団を結束させたであろう。『聖絵』は、踊り念仏を始めて以後の一遍に同行する人々を「時衆《じしゅう》」と称しているが、その時衆の集団の結束の要請からも踊り念仏が生まれたことが考えられる。

第三に、遊行《ゆぎょう》するなかで、各地の踊る芸能に触れてきた点もあげられる。後世の史料なので問題はあるが、『一向上人伝《いっこうしょうにんでん》』によれば、同じく念仏宗の一向俊聖《しゅんじょう》は文永《ぶんえい》一一年（一二七四）に九州の大隅正八幡宮《おおすみしょうはちまんぐう》で踊り念仏を始めたという。これは一遍が念仏勧進《かんじん》のために九州に赴く少し前のことである。

こうして一遍は踊り念仏を創始したが、つぎに佐久郡の大井《おおい》太郎《たろう》の屋形に招かれて、そこで踊り念仏を行なったところ、数百人が踊りまわったために屋形の板敷きが踏み落とされてしまったという。絵には、帰路につく一遍の一行が描かれており、そのなかには僧や俗人の姿があり、見送る大井太郎の屋形の縁では、踊った人々によって踏み落とされた板敷きが破れている。また、屋形の屋根の煙出しからは煙が出ていて、一遍の一行を食事でもてなしたことを表現している。

◉一遍たちを見送る屋形の人たち
破れた板敷きの手前に立つのが大井太郎。彼は、破れた板敷きを一遍の形見として修理せず、そのまま残したという。（『一遍聖絵』）

踊る宗教と絵巻という方法

道場の形成

信濃《しなの》を出た一遍《いっぺん》は弘安《こうあん》三年（一二八〇）に奥州江刺《おうしゅうえさし》（岩手県奥州市・北上《きたかみ》市）の祖父の墓参りをしたのち、弘安五年に決意して鎌倉入りを果たそうとして制止され、そこで翌日、片瀬《かたせ》の館の御堂の近くにある地蔵堂に板屋を設けて数日踊り念仏を行なったところ、奇瑞《きずい》が起きた。紫雲がたなびき、花が降ったのである。

浜の地蔵堂に移りいて、数日をおくり給けるに、貴賤《きせん》あめのごとくに参詣《さんけい》し、道俗雲のごとくに群集す。同道場にて、三月のすゑに紫雲たちて、花ふりはじめけり。そののちは、時にしたがひて連々この奇瑞ありき。

絵は、多くの人々が群集するなか、一遍と時衆《じしゅう》が板屋の上で円をつくって踊りまわっている様子を描いている。詞書《ことばがき》には地蔵堂の道場とあるが、地蔵堂は描かれておらず、板屋がつくられて道場とされている。舞台をつくり、そこを踊り念仏の場とすることが、ここに始まったのである。詞書には踊り念仏とともに、紫雲が立ち、花が降るという奇瑞が起きたとあるが、それらはここでは描かれていない。しかし「そののちは、時にしたがひて連々この奇瑞ありき」とあり、一遍教団にとってきわめて重要な奇瑞の始まりであった。

紫雲がたなびくのは往生のしるしとみられていたから、往生の人も出ていないのに何ゆえかと、この奇瑞に疑いを向ける人に対し、「花の事は花にとへ、紫雲の事は紫雲にとへ。一遍知らず」と、一遍は受け流したと記している。しかしその言からも、踊り念仏にはさまざまな演出が試みられたことは疑いない。片瀬での踊り念仏では、板屋の舞台で集団をなし鉦《かね》をたたき板を踏み鳴らしているが、その音はきわめて効果的であったろう。

鎌倉入りを拒否され、消滅の危機にあった時衆集団が、結束を求めて行なった踊り念仏であったが、『聖絵《ひじりえ》』は、この奇瑞とともに多くの人々が一遍に帰依するようになったと記している。徳大寺《とくだいじ》家に仕える肥前前司《ひぜんぜんじ》貞泰《さだやす》の話に始まり、詫間僧正公朝《たくまそうじょうこうちょう》や上総《かずさ》の生阿弥陀仏《しょうあみだぶつ》、尾張《おわり》の二宮《にのみや》入道などの話をつぎつぎと載せて、信仰の広がりを語っている。それとともに一遍は、各地の民衆の信仰を集めていた堂に板屋をつくって道場となし、踊り念仏を手段にして広めていった。

16

◉結束を求めての踊り念仏
板屋のまわりには、市女笠《いちめがさ》の女や法体《ほったい》姿の男など多彩な人々が集まっている。信仰の広がりへの転機となった場面である。（『一遍聖絵』）

こうして東海道を京へと上るなかで布教をしてゆき、ついに弘安七年閏《うるう》四月には京で活動するようになった。四条《しじょう》の釈迦堂《しゃかどう》を手始めに因幡堂《いなばどう》や三条悲田院《さんじょうひでんいん》、蓮光院《れんこういん》などの京の堂をまわるなかで多くの信仰を集めていったが、『聖絵』はそのうちの四条釈迦堂における立錐《りっすい》の余地ないにぎわいを、「貴賤上下群をなして、人はかへり見る事あたはず。車はめぐらすことをえざりき」という詞書に添って描いている。「はじめに」でも触れた、一遍の京への凱旋《がいせん》が描かれているのであった。

その凱旋公演というべきものが、京の七条《しちじょう》の市跡に設けられた市屋《いちや》道場での踊り念仏である。ここは空也《くうや》が布教の場とした遺跡《ゆいせき》であれば、空也の正統なる後継者であることを示すとともに、新たな場に道場を建てて布教してゆくことを宣言するという意図が込められていたとみられる。道場とは、本尊が安置され、浄土往生のかなう場と見なされており、一遍によるこうした道場の形成は、踊り念仏による往生を考えてのことであったろう。ここでは踊り念仏が四八日間にも及んで、唐橋《からはし》法印印承《ほういんいんじょう》や三位基長卿《さんみもとながきょう》などの貴人の帰依を得るに至ったのである。

次ページに掲げた絵を見ると、市の跡の広場に板屋の舞台がつくられ、そこで踊る念仏集団を牛《ぎっ》車《しゃ》で取り囲み、さらに桟敷がつくられ、そこで飲食しながら眺めている図が描かれている。ぐるりと取り巻く桟敷は観覧席としてつくられたのであった。近くの堀川《ほりかわ》では材木が筏《いかだ》として浮かんでおり、その材木が舞台や桟敷の建築に使われたのであろう。当時、往生を自分の目で見るべく多くの人々が集まる風習があり、その関心に支えられながらも、ここでの踊り念仏はまさしく芸能興行となっている。のちのちの芸能興行の走りであった。

一遍はその後も新たな道場を各地に建て、踊り念仏の場としていった。但馬《たじま》の久美《くみ》や、美作一宮《みまさかいちのみや》、備《びん》後《ご》一宮、石清水八幡宮《いわしみずはちまんぐう》、厳島《いつくしま》神社、伊予《いよ》の大山祇《おおやまづみ》神社、淡路《あわじ》の二宮・天神《てんじん》社などの神社、摂津《せっつ》の天王寺《てんのうじ》、大和《やまと》の当麻《たいま》寺《でら》、播磨《はりま》の教信寺《きょうしんじ》・書写山《しょしゃざん》などの寺院の境内である。多くはその殿舎の内部にまで立ち入ることが許され、人々の信仰を獲得している。

なかでも弘安八年の但馬の久美では、海から一町ほど離れた場所に道場をつくったところ、沖のほうから雷が鳴ったので、龍王が結縁《けちえん》のためにやってきたのかと思っていたら、やがて風雨が強まり波も荒く潮がさしてきて、時衆は股まで海水に浸《つか》ってしまい、あわてて行道《ぎょうどう》を止めようとした。それを一遍が制して行道を続けさせると、潮はもとのように引いたという。

17

●踊り念仏の芸能化
板屋の床下の柱によじ登って遊ぶ子供など、観衆たちが思い思いに踊り念仏を楽しむさまが、いきいきと描かれている。
(『一遍聖絵』)

絵は道場で潮に浸りながら行道をしている場面を描き、空には龍が飛び去ってゆく。これまでは奇瑞があったとしても、それを実際に描くことはなかったが、ここでは龍の姿を描いている。この奇瑞を通じて一遍の布教が新たな段階を迎えたことを語っているのである。

一遍は西国《さいごく》を遍歴するなかで、やがて「わが化導《けどう》は一期《いちご》ばかりぞ」と語って、死を前に聖教《しょうぎょう》類を焼き捨てるなどして、教団を持続させる意思を示さなかった。身体に執着した一遍はみずからの肉体の死とともに、身に付随するものをも焼き捨てた。「捨聖《すてひじり》」一遍らしい生き方であるが、そこにはみずからが死んだあとの時衆の今後への不安もあったのではないか。多くの批判にさらされるのにこたえられないと判断したものと思われる。『聖絵』はその一遍の臨終をもって終わっている。

踊る宗教への批判

永仁《えいにん》三年（一二九五）に著わされた『野守鏡《のもりのかがみ》』は、当時の社会に広がる和歌や禅宗《ぜんしゅう》、読経・念仏などにみられる新たな動きを取り上げて批判を展開した書物で、正応《しょうおう》二年（一二八九）八月二三日に亡くなった一遍《いっぺん》の活動についても、つぎのように厳し

18

◉空を飛び去る龍
この奇瑞は、京都の七条に道場を開いた翌年のことである。各地への布教の新たな展開を物語っている。（『一遍聖絵』）

い批判を加えている。

一遍房といひし僧、念仏義をあやまりて、踊躍歓喜《ゆやくかんぎ》といふはをどるべき心なりとて、頭をふり足をあげてをどるをもて、念仏の行儀としつ。

一遍が「念仏義」を誤って理解し、「踊躍歓喜」とある経文を踊るべき心を意味するものととらえ、頭を振り、足をあげて踊るのが「念仏の行儀」であるとして人々に勧めている、と指摘し、さらに「諸宗の祖師一人として、をどる義をたてず」と、これまで諸宗の祖師は誰ひとりとして踊りを宗義にすることはなかったと、その非なることを追及している。

時衆《じしゅう》の活動については、永仁四年の年紀がある絵巻『天狗草紙《てんぐぞうし》』も、「馬衣《うまぎぬ》を着て衣の裳《も》を着けず、念仏する時は頭を振り、肩を揺《ゆす》りて踊る事、野馬のごとし。騒がしきこと、山猿に異ならず」と記している。一遍に従う人々が馬衣（葛《くず》や麻などで網の目状に粗く織った衣）を着て衣の裳を着けておらず、念仏するときには頭を振り、肩を揺すって踊るのは野馬のごときもので、騒々しいのは山猿に異ならない。男女が陰部も隠さず、食べ物をつかみ食い、不当なことを好むありさまは、すべて畜生道の業因《ごういん》を見る思いがする、と批判を加えている。

この『天狗草紙』は、興福寺《こうふくじ》・延暦寺《えんりやくじ》・三井寺《みいでら》などの有力な顕密《けんみつ》寺院をはじめとする寺の僧が天狗道に陥っていることを批判した絵巻である。制作の目的は、卑慢《ひまん》・慢・過慢《かまん》・慢過慢・我慢・邪慢・増上慢《ぞうじょうまん》など七種の慢心に基づく天狗の七類の姿を、興福寺・東大寺《とうだいじ》・延暦寺・園城寺《おんじょうじ》・東寺《とうじ》や山臥《やまぶし》（山伏）・遁世《とんせい》者などの魔道に堕《お》ちた僧徒として描くことにあった。

このうちの遁世の僧徒として一遍の活動は描かれており、天狗のなす「増上慢」、つまり慢心の度がもっとも高いものとして載っている。そこには禅宗の徒への批判もみられる。「放下《ほうげ》の禅師と号して、髪をそらずして、烏帽子《えぼし》をき、坐禅《ざぜん》の床を忘て、南北のちまたに佐々良《ささら》すり、工夫の窓をいで、東西の路に狂言す」と指摘された「放下の禅師」である。

絵には、「自然居士《じねんこじ》」と記された芸能者が堂の上で踊り、堂の下では「朝露《ちょうろ》」「蓑虫《みのむし》」「電光《でんこう》」と記された三人の芸能者が描かれている。自然居士や画中歌に見える「ささらたらう」、あるいは朝露・蓑虫・電光などの芸能者が放下の禅師である。放下とは、何物にもとらわれず、一切を捨てるという意味の禅語で、坐禅の末に達した境地であるが、禅宗の展開のうえでこのような芸能者が登場してきたことは、念仏の流れのうえに踊り念仏が登場してきたのと軌を一にしていよう。

こうした動きに反発したのが比叡山《ひえいざん》延暦寺の大衆《だいしゅ》であった。かつて法然《ほうねん》らの専修《せんじゅ》念仏や道元《どうげん》らの禅宗を弾劾したのと同様に、彼らの活動に圧迫を加えた。天台律宗《てんだいりつしゅう》の光宗《こうしゅう》が著わした『渓嵐拾葉集《けいらんしゅうようしゅう》』によれば、延暦寺の大衆が永仁二年正月に僉議《せんぎ》を行なって、異類異形の輩《ともがら》の京中《きょうちゅう》での活動を停止し、「ササラ太郎、夢次郎、電光、朝露」らを京都から追放することを決議したという。

身体に準拠したものの考え方が、顕密の教学の胡散《うさん》臭さに懐疑的に行動してきたのに対して、教学の側は、身体に即した活動にいかがわしさを見てとって批判を加えていったのである。絵巻はそのいずれにも、重要な手段として使われている。

絵巻に描かれた会話

この時期の絵巻はさまざまな情報の伝達手段としても用いられた。絵師が、綸旨《りんじ》（天皇の命を奉じた文書）で所領を与えられたにもかかわらず、その地を知行《ちぎょう》できないという絵師自身の訴えを描いた『絵師草紙《えしのそうし》』、肥後《ひご》の御家人《ごけにん》竹崎季長《たけざきすえなが》が蒙古《もうこ》襲来時の合戦とその恩賞を求めた行動を記念して描かせた『蒙古襲来絵巻《しゅうらいえまき》』、関東申次《もうしつぎ》の西園寺《さいおんじ》公衡《きんひら》が春日《かすが》権現《ごんげん》の神の加護を求めて描かせた『春日権現験記《けんき》絵巻《えまき》』、歌合《うたあわ》せの名所を描いて朝廷の保護を求めた『伊勢《いせ》新名所絵歌合《しんめいしょえうたあわせ》』、後醍醐《ごだいご》天皇の中宮《ちゅうぐう》の御産を祈って描かれた『石山寺縁起《いしやまでらえんぎ》絵巻《えまき》』など、さまざまな工夫を凝らし、人々に訴える手段として描かれた。

説話絵巻・縁起絵巻・祖師伝絵巻などあらゆる領域にわたって、絵巻が制作され、それはあたかも現代の漫画やアニメがあらゆる領域にわたって描かれているのに似ている。

少年A「我こそ先におきたる主よ」
少年B「何とて人の木をば取るぞ」
棟梁《とうりょう》「あれらが逃れて、ものもせぬに、よくよく下知《げじ》してものせさせ給へ」

これは『天狗草紙《てんぐぞうし》』に見える堂舎塔廟《どうしゃとうびょう》建立の建築現場での会話で、絵のなかの画中詞《がちゅうし》と称される、今日《こんにち》の漫画の吹き出しに相当する部分にある。少年たちが争っているのは、槍鉋《やりがんな》で削った木の切れ端であり、大工の棟梁は、仕事をしない天狗たちを働かせるように指示している。

このように鎌倉時代の後期になると、絵巻に会話までが書かれるようになった。院政期に描かれた『鳥《ちょう》獣人物戯画《じゅうじんぶつぎが》』は、猿や兎《うさぎ》、蛙《かえる》などの動物を擬人化して描いて、漫画の元祖ともみられるように、あたかも絵から声が今にも聞こえそうな巧みな描写で知られるが、そこではまだ言葉そのものは描かれてはいなかった。『伴大納言絵巻《ばんだいなごんえまき》』でも、詞書《ことばがき》には会話が見えるが、巷《ちまた》で喧嘩《けんか》する子供などの声は画中に描かれていない。それに対して、ここでは絵に声が書き込まれているのである。

それは身体表現をいかにリアルに行なうのかという工夫に基づくものといえよう。画中詞の書かれている部分を見てゆくと、世相を描いた場面に多いことがわかる。一遍《いっぺん》の踊り念仏の場面で

19

●絵に書き込まれた声
木の切れ端を取りあう少年A（右）とB（左）。画中詞によって、二人のやりとりがよりリアルに感じられる。（『天狗草紙』）

は、「や、ろはい、ろはい」といった掛け声、「念仏の札、こちへもたびさぶらへ」という会話、また、一遍の尿が病に効くということから、人々がそれを争って求めている場面では、「あれ見よ。尿《しと》乞う者の多さよ」といった批判などに使われている。

しかしそれにしても、どうしてこの時代にこのような表現が可能になったのだろうか。ひとつには、絵巻という媒体の特質がある。絵巻は左に広げてゆき、右から場面がつぎつぎに展開してゆく。異時同図という、ひとつの画面に複数の出来事を描いて時間の経過を示す表現方法を巧みに用い、場面の変化が時間の変化をうまく取り入れて表現できるのである。それを可能にしたのは和紙の強さとしなやかさであった。

もうひとつには、絵巻を童《わらわ》や女性も見ていたという事実である。南北朝《なんぼくちょう》期の『後三年合戦絵巻《ごさんねんかっせんえまき》』は、山門《さんもん》（延暦寺《えんりゃくじ》）の三塔《さんとう》のひとつである東塔《とうとう》の南谷《みなみだに》に属する大衆《だいしゅ》の衆議により描かれたのだが、それは「児童幼学の心」を勧めるためのもので、児童がときどきこれを開いて見て、寂しさをまぎらわすことを考えてのことであるという。寺で学ぶ児童の楽しみにつくられたわけである。

絵巻が多くつくられはじめた院政期から、童は僧に仕えその威儀を飾るようになり、童の演じる今様《いまよう》や舞、流鏑馬《やぶさめ》などが、僧や貴族の楽しみとなり、それとともに絵巻はその童の関心を引く娯楽としても描かれるようになった。『徒然草《つれづれぐさ》』五四段には、仁和寺《にんなじ》の御室《おむろ》の「いみじき児《ちご》」を誘い出して遊ぼうとした法師が、風流《ふりゅう》を凝らした器を土の中に隠して埋めておいたところ、ひそかに盗まれていたため探し出せなかったという話が見える。絵巻はそうした「いみじき児」を楽しませるためにも描かれたのである。『鳥獣人物戯画』のような擬人化した動物を描いたものには、童の娯楽の意味合いがあった。

童の時代

『春日権現験記絵巻《かすがごんげんけんきえまき》』巻九の祈親《きしん》上人の話からは、童《わらわ》がいかに大事にされていたのかがうかがえる。

昔、都に貧しき女ありけり。東山《ひがしやま》の辺《ほとり》なる寺にて説法を聴聞しけるに、導師のいふ様、人は子を以《も》て第一に宝とす。そのなかに出家・受戒の子あれば、三宝《さんぽう》も納受し、閻王《えんおう》も随喜し給ふ由を説くを聞きて、我が子の八歳に成るをば出家させばやと思ひ成りにけり。

都の貧しい女が東山で説法を聞いた際に、「子は第一の宝であり、それを出家・受戒させたならば、三宝（仏・法・僧）も受け入れ、閻魔王《えんまおう》も喜ぶ」という話を聞いて、八歳になったわが子を出家させるべく、南都《なんと》に下ったという。童は親の亡くなったあとにその回向《えこう》をする存在として大事に思われていたのである。

この僧が説法をしている場面では、お堂の縁《えん》で赤ん坊がおしっこをしているのが見え、その額には犬という字が書かれているのがわかる。これは犬字《いぬじ》奉書《ほうしょ》といい、犬にあやかって子の無事の成長を祈って書いた呪《まじな》いである。これを見てもわかるように童は大事にされたのである。『石山寺縁起絵《いしやまでらえんぎえ》巻《まき》』巻五には、藤原行能《ふじわらのゆきよし》の妻が石山寺に参籠《さんろう》して子が欲しいと祈ったところ、如意輪観音《にょいりんかんのん》の験《げん》によって子を出産して家が繁栄したという話が載っているが、その行能の家の絵には、子が楽しく遊ぶ姿が描かれている。子は繁栄の象徴であった。

『春日権現験記絵巻』巻五は中流貴族の藤原俊盛《としもり》が春日社を信仰して富み栄えた話であるが、その俊盛の屋敷の栄華は小鳥が池に遊ぶ美しい庭に表現されている。そこには楽しそうに小鳥に餌《えさ》を与える童や、腹ばって草紙《そうし》を読む童の姿が描かれている。この絵巻はほかにも童の姿をさまざまに描いている。神の求めに応じて今様《いまよう》をうたう童や、寺院の僧や大衆《だいしゅ》の近くにあって仕える童、また神の神託を受けて告げる童など、童が主人公になる絵は多く、童は神の姿としても描かれている。

巻四の二段は、春日社の境内に現われた童がみずからを春日の三宮と名のって、摂関家の藤原忠実《ただざね》に予言しており、巻一四の五段では、参籠して眠

20

◉子供時代の聖徳太子を描く
聖徳太子の生涯を絵画化した『聖徳太子絵伝《しょうとくたいしえでん》』は複数存在するが、そのなかには子供時代の太子も数多く描かれている。図の中央でジャンプしているのが一一歳の太子。

る頓覚房《とんかくぼう》という僧の膝の上に現われた「美しき若君」が、弟子の悪徒をも救うことを誓っている。巻九の三段では、ある女性が地獄に堕《お》ちるのを閻魔庁で助けたのが「気高き童子」である。

なぜ童が神として描かれたのであろうか。その多くの場合、予言や救済をすることを神は告げている。人々は童に未来を託していたから、予言する神、救う神として童の姿が描かれたのであろう。このことは、聖徳太子《しょうとくたいし》の像が童の姿で描かれるようになったり、聖徳太子の予言書『未来記《みらいき》』がつくられるようになったりすることと対応していよう。

こうした童を重視する傾向は、早くに院政期からうかがえる。『粉河寺縁起絵巻《こかわでらえんぎえまき》』に登場する粉河寺の千手観音《せんじゅかんのん》の化身は童姿の行者であり、『信貴山縁起絵巻《しぎさんえんぎえまき》』で聖《ひじり》が天皇の病を治すために派遣したのは護法の童子であった。国東《くにさき》半島の屋山《ややま》にある、六郷満山《ろくごうまんざん》の中核寺院である長安寺《ちょうあんじ》（大分県豊後高田市《ぶんごたかだし》）には、大治《たいじ》五年（一一三〇）の銘がある木造の太郎天《たろうてん》があるが、このような童子像も童への信仰に伴うものである。『伴大納言絵巻《ばんだいなごんえまき》』でも、伴大納言の陰謀が暴露さ

21

◉童への信仰を示す童子像
長安寺の太郎天像と、脇侍《わきじ》である二童子像。明治の神仏分離令までは、隣の六所権現社《ろくしょごんげんしゃ》に祀《まつ》られていた神像だった。

れたきっかけは巷《ちまた》で起きた子供の喧嘩《けんか》であった。しかし、童は大事にされる存在だけではなかった。稚児の話が多数つくられ、描かれているが、その多くは僧の男色《なんしょく》の対象となる話である。

考えてみれば、院政期には鳥羽《とば》・六条《ろくじょう》・安徳《あんとく》・後鳥羽《ごとば》と幼くして天皇になっており、幼い天皇は日常化していたが、その幼い天皇を守ることから院政という仕組みが生まれてきたのである。幼い主君を守って武士の家を守るために家臣が一揆《いっき》することもよくみられ、それもあって大名のなかには成人しても「足利茶々丸《あしかがちゃちゃまる》」のように幼名で通す例が多い。中世の日本列島は童の文化が生まれた点で世界にもまれな、興味深い時代なのである。

以上、本章では中世の人々の身体観や宗教活動から、彼らが自前のものの考え方をするようになったことをみてきたが、つぎの章では、彼らが活動する列島の社会のヒトとモノの流れから、新たな社会や関係がいかに生まれたのかを、ビジュアル史料を駆使して考えることにしよう。

第五章

列島を翔る人々

職人と京童と

働く人の姿を描く

近江《おうみ》の石山寺《いしやまでら》の縁起を描く『石山寺縁起《えんぎ》絵《え》巻《まき》』は、紫式部《むらさきしきぶ》がこの寺で『源氏物語《げんじものがたり》』を創作した話など、石山寺の観音《かんのん》信仰にかかわる話を載せるほか、石山寺の近くの大津《おおつ》や逢坂関《おうさかのせき》周辺の風景を描いて、中世社会を探るうえで歴史資料としても貴重な絵巻である。

そこには、山野《さんや》河《か》海《かい》などの現場で働く人々の動きがいきいきと描かれている。掲げた図はその巻一の三段で、石山寺建立の場面である。山野を切り開く樵《きこり》や、牛の荷車で土や材木を運ぶ車力《しゃりき》、材木を成形する大工などの姿が克明に描かれている。同じような図は『春日《かすが》権現《ごんげん》験記《けんき》絵《え》巻《まき》』『天狗《てんぐ》草紙《ぞうし》』にも見えており、この鎌倉時代後期には、こうした大工の活動に人々の目が注がれるようになったことがわかる。

石山寺の近くには琵琶湖《びわこ》や東海道の往来道があることから、

1

◉石山寺をつくる大工たち
大工たちのほかに、大工の仕事ぶりを眺める子供の姿なども描かれている。絵巻では、石山寺は奈良時代に良弁《ろうべん》僧正が聖武《しょうむ》天皇に願い出て建立したとされる。（『石山寺縁起絵巻』）

漁師の姿や交通労働者の姿もおのずとさまざまに描かれている。漁をする風景や、漁師が釣竿《つりざお》や魚を手にして馬を操って道を行く様子、魚を販売する女の姿、さらに逢坂関を越えて石山寺の参詣《さんけい》に赴く風景のなかには、交通労働者である馬借《ばしゃく》や車力などもいる。

　このように労働する姿を多く描く絵巻といえば、ほかにも『一遍聖絵《いっぺんひじりえ》』があるが、いずれも鎌倉時代後期の一三世紀末から一四世紀初めの作品である。この時代には、さまざまな職能の人々である「職人」を歌合《うたあわ》せの趣向で描いた「職人歌合」も制作されている。彼らに視線が注がれるようになり、その存在が照らし出されるようになったのである。これまでにも職人の姿が描かれていなかったわけではないが、ここでは職人そのものがテーマとされ、全面的に描かれるようになっている。

　その「職人歌合」の代表的作品である『東北院職人歌合絵《とうほくいんしょくにんうたあわせえ》』『鶴岡放生会職人歌合絵巻《つるがおかほうじょうえしょくにんうたあわせえまき》』の二つを見ると、前者の『東北院職人歌合絵』は、「建保《けんぽう》第二の秋の比《ころ》、東北院の念仏に」集まった多くの貴《き》賤《せん》男女のなかで、「道々のものども」が月・恋を題にして、左右に分かれて一二番の歌合せを行なったとして制作されている。その道々のものとは、以下のとおりである（上が左方）。

①医師・陰陽師《おんようじ》　②仏師・経師　③鍛冶《かじ》・番匠《ばんじょう》　④刀磨《かたなとぎ》・鋳物師《いもじ》　⑤巫女《みこ》・盲目
⑥深草《ふかくさ》・壁塗　⑦紺掻《こんかき》・筵打《むしろうち》　⑧塗師《ぬし》・檜物師《ひものし》　⑨博打《ばくうち》・船人　⑩針磨・数珠引
⑪桂女《かつらめ》・大原人《おはらひと》　⑫商人《あきびと》・海人《あま》

　一二組二四の職種からなるが、建保二年（一二一四）制作とあるのは、和歌が隆盛した後鳥羽《ごとば》上皇の時代に仮託されてのものであろう。また法成寺《ほうじょうじ》の東北院が場として選ばれたのは、ここに多くの芸能の人々が集まるようになったからである。藤原定家《ふじわらのさだいえ》の『明月記《めいげつき》』には、毎年八月一五日の盂蘭盆会《うらぼんえ》に、この寺に集まる「雑人《ぞうにん》」によって行なわれる相撲《すまい》のことがしばしば記されている。また、一三世紀前半の寛喜《かんぎ》の大飢饉《ききん》の際には、餓死者がここに集められている。鴨川《かもがわ》の近くにあり、都人が集まる公共性の高い広場だったのである。

後者の『鶴岡放生会職人歌合絵巻』は、『東北院職人歌合絵』に倣いつつ、それには登場しない諸道《しょどう》の人々が、鎌倉の鶴岡八幡宮《はちまんぐう》の放生会に集まって、同じく月・恋を題に一二番の歌合せを行なったものとして制作されており、八幡宮の神主が判者とされている。

鶴岡八幡宮の放生会といえば、相撲や流鏑馬《やぶさめ》など武士を中心に芸能の奉仕が行なわれていたのだが、この絵巻からはほかにもさまざまな芸能の奉仕のあったことがわかる。その職能の人々をあげておこう。

①楽人《がくにん》・舞人《まいびと》　②宿曜師《すくようし》・竿道《さんどう》　③持経《じきょう》・念仏者　④遊君《ゆうくん》・白拍子《しらびょうし》　⑤絵師・綾織《あやおり》
⑥銅細工・蒔絵師《まきえし》　⑦畳差《たたみさし》・御簾編《みすあみ》　⑧鏡磨《かがみとぎ》・筆生《ひっせい》　⑨相撲・博労《ばくろう》　⑩猿楽《さるがく》・田楽《でんがく》
⑪相人《そうにん》・持者《じしゃ》　⑫樵夫《しょうふ》・漁父《ぎょふ》

こうした職人たちについて、永仁《えいにん》五年（一二九七）成立の『普通唱導集《ふつうしょうどうしゅう》』は、「世間」と「出世間《しゅつせけん》」の二つに分類し、彼らの回向《えこう》のために語るべき表白文《ひょうびゃくぶん》（法事などで導師が読み上げる文章）の文例を載

2

◉巫
『東北院職人歌合絵』には、本文で紹介している一二番本のほかに五番本などがある。これは五番本に描かれた老巫《ろうかんなぎ》。

せている。たとえばその出世間部に見える持経者《じきようしや》については、法華経《ほけきよう》の読誦《どくじゆ》を業《なりわい》として、闇夜《やみよ》でもよどみなく経をあげることを語り、彼らが慶忠《けいちゆう》や能顕《のうけん》といった先達《せんだつ》の芸を受け継ぐ人々であることを述べている。この書は仏事供養の場に迎えられる導師にとっての実用書であり、この時期にはこうした実用の書物も多く著わされている。さまざまな職能の人々の増大と広がりがうかがえよう。

女性の職人

『東北院職人歌合絵《とうほくいんしよくにんうたあわせえ》』『鶴岡放生会職人歌合絵巻《つるがおかほうじようえしよくにんうたあわせえまき》』では、女性の職人は巫女《みこ》・盲目・紺掻《こんかき》・桂女《かつらめ》・大原人《おはらひと》・遊君《ゆうくん》・白拍子《しらびようし》・綾織《あやおり》など四八人のうちで八人を数えるにすぎないが、室町《むろまち》時代後期の一五世紀末ごろに成立した『七十一番職人歌合《しちじゆういちばんしよくにんうたあわせ》』になると、さらに多くの女性の職人の姿が描かれるようになっている。次ページの図はそのうちの四八番の「白拍子」と「曲舞々《くせまいまい》」である。ともに鼓《つづみ》とともに描かれており、舞を芸とした芸能者である。

白拍子は『鶴岡放生会職人歌合絵巻』では遊君（遊女）とセットになっていたが、ここでは曲舞と組みになっており、また遊君は姿を消しているなど、芸能に新たな動きのあったことがわかる。遊女は古くから今様《いまよう》歌の歌い手と知られ、かつては女性の芸能者の首座にあったが、それにかわって躍り出てきたのが白拍子である。その白拍子の起源を語るのが『徒然草《つれづれぐさ》』二二五段である。

通憲《みちのり》入道、舞の手の中に、興ある事どもをえらびて、磯《いそ》の禅師《ぜんじ》といひける女に教へて舞はせけり。白き水干《すいかん》に、鞘巻《そうまき》を差させ、烏帽子《えぼし》をひき入れたりければ、男舞《おとこまい》とぞいひける。禅師が娘、静《しずか》と言ひける、この芸を継げり。これ、白拍子の根元《こんげん》なり。仏神の本縁をうたふ。その後、源光行《みなもとのみつゆき》、多くの事をつくれり。後鳥羽《ごとば》院の御作《ごさく》もあり。

藤原《ふじわら》通憲入道こと信西《しんぜい》がいくつかの舞の手を創作して磯禅師に伝え、それが静に継承されたと語っており、源光行や後鳥羽院も多くつくったともあるから、後鳥羽上皇の時代から発展したのであろう。なおここに見える磯禅師の娘静は、源義経《よしつね》について吉野《よしの》に逃れたところを捕まって鎌倉に下り、文治《ぶんじ》二年（一一八六）四月八日に「天下の名仁《めいじん》」ということから鶴岡八幡宮《はちまんぐう》の廻廊《かいろう》で、源頼朝《よりとも》夫妻の求めに応じて舞を披露している（『吾《あず》妻鏡《まかがみ》』）。「仏神の本縁をうたふ」とあるように、神に舞を奉納する存在として白拍子舞は成長をみたのであった。その芸は、『普通唱導集《ふつうしょうどうしゅう》』に「初の舞に出タル容儀《ようぎ》して目を悦《よろこ》ばせ、徒《いたず》らに踏むに至って曲を施すに妙にして耳を驚かす」と、舞の妙技が評されている。

遊女は、各地の道筋に生まれた宿《しゅく》の長者が「遊君長者」と呼ばれたことからわかるように、宿に

3

◉女性芸能者
右が白拍子、左が曲舞々。舞が中心である白拍子に対し、曲舞は舞よりも歌謡の物語性に重きを置くという。（『七十一番職人歌合』）

根拠地を置いていたが、貴族や武士に召されることもあった。『一遍聖絵《いっぺんひじりえ》』の筑前《ちくぜん》の武士の館では、宴の場に遊女が描かれている。しかし南北朝《なんぼくちょう》期になると、都市には違ったかたちの遊女が登場してきた。それが『七十一番職人歌合』の三〇番に見える「たち君」と「づし君」という存在であって、街に立って客をひくのが「たち君」、大路・小路をつなぐ辻子《ずし》にあって客を待つのが「づし君」であり、芸能というよりは、春をひさぐ存在として特化したのである。

この変化には、緩やかなリズムの今様がすたれるようになり、速いテンポの早歌《そうか》が流行して、六六番に見える男性による「早歌うたひ」が歌の芸能の座を占めるようになったことが影響していよう。早歌は諸国を遊行《ゆぎょう》する時衆《じしゅう》の芸能として広がった。康永《こうえい》二年（興国《こうこく》四年（一三四三））九月一三日、京の四条《しじょう》道場で郢律講《えいりつこう》があって、「早歌衆」として「神保《じんぼう》入道、三島高阿《みしまこうあ》弥《み》、慈阿弥《じあみ》」などが加わっているが（『祇園執行日記《ぎおんしぎょうにっき》』）、そのうちの阿弥号をもつのが時衆である。

『普通唱導集』世間部は、女性の芸能者では「巫女・鈴巫《すずみこ》・口《くち》

4

◉「たち君」と「づし君」
右の女性二人が「たち君」、左の辻子に構えた居の奥にいるのが「づし君」。客とのやりとりが書き込まれている。（『七十一番職人歌合』）

寄巫《よせ》」「遊女・海人《あま》」「好色・仲人《ちゅうにん》・白拍子・鼓打《つづみうち》」について表白文《ひょうびゃくぶん》を載せるが、『七十一番職人歌合』では、このほかに『曾我物語《そがものがたり》』を語る「女盲」や、「地しゃ」「かんなぎ」（巫女）などが見える程度であまり変わっていない。女性の芸能は曲舞以外の発展が少なかったようであり、貞治《じょうじ》三年（正平《しょうへい》一九年〔一三六四〕）の祇園祭《ぎおんまつり》にはその「久世舞《くせまい》」の記事が見える（『師守記《もろもりき》』）。

　芸能者以外の女性では、「びくに」「尼しう」の存在が注目される。『野守鏡《のもりのかがみ》』が、最近の念仏宗は婦女の別なく街巷《がいこう》に喧噪《けんそう》していると指摘し、『天狗草紙《てんぐぞうし》』が、一遍に付き従う僧尼が手づかみで食事をとる不作法なしぐさを描いて批判したように、日蓮《にちれん》が女性の信者を相手にして多くの書状を記したように、新たな鎌倉仏教の信仰は女性によって支えられていた。そうしたなかで、信者のなかからも多くの尼が生まれ、やがて多くの尼たちが奈良の法華寺《ほっけじ》や京の嵯峨野《さがの》、さらには熊野《くまの》などに住む場をもつようになった。それが比丘尼《びくに》と尼衆《にしゅう》である。

　『七十一番職人歌合』でもっとも多く女性の姿が見えるのは、日用の食品・雑貨の販売にかかわる物売りである。早くから絵巻にその姿は描かれてきたが、ここでは彼女らは多様な販売に携わっている。すなわち「もちゐうり」「小原女《おはらめ》（大原女）」「扇うり」「おびうり」「しろいものうり」「いをうり」「つるうり」「ひきれうり」「まむぢううり」「ざうりつくり」「硫黄箒《いおうほうき》売《うり》」「米売」「まめ売」「豆腐うり」「素麵売《そうめんうり》」「麩《ふ》うり」「灯心う

5

◉硫黄箒売
『七十一番職人歌合』に描かれた女性の物売りのひとり。「硫黄」は薄い木板の先端に硫黄をつけたもので、火を移す際に用いた。

り」「すあひ」「畳紙《たとうかみ》うり」「白布売《しらぬのうり》」「綿うり」「薫物うり」「心太《こころぶと》（ところてん）うり」などで、頭巾《ずきん》や笠をかぶって販売している姿で描かれている。

また製造や製作関係の女性では、衣類にかかわる「紺掻《こんかき》」「機織《はたおり》」「紅粉解《べにとき》」「ぬひ物し」「組《くみ》し」が見られるほか、「酒作《さかづくり》」を女性が行なっているのも興味深い。酒を販売しながら高利貸しを営む酒屋には男性が多かったが、酒づくりそのものはこの時代には女性が担当していたのである。

語る・登る・打つ

南北朝《なんぼくちょう》期に描かれた、浄土真宗《じょうどしんしゅう》の本願寺《ほんがんじ》三世である覚如《かくにょ》の生涯を記す絵巻『慕帰絵《ぼきえ》』にも、職人の姿がいきいきと描かれている。次ページの図は巻二の第二段で、桟敷をつくって軍勢が押し寄せてくるのに備えているところへ、琵琶法師《びわほうし》が小坊主《こぼうず》を連れて通りかかった場面である。

この合戦は童《わらわ》として高僧に仕えていた覚如の争奪をめぐって引き起こされたものであり、その合戦の場での無聊《ぶりょう》を慰めるために琵琶法師が訪れたという設定である。この時代には語りの芸能である琵琶法師の弾き語りが大いに流行しており、『太平記《たいへいき》』には、覚一検校《かくいちけんぎょう》が『平家物語《へいけものがたり》』を語るのを高師直《こうのもろなお》が聴く場面が描かれており、『一遍聖絵《いっぺんひじりえ》』にも小坊主を連れて犬に吠《ほ》えられている琵琶法師の姿が各所で描かれている。『普通唱導集《ふつうしょうどうしゅう》』では、この琵琶法師を世間部に分類して、「平治《へいじ》・保元《ほうげん》・平家の物語　いづれも皆暗《そらん》じて滞り無し」という表白文《ひょうびゃくぶん》を載せている。

琵琶法師の芸能は早くに『新猿楽記《しんさるがくき》』に記されており、一一世紀には生まれていたが、この表白文のように、『平治物語《へいじものがたり》』『保元物語《ほうげんものがたり》』『平家物語』などの軍記物語を語ることによって大きく成長した。とくに『平家物語』の、「祇園精舎《ぎおんしょうじゃ》の鐘の声、諸行無常《しょぎょうむじょう》の響《ひびき》あり。沙羅双樹《しゃらそうじゅ》の花の色、盛者必衰《じょうしゃひっすい》の理《ことわり》をあらはす」と始まる詞章が、広く人々の心をとらえた。

『徒然草《つれづれぐさ》』二二六段は、その琵琶法師が語る『平家物語』誕生の秘話を記している。信濃前司《しなののぜんじ》行長《ゆきなが》が遁世《とんせい》して『平家物語』を著わすに至った事情を述べたのち、それを琵琶法師が語るようになった事情を詳しく記している。

この行長入道、平家物語を作りて、生仏《しょうぶつ》といひける盲目に教へて語らせけり。さて、山門《さんもん》のことを、ことにゆゆしく書けり。九郎判官《くろうほうがん》の事はくはしく知りて書き載せたり。蒲《かばの》冠者《かんじゃ》の事は、よく知らざりけるにや、多くのことどもを記しもらせり。武士の事、弓馬《きゅうば》のわざは、生仏、東国《とうごく》のものにて、武士に問ひ聞きて書かせけり。かの生仏が生れつきの声を、今の琵琶法師は学びたるなり。

6

◉合戦の場に現われた琵琶法師
琵琶法師が通るのは、覚如を奪いにやってくる敵を待つ、覚如側の軍の陣。覚如の美少年ぶりは争奪戦となるほどだった。（『慕帰絵』）

最後のくだりで、武士の弓馬の業《わざ》については、生仏が東国の者であったことから武士に問い聞いて書き、その生仏の生まれつきの声を今の琵琶法師は学んでいると記しているところに、兼好法師《けんこうほうし》の勘所のよさがうかがえる。『平家物語』が「弓馬のわざ」という武芸の表現をどうして獲得したのか、琵琶法師の語る声は何に起因しているのかといった疑問への答えを、そこに記したのである。

芸能者や職人は、その姿が描かれるだけでなく、言動も注目されるようになった。この言をよく引くのも『徒然草』である。たとえば一〇九段の高名《こうみょう》の木登りの話がある。木の高いところにいたときには何も言わずに、降りてきてもうすぐ地面に降りようというときになって初めて、注意するように言った植木職人に向かって、兼好がどうしてそうしたのかと尋ねたところ、「あやまちは、やすき所になりて、必ず仕《つかまつ》る事に候《そうろう》」（失敗はやさしいところで必ず起きるものだ）と語ったという。

勝負を芸とする人々の言もよく引いている。一一〇段には、双六《すごろく》の上手に勝つための手立てを聞いたときのことが記されている。勝とうとして打つな、負けぬように打つべきである、と守りの大事さを指摘しているのを聞いた兼好は、これこそ道を知る者の教えであって、「身を治め、国を保たん道も、又しかなり」と、修身・治国もまた同じことであると感心している。一二六段では、博打《ばくち》に関する人の言を引く。すっかり負けてしまうような打ち方をしてはならない、よい状態に戻って勝ちが向いてきた時を知り打つべきであって、その時を知るのが博打の名人である、という。

このほかにも『徒然草』は多くの専門的職人の言を引いて、絶賛している。道をきわめた職人の言は、今もそうであるが、なかなか鋭いのである。

被差別者への視線と救済

芸能や職能にかかわる人々への注目は、その基本に身体への強い関心があったから、そこに身体障害者への視線も生まれた。下に掲げた図は、『一遍上人絵詞伝《いっぺんしょうにんえことばでん》』に載る尾張国《おわりのくに》の甚目寺《じもくじ》の一場面である。

近くの萱津宿《かやづしゅく》（愛知県甚目寺町）の在家《ざいけ》の人が米飯の提供を申し出たことから、それらが人々に振る舞われる場面で、三つのグループが描かれている。まず堂の中に座って米飯の提供を受けるのが時衆《じしゅう》と結縁《けちえん》衆で、少し離れたところに輪をなして食事の提供を受けるグループと、さらに残った飲食の施行を受けるグループとがあるが、この後者二つが明らかに差別された存在とわかる。

一遍に付き従う差別された人々について、『一遍聖絵《ひじりえ》』では、弘安《こうあん》五年（一二八二）に鎌倉入りを果たそうとしたとき、坂の境界から小舎人《こどねり》に追われる人々を「徒衆《としゅう》」と表現している。一方、町場や寺の門前などに暮らして差別された人々は、当時、「非人《ひにん》」や「乞食《こつじき》」と称されており、『一遍聖絵』では摂津《せっつ》の四天王寺《してんのうじ》や相模《さがみ》の片瀬浜《かたせのはま》の近くにある彼ら

7

の姿を克明に描いている。
これ以前に、このような身分差別がなかったわけではない。しかしこの時代になってから、それまで見えなかった身分差別が可視化され、描かれるようになったのである。それとともに積極的な救済の対象とされるようにもなった。なかでも律宗《りつしゅう》の叡尊《えいぞん》や忍性《にんしょう》は、彼らを救済する施設を設けることに意を注ぎ、叡尊は畿内近国の宿々で戒《かい》を授け、その弟子の忍性は、文殊《もんじゅ》の信仰を強く抱いて非人救済にあたった。忍性の活動を記した『忍性菩薩略行記《にんしょうぼさつりゃくぎょうき》』はこう記している。

常施院《ふせ》ヲ建テ病客ヲ扶《たす》ケ、悲田院《ひでんいん》ヲ修シテ乞丐《かたい》ヲ済《すく》フ。行歩ニ堪ヘザル疥癩《かいらい》人、自ラ負テ奈良ノ市ニ送迎ス。

病院を建てて病人を助け、悲田院を修理して乞食を救い、歩けない疥癩の人を背負って奈良の市に送迎したという。これは文殊菩薩の功徳を非人に及ぼそうという強い願いによるものであり、諸国の非人に授戒して救済に尽くす活動に先鞭《せんべん》をつけたのであった。
忍性は、やがて関東に下って常陸《ひたち》の三村極楽寺《みむらごくらくじ》を拠点にして律宗《りつしゅう》を東国《とうごく》に広めると、幕府の要人に働きかけて師の叡尊を鎌倉に迎えることに奔走し、ついに幕府の保護と帰依とを獲得する道を切り開いて、鎌倉の極楽寺《ごくらくじ》を拠点として救済活動にあたった。

◉甚目寺での米飯の施行
一遍が広く一般に念仏を勧進していったことから、一遍のもとには差別された人々が集まってきた。
（『一遍上人絵詞伝』）

『忍性菩薩略行記』はその生涯の事業を数えあげて、伽藍《がらん》の草創が八三、堂供養が一五四、塔婆《とうば》建立が二〇基のほかに、馬衣《うまぎぬ》を与えた非人が三万三〇〇〇人、殺生を禁じたのが六三か所、浴室や病屋・非人所を建てたのが五か所、と記している。その飽くことなきまでの活動は、叡尊をして「慈悲に過ぎる」と言わしめたほどである。

しかし差別の根は深かった。『徒然草《つれづれぐさ》』一五四段は、後醍醐《ごだいご》天皇の近臣の日野《ひの》資朝《すけとも》が東寺《とうじ》の門前にいる「肩居《かたい》」たちの手足がねじ曲がっているのを見て、「とりどりにたぐひなき曲者《くせもの》」とそれを愛《め》でて見守っていたところが、やがて興が醒《さ》めてしまうと、植木の曲がったものも同じであるとみて、植木を捨ててしまったという話を載せている。ここには悲しいほどに差別の深まりが見てとれよう。

職人と天皇の支配権

職人といえば、網野《あみの》善彦《よしひこ》の非農業民論によって、天皇の支配権の基盤になったことが指摘されて久しい。しかし、天皇に直属する非農業民はさほど多くない。自由通行権という特権を与えられた蔵人所《くろうどどころ》に組織された鋳物師も、それが特権であれば、数は限定されざるをえなかったのである。

また天皇直属の供御人《くごにん》といっても、蔵人所や内蔵寮《くらりょう》などの官司の管轄下にあったわけであるから、

◉北山十八間戸《けんど》
一三世紀に忍性が奈良の北山《きたやま》に建てたといわれる、日本初の癩者（ハンセン病患者）のための病舎。写真は、現在記念に残されているもの。

これは本所《ほんじょ》（荘園《しょうえん》を寄進された権門《けんもん》）支配下の職人と比較して大きな違いはない。たとえば、内蔵寮は魚鳥を京で商う商人を六角町《ろっかくちょう》供御人や姉小路町《あねこうじちょう》供御人として天皇直属の供御人に編成したが、他方で祇園社《ぎおん》も堀河《ほりかわ》の材木商人や四条《しじょう》・七条《しちじょう》の綿商人を綿座に、また小袖《こそで》を商う商人を小袖座に、さらに差別されていた人々を犬神人《いぬじにん》として組織していった。網野の非農業民論は、やや天皇支配権を強調しすぎたものといわざるをえない。

職人たちは多様な関係を本所や幕府、地頭《じとう》などと結んで奉仕するかたわら、その業《なりわい》を保護され、そのことによって職能を継承する家を形成していった。絵巻を描く絵師の一家の生活と泣き笑いを描いた『絵師草紙《えしのそうし》』には、綸旨《りんじ》で土地を拝領したのに、その土地が権門のものとなっていて残念がる絵師の訴えが描かれている（次ページの図参照）が、その親の近くでは、腹ばいになって馬の絵を描いている子の姿が描かれており、この絵巻の背景には家の継承という問題が存在していることがうかがえる。職人の座とは、こうした家の集合体にほかならないのである。

金融業者である土倉《どそう》は、一四世紀初頭の京都には三〇〇軒もあって、その多くは「山門《さんもん》気風の土蔵」といわれ、延暦寺《えんりやくじ》に結びついて特権を有していた。彼らは延暦寺の鎮守《ちんじゅ》である日吉《ひよし》社に納められた米や銭を「日吉上分米《じょうぶんまい》」として運用し、金融活動を繰り広げていたが、そこにも家の存在が認められるのであり、『春日権現験記絵巻《かすがごんげんけんきえまき》』には、大火で焼失した土倉の様子が描かれているが、その蔵の近くには、主人と妻子の姿がある。

では、天皇の支配権は職人とどのようにかかわっていたのかを考えると、各地の荘園《しょうえん》や公領に置かれた地頭に土地の支配権を奪われつつあった状況から、朝廷が京都を重要な経済的基盤とするようになったことが大きい。商業や産業に伴う経済活動を把握する必要に迫られた朝廷は、職人を座《ざ》や供御人などに編成して特権を与えるとともに、奉仕させていった。その際に天皇の京都の支配権が強調され、利用されたのである。

たとえば永仁《えいにん》年間（一二九三〜九九）に内裏の修理を行なおうとしたところ、修理職《しゅりしき》や木工寮《もくりょう》の大工が不足していたため、京中の大工たちを動員することになった。しかし彼らは、権門や寺社と結びついて催促に応じなかったので、大工のリストを作成し、つとめをしない大工たちは京都から追放するように命じている。京都における天皇支配権を梃子《てこ》にして、京都に住むかぎりは課役《かやく》をつとめるように求めたのである。

天皇の支配権といえば、後醍醐《ごだいご》天皇の存在がしばしば問題にされるが、後醍醐天皇は元亨《げんこう》二年（一三二二）に親政を開始すると、京都の酒屋に課税してそれを保護したのを手始めに、寺院・神社が京都の職人を組織して課していた公事《くじ》を停止し、貴族や寺社が京都の土地に対して課していた地子《じし》を停止するな

8

●絵を描く絵師の子供たち
土地が権門に与えられてしまったという報告に嘆く親と、無邪気に絵を描く子供たちの対比が、悲哀を誘う。（『絵師草紙』）

ど、京都の職人を統轄する政策をとっている。しかしいずれも、対象は京都に限定されていた。飢《き》饉《きん》に応じて米を放出するなどの意欲的な政治を推進したが、これも京都にかかわるものであった。

もちろん京都の発展とともに、その都市空間は洛中《らくちゅう》から洛外《らくがい》へ広がっていったので、天皇の支配領域も拡大していった。朝廷は六斎日《ろくさいにち》の殺生禁断を命じていたが、一三世紀後半の二度の法令では「洛中」「京中」が対象となっていたのに対し、元亨元年の法令では「洛陽・洛外一切停止に従ふべし」と洛中・洛外へと拡大している。酒屋役も洛中のほかに鴨川《かもがわ》以東の河東《かとう》に賦課《ふか》されており、さらに洛中・辺土《へんど》にも土倉役が賦課されていった。しかしそれも、京都の周辺の地だけであった。

こうした京都を中心とした職人の動きは、平成六年（一九九四）に行なわれた京都駅ビル改築時の発掘調査からもうかがえる。ここは東寺《とうじ》領の八条院《はちじょういん》町の跡地であり、鎌倉時代の刀装具の鋳型や室町《むろまち》時代の銭《ぜに》の鋳型など、鋳造関係の遺構が発掘され、その後の調査で建物の柱穴・井戸・ゴミ捨て場や土師器《はじき》などが確認された。とくに漆器類二〇〇点が目をひくが、それらは鎌倉時代から室町時代にかけて製造されたもので、その約半数は完全な形であったという。鎌倉末期には八条院町のような京の南端にも市街地が広がり、町が形成されていたことがわかる。

9

◉室町時代の銭の鋳型
京都駅ビル改築時の発掘調査で出土した銭の鋳型。銭は基本的に国内では鋳造されなかったが、中国銭を模鋳することがあった。

町と祭り

京の有徳人と祇園祭

今も各地では昔からの祭りが華やかに行なわれているが、その代表的な祭りといえば、まずは京の祇園祭《ぎおんまつり》があげられよう。華麗な山《やま》や鉾《ほこ》の行列は人々を魅了してやまない。写真は行列の先頭をゆく長刀鉾《なぎなたぼこ》。四条烏丸《しじょうからすま》東入ルの長刀鉾町から出され、行列の先頭をゆく習わしとなっている。

祇園祭は、陰暦六月七日に祇園社を出た神輿《みこし》が鴨川《かもがわ》の浮橋《うきはし》を渡って御旅所《おたびしょ》に遷《うつ》り（神輿迎《みこしむかえ》）、六月一四日の御霊会《ごりょうえ》の日に還《かん》御《ぎょ》して終わる祭礼である。この二度の神幸《しんこう》行列に、山や鉾が出されるようになったのは鎌倉時代後期からである。『花園天皇《はなぞのてんのう》日記《にっき》』元亨《げんこう》三年（一三二三）六月十四日条によれば、朝廷から出されるべき馬長《うまおさ》が出ないため、「鉾衆《ほこしゅう》」が御所に群参し、乱舞したといい、翌日にも「鉾衆」が参入して乱舞したと見える。ここに鉾衆が祇園祭の主役として躍り出てきたのがわかる。

祇園祭は、一二世紀なかばの後白河《ごしらかわ》天皇の時代に、洛中《らくちゅう》の有《う》徳人《とくにん》（富裕な長者）に祭礼の経費を負担させる馬上役《ばじょうやく》という制

10

◉長刀鉾
祇園祭の山鉾巡行は、毎年籤《くじ》で順番を決める。だが長刀鉾などいくつかの鉾は順番が固定されており、長刀鉾は先頭と決まっている。

度が始まって以後、華やかに繰り広げられるようになった。馬長のつとめが殿上人《てんじょうびと》に忌避され、馬長が出せない事態に応じて、馬上役により「馬上十二鉾」と称される鉾に美麗な神宝がかけられ、にぎわいを示すようになったのであるが、それが鎌倉時代後期になって、さらに大きく変化してきたのである。

この祭礼に変化をもたらしたのは、京の世界の経済的な発展である。八条院《はちじょういん》町の動きはその点をよく物語っている。鎌倉時代の初期まで、鳥羽《とば》上皇の皇女で多くの荘園《しょうえん》を有していた八条院の御所の周辺には、御倉《みくら》や院庁《いんのちょう》が置かれ、八条院に仕える人々の屋敷があった。ところが正治《しょうじ》二年（一二〇〇）一二月一日の火事で御所や院に仕える人々の家が焼け（『明月記《めいげつき》』）、さらに八条院が亡くなると急速にさびれていった。そのありさまを見た藤原定家《ふじわらのさだいえ》は、『明月記』嘉禄《かろく》元年（一二二五）十一月十一日条に「八条院の御所の東、已《すで》に民家となり、築垣《ついがき》の内、或《あるい》は麦畠、或は小屋、南の山に古松僅《わず》かに残る」と記しており、御所の荒廃とともにその周辺に民家が建てられていたことがわかる。

やがてこの一帯は、八条院領を伝領した後宇多《ごうだ》上皇によって鎌倉末期の正和《しょうわ》二年（一三一三）一二月に東寺《とうじ》に寄進されて東寺領の八条院町とされたが、その八条院町に関する文書によれば、かつての御所の東の東洞院《ひがしのとういん》面には蓮阿弥《れんあみ》・藤三郎《とうさぶろう》など合わせて一二人の住人の屋地《やち》が存在しており、周辺の地も宅地化されていたことがわかる。

こうした京の町の様相を描いているのが『一遍聖絵《いっぺんひじりえ》』の四条釈迦堂《しじょうしゃかどう》の図である。弘安《こうあん》七年（一二八四）閏《うるう》四月に京に入った一遍が、四条の釈迦堂で踊り念仏を行なった際の様子を描いているが、そこには釈迦堂での踊り念仏のにぎわいとともに、祇園社へ参詣《さんけい》するために鴨川に架けられた四条橋や、都の治安を守るために洛中の辻々《つじつじ》に置かれた篝屋《かがりや》も京極《きょうごく》面に描かれている。ここでは六波羅《ろくはら》探題《たんだい》の指揮下に入る在京人《ざいきょうにん》が篝屋守護《しゅご》人《にん》として警固にあたっていたが、図のなかで四条大路を東へと向かっている武士の入道姿は、その御家人《ごけにん》を描いたものであろう。彼らは保《ほう》ごとに置かれた保検非違使（保官人《ほうかんじん》）と協力して京の治安を守った。そのため祇園祭の鉾衆としばしば対立することもあった。なお、八条院町近くの八条町にも篝屋が設けられていた。

このような京のにぎわいとともに登場したのが祇園祭の鉾衆で、彼らは南北朝《なんぼくちょう》期の康永《こうえい》四年（興国《こうこく》六年〈一三四五〉）六月七日の神輿迎に「定鉾《しずめほこ》例のごとし」と見える定鉾や、その翌日に「今日山以下の作物《つくりもの》これを渡す」と見える山などの作物に奉仕した人々である（『師守記《もろもりき》』）。南北朝期に時宗《じしゅう》の四条道場の素《そ》眼《がん》が著わした往来物『新札往来《しんさつおうらい》』には、「祇園御霊会、今年山済々、所々の定鉾、大舎人《おおとねり》のかささぎ」と見え、「定鉾」が「所々」から出されていたことがわかる。なお「大舎人のかささぎ」とは、内蔵寮《くらりょう》の織手《おりて》である大舎人の座から出された鉾である。

11

◉四条大路を歩く御家人
11ページ掲載の『一遍聖絵』の左下につながる場面。一遍の凱旋《がいせん》でにぎわう釈迦堂のほうへと、彼らは向かっている。

こうして祇園社の祭りは、都市京都の鎮守《ちんじゅ》の祭礼としての位置を占めるようになり、その持続的な結びつきをつくりあげていったのである。

博多の町と祇園山笠

西日本の祭りの代表といえば、勇壮な博多《はかた》の祇《ぎ》園山笠《おんやまかさ》があげられよう。博多の中洲《なかす》に鎮座する櫛《くし》田《だ》神社の夏祭りである。江戸時代にはこの祭りのにぎわいが、『筑前続風土記《ちくぜんぞくふどき》』に「此日《この》は近所の士庶集まるのみならず、国中の男女隣国の遊客、作り山を見んとて、かねてより博多の町に来《きた》りつどひて、やとる者そこばくなり。作り山の通る所は、見る人ちまたにみちて日のあつき盛なるに、おしあひて所せくいたつかはしきありさまなり」と記され、作り山を見ようと博多の町の人が集《つど》ってきたとしている。

この祭りは、かつて博多に疫病が流行《はや》った際に、承天寺《じょうてんじ》の開山《かいさん》である円爾弁円《えんにべんえん》が櫛田神社で祈禱《きとう》し、施餓鬼《せがき》棚に乗って町中に聖水を振りまいて疫病をおさめたという故事にちなんで始められたとされ、そのために今でも山笠祭のフィナーレでは、毎年七月一五日（追山《おいやま》）に櫛田神社から走り出た山車《だし》が承天寺参りをするという。

承天寺は宋商《そうしょう》の謝国明《しゃこくめい》の支援によって、仁治《にんじ》三年（一二四二）に、円爾弁円を開山に建立された。謝国明は中国・臨安《りんあん》府に生まれ、日本に渡ってきて日宋貿易で富を築いた「博多綱首《こうしゅ》」（船主）である。この綱首たちは博多に居住して活発な商業活動を行なっていたが、同時に禅宗《ぜんしゅう》の日本への将来《しょうらい》など、新たな文化・技術の流入にも尽力した。

これ以前、栄西《えいさい》は二度目の入宋《にっそう》から帰国後、建久《けんきゅう》六年（一一九五）に博多に本邦初の禅寺である聖福寺《しょうふくじ》を創建したとされるが、これも博多綱首の援助によるものであった。栄西の自伝には、博多津《はかたのつ》の宋人の張国安《ちょうこくあん》が訪ねてきて、中国杭州《こうしゅう》の禅師の言葉を伝えたということが書かれている。当時、博多一帯には「張」姓の宋人たちが数多く住んでおり、栄西はこの張一族の支援を得て、聖福寺を建立するに至ったのであろう。

聖福寺は「洛陽《らくよう》の建仁寺《けんにんじ》、関東寿福寺《じゅふくじ》、かの創草の禅院の始め」（『沙石集《しゃせきしゅう》』）と称され、多くの僧が滞在しており、天福《てんぷく》元年（一二三三）に入宋前の円爾弁円が、寛元《かんげん》四年（一二四六）には来朝した蘭渓道隆《らんけいどうりゅう》が滞在している。この聖福寺や承天寺、さらに蘭渓道隆が博多に開いた円覚寺《えんかくじ》などが核になって、博多は都市として本格的に整備されていった。

そのことは、昭和五二年（一九七七）からの発掘調査によってもうかがえる。一二世紀後半に溝が開削されると、それに直交したり平行したりする道路が一四世紀初頭にはつくられ、街区が形成されている。道幅は四～五メートルほどで、路地がみられ、共

12

◉山笠の最後を飾る追山
七月一五日の早朝、一番から七番までの山笠が、櫛田神社を順番に出発して博多の市街地に設定された約五kmのコースを疾走し、タイムを競う。まさに祭りのクライマックスである。

同の井戸が施設されて、町屋の性格が認められるという。こうして長方形の街区が形成されると、しだいに土地が嵩《かさ》上げされてゆき、一五世紀後半には短冊形の屋敷地割りがみられるようになるともいう。

このように博多では、鎌倉時代後期には巨大な寺院が存在して宗教都市の一面をも有し、共同の井戸をもつ町の共同体的結びつきが生まれるようになったのである。また、その都市の境界の役割を果たしていたのが息浜《おきのはま》に築かれた元寇防塁《げんこうぼうるい》であったという。奈良屋《ならや》町の博多小学校の敷地から見つかった、東西にのびる防塁を境にして、その北には町屋や街区は認められないのである。

その博多の町の人々によって担われた祭礼が櫛田神社の祇園祭、すなわち祇園山笠である。櫛田神社は、肥前国《ひぜんのくに》にある神埼荘《かんざきのしょう》の櫛田神社が勧請《かんじょう》されたと伝えられる。承久《じょうきゅう》の乱《らん》前の建保《けんぽう》六年（一二一八）に筥崎宮《はこざきぐう》の行遍《ぎょうへん》らが、大山寺《たいざんじ》の寄人《よりゅうど》で神人《じにん》・通事・船頭でもあった宋人張光安《ちょうこうあん》を殺害したことから、大山寺の本寺である延暦寺《えんりゃくじ》が朝廷に対して、張光安の殺された地である博多津・筥崎を山門《さんもん》（延暦寺）領化することを求めたところ、翌承久元年（一二一九）には神埼荘の荘官らも同様に、張光安の死所を神埼荘の土地とするように求めている。このように神埼荘と張光安の間に関係があったのは、後院《ごいん》領という天皇家の直轄領であった神埼荘の年貢積み出しの倉敷が博多の中洲にあり、そこに櫛田神社が勧請されていたからであろう。やがてこの社に祇園の神が勧請され、祭礼が整えられていったとみられる。

諸国に生まれる府中

武蔵《むさし》の府中《ふちゅう》（東京都府中市）には、大国魂《おおくにたま》神社の例大祭である「くらやみ祭《まつり》」がある。神輿《みこし》の渡御《とぎょ》が深夜、街の明かりをすべて消した闇夜のなかで行なわれたためにこう呼ばれているが、その起源は国中のおもな神が集まって祭祀《さいし》を行なった国府祭《こうのまち》にあった。

明治《めいじ》四年（一八七一）に大国魂神社と呼ばれるようになったが、それ以前は六所《ろくしょ》社と称された武蔵国の惣社《そうじゃ》であった。康安《こうあん》元年（正平《しょうへい》一六年〔一三六一〕）九月の市場《いちば》の祭文《さいもん》には、この六所大明神の五月会《さつきえ》での市の名が見えており、この五月会がくらやみ祭の前身である。このときまでには六所宮を中心として町が形成されていたのであろう。

常陸国《ひたちのくに》の惣社宮の大祭である常陸府中の石岡《いしおか》の祭りは、江戸時代の元禄《げんろく》期に町人が参加して「家内安全」「無病息災」を祈願する庶民の祭りとなって、「関東三大祭り」のひとつと称されるようになった。神輿をはじめ、絢爛《けんらん》豪華な山車《だし》や勇壮な幌獅子《ほろじし》など四十数台が市中心部を巡行するが、これもとは武蔵府中のような国府祭であったのだろう。

常陸の「府中」については、永仁《えいにん》五年（一二九七）に国衙《こくが》の留守所が、惣社の神主の清原師幸《きよはらもろゆき》が売却した「当社御敷地内田畠」について、同年に出された永仁の徳政令《とくせいれい》と「府中田畠等は国衙一円に進止」という在地法に基づいて、買い主から返却させている。また元徳《げんとく》二年（一三三〇）の譲状《ゆずりじょう》は、惣社の供僧《ぐそう》の名田《みょうでん》に違乱を働くものは「ふしてきたい（父子敵対）として」府中を追放するという文言を載せている。府中は特別な行政区であったことがわかる。

こうした諸国の府中を対象にして出された法令が、仁治《にんじ》三年（一二四二）正月一五日の「新御成敗《しんごせいばい》状《じょう》」二八か条である。それは、府中の地を給与された者が所役をつとめない場合は屋地《やち》を没収することをはじめとして、府中の住人が辻《つじ》に道祖神《どうそじん》を立てたり、産屋《うぶや》を大路に建てたり、墓所を設けたりすることの禁止、町での売買規制、往来する人の風俗統制、大路の整備、職人の工作規制などのさまざまな規制からなっている。直接には豊後《ぶんご》府中（大分市）に出されたものだが、鎌倉に倣って広く府中を対象に定められたものである。

院政期までの諸国の国府《こくふ》は、しばしば移動したため、集落が安定していなかったが、鎌倉時代に入ると移動がなくなり、守護《しゅご》の勢力が入ってゆくなかで、守護と在庁官人《かんじん》との居住によって安定化していった。こうして生まれたのが諸国の府中であり、惣社はその国府の役所である国衙の鎮守としてあったことから、府中の住人がその祭礼を担うようになったのであろう。

京都は洛中《らくちゅう》、鎌倉は鎌倉中、奈良は奈良中と、その行政領域は「中」を付けて呼ばれており、府中もそれに準じて成立したのであり、幕府法の及ぶ対象であったことを考えれば、「小鎌倉」と呼ぶにふさわしい存在であった。『沙石集《しゃせきしゅう》』巻八には、常陸の府中に住む伊与房《いよぼう》という持経者《じきょうしゃ》の話が見える。茅葺《かやぶき》のためにささくれだっている部分を焼こうとしたが、皆に制止されたので、人のいないときに焼いたところ、家をすべて焼いてしまった。人が集まって来て騒いでいると「国府にて候ふ、これ程の火は大事《だいじ》ぞ。集まりてあたり給へ」といったという。府中では家が密集しており、火事には大いに気を使っていたことがわかる。

同じ府中でも、陸奥《むつ》国の場合は多賀《たが》国府と呼ばれた。文治《ぶんじ》五年（一一八九）一〇月一日に源　頼　朝《みなもとのよりとも》は奥州《おうしゅう》合戦の帰途にこの多賀国府に立ち寄ると、陸奥国統治の方針を「国中の事に於《おい》ては秀衡《ひでひら》・泰衡《やすひら》の先例に任せて其《そ》の沙汰《さた》を致すべし」と、その府庁に張文《はりぶみ》（貼文）している（『吾妻鏡《あずまかがみ》』）。ここが鎌倉時代後期には陸奥の物流の中心となっていた。

多賀国府は、当初の多賀城そのものから、多賀城の南の官衙《かんが》地域に移り、さらに鎌倉時代には仙台《せんだい》市岩切《いわきり》の近くに移ったものと考えられている。七北田川《ななきたがわ》に沿って冠屋市場《かむりやいちば》があり、付近からは青磁《せいじ》や白磁《はくじ》などの破片が発掘されていて、川に架かる今《いま》市橋《いちばし》のたもとにある東光寺《とうこうじ》には石窟仏《せっくつぶつ》が、その丘陵部一帯には一二〇基にものぼる板碑《いたび》があるなど、信仰遺跡が展開している。鎌倉時代後期に成立した『平治物語《へいじものがたり》』は、ここを源義経《よしつね》と金売り吉次《きちじ》との出会いの場としている。

こうした府中は、中央性という原理に基づいて諸国に生まれてきたのであったが、京都や鎌倉ほどにはその性格は著しくない。しかし戦国大名が根拠地とした豊後府中である府内《ふない》のような場合には、やがて都市として発展を見ることになった。

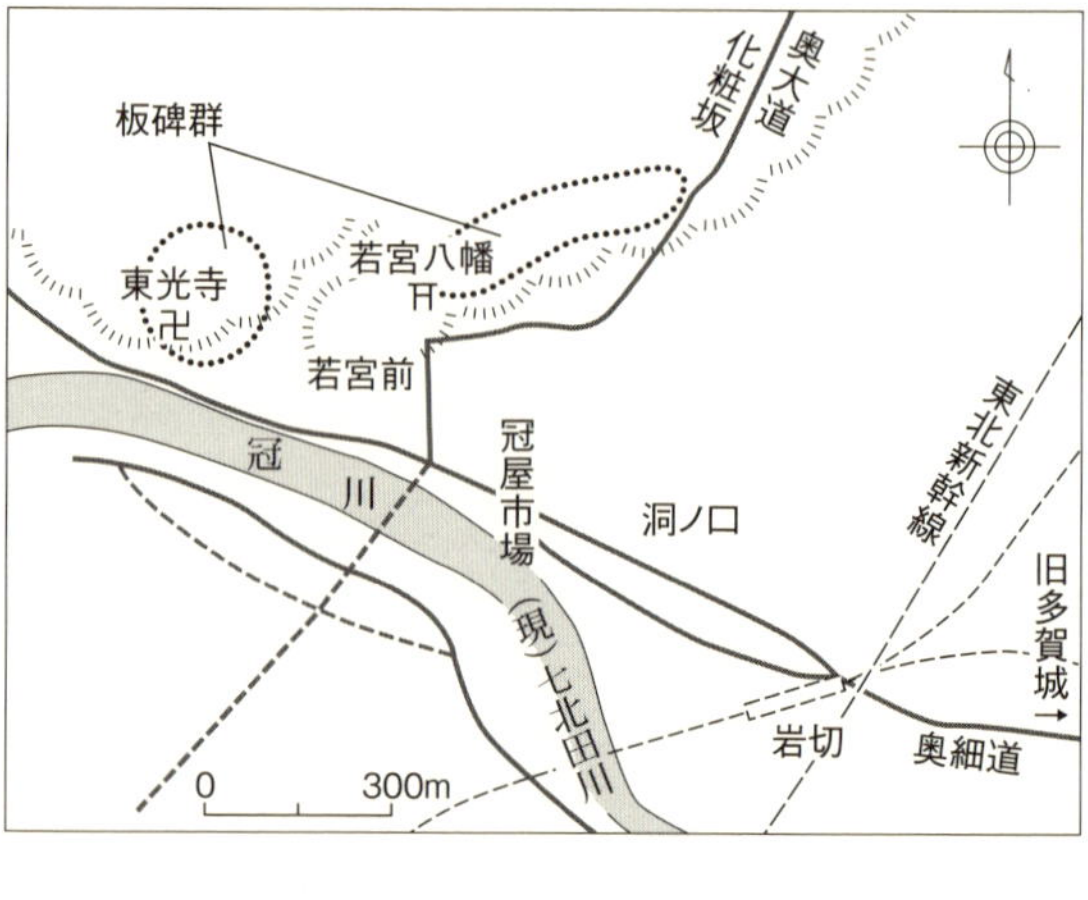

●多賀国府周辺図
多賀国府が移ったとされる仙台市岩切付近は、外ケ浜《そとがはま》へ向かう「奥大道《おくたいどう》」と、多賀城へと至る「奥細道《おくのほそみち》」が交差する、交通の要衝だった。

宿で成長する有徳人

鎌倉に武家政権が生まれて東海道の往来が盛んになるとともに、京から東海道を下る旅を描いた紀行文が生まれ、沿道の宿《しゆく》も発展した。左の図は、尾張《おわり》の富田《とみたの》荘《しよう》（名古屋市周辺）の絵図のうち、萱津宿《かやづしゆく》の風景を描いた部分である。道に沿って在家《ざいけ》や寺があり、集落が形成されていて、近くを川が流れているのがわかる。

萱津は交通上の要衝であったために、早くから北条氏《ほうじよう》が近接する尾張の富田荘を握っていたが、それが北条時宗《ときむね》によって鎌倉の円覚寺《えんがくじ》に寄進されたため、その富田荘を描いた絵図が円覚寺に残されることになったのである。さらに紀行文の『東関紀《とうかんき》行《こう》』には、その萱津宿に近接する市《いち》の風景がつぎのように記されている。

萱津の東、宿の前を過ぐれば、そこらの人集まりて、里も響くばかりにののしり合へり。「今日は市《いち》の日になん当りたる」とぞいふなる。往還のたぐひ、手ごとに空《むな》しからぬ家苞《いえづと》も、

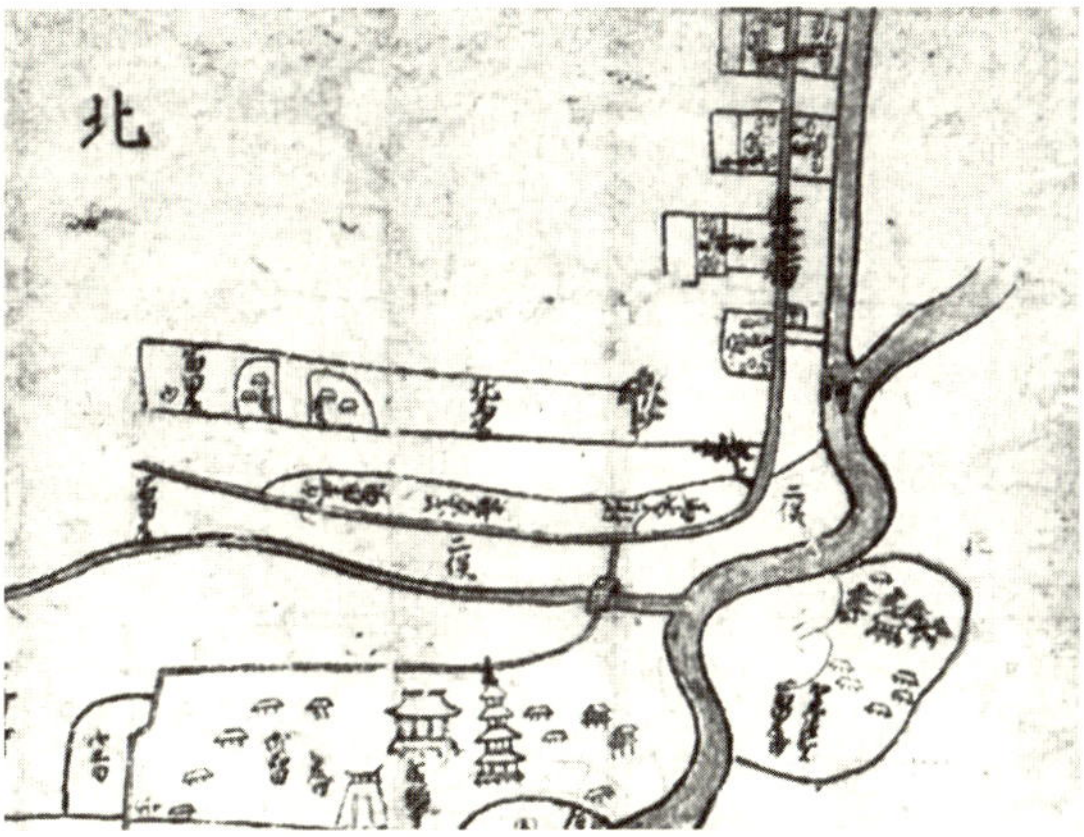

13

◉川沿いに開けた萱津宿
図の右上を上下に流れる川沿いに建物が並んでいるところが萱津宿。萱津宿は、富田荘の北側に位置した。

萱津の市に近隣の人々が集まってにぎわうさまや、土産を買い求めて家に持ち帰る風景がいきいきと描写されているのがわかる。萱津宿は庄内川《しょうないがわ》の西岸に開けた宿であるから、その市は宿の東の庄内川の河原に立てられたものと考えられる。この萱津宿の有徳人《うとくにん》の存在を描いているのが『一遍《いっぺん》聖絵《ひじりえ》』である。

弘安《こうあん》六年（一二八三）に鎌倉から上洛《じょうらく》する途次、尾張の甚目寺《じもくじ》に来た一遍一行が七日間の行法を始めたものの、食料も尽き、時衆《じしゅう》たちが憂えた。飢えを訴える時衆に対し、一遍が「断食によりて法命つくることなし、かならず宿願をはたすべし」と、断食によって命が尽きることはない、と諭していたところ、その夜、近くの萱津宿の「徳人《とくにん》」の夢に甚目寺の毘沙門天《びしゃもんてん》が現われ、「大事な客人に供養（食事の提供）をするよう」告げた。そこで徳人らが甚目寺に赴いて、そこにいた一遍らに食事を提供すると、鎮座していた毘沙門天が歩み出したという。この話からは、萱津宿で有徳人が成長し、甚目寺がその信仰の対象となっていたことがわかる。

鎌倉時代後期になると、萱津宿のような交通路上に集落が広く成長していた。すでにみたように、一遍が勧進《かんじん》した備前福岡市《びぜんふくおかいち》は福岡宿の近くにあって、市では近くでつくられている備前焼の大甕《おおがめ》が並べられている。文献ではわからない宿の集落が発掘されることも多い。たとえば福島県郡山《こおりやま》市の荒井《あらい》猫田《ねこた》遺跡は、南北の道に面して、溝で区画された奥行きが二〇〜二五メートル、間口が二〇〜四〇メートルの屋地《やち》が密集して、南北に木戸が設けられており、堀で区画された土地が隣接してあるという景観が認められる。栃木県下野《しもつけ》市の下古館《しもふるだて》遺跡の場合は、堀が道を囲繞《いにょう》して、堀で区画された中に方形の竪穴《たてあな》建物や井戸が密集するという景観をとる。ともに道を挟んで集落が形成されているが、この道は鎌倉と奥州《おうしゅう》を結ぶ奥大道《おくたいどう》であり、そこに設けられた宿と考えられている。

宿は有徳人らの住む町として生まれ、それとともに有徳人の信仰を得た寺院やお堂が建てられたが、都市というほどに人口は多くない。それというのも都市の原理をなす、中央性や境界性、異界性にはいささか乏しいからであるが、しかしそこに祭礼などを通じて共同意識が芽生えてくると、都市へと発展することになる。つまり町がたんなる空間ではなく、身体の延長としてとらえられ、持続的に維持されていくようになれば、都市が形成されることになるのである。

こうして鎌倉時代の後期になると、人々の活動が広がり、都市の新たな動きが始まり、日本列島全体は活気づいていった。湊《みなと》が日本列島の各地に生まれ、湊と湊を結ぶ交通路が成立し、陸路もまた多くの旅人を運んで宿が形成された。その列島を直撃したのが、蒙古《もうこ》（モンゴル）の襲来である。

14
◉下古館遺跡の小方形区画
遺跡の中央付近に、空堀に囲まれた約三〇m四方の小方形区画がある。この付近には墓跡が集中していて、特別な空間であることが想像される。

列島の身体

蒙古の襲来

平氏による武家政権が成立した一二世紀後半、大陸のモンゴル高原では蒙古《もうこ》（モンゴル）族の統一運動が始まった。その統一がチンギス・ハーンにより一二〇六年に達成されると、蒙古の活動は西はヨーロッパにまで及び、東は一二三四年に女真《じょしん》族の金《きん》を破って、ユーラシア大陸を席巻《せっけん》し、日本も射程距離に入ってきた。

しかし蒙古が直接日本に通交を求めてくるまでには、多大な時間を要した。南宋《なんそう》の抵抗や朝鮮半島での高麗《こうらい》の抵抗などにより、日本にまではなかなか触手をのばせなかったからである。その高麗をやっと一二六〇年に服属させると、即位したフビライ（世祖《せいそ》）は日本に国書を送ってきた。このときの使者は途中で引き返したが、二年後にフビライの厳命を受けた高麗の潘阜《はんぷ》が、ついに国書を大宰府《だざいふ》にもたらしたのである。

幕府は、往来は認めても国交を結ぶ意図はなく、正式の通商にも関心がなかったから、国書を朝廷に送るのみであった。しかし幕府の明確な意思が示されないために朝廷の審議は難航し、従来どおりに返書は送らないこと、「異国降伏」の祈禱《きとう》を行なうことを定めただけに終わった。

●出土した「てつはう」『蒙古襲来絵巻《もうこしゅうらいえまき》』（右）にも描かれている「てつはう」（図の中央奥）が、長崎県鷹島の海底から出土した（左）。直径約一五㎝の焼物で、上部に火薬を入れる孔《あな》がある。

進展のない交渉に、国号を元《げん》と改めたフビライは、高麗で反乱を起こして抵抗する三別抄《さんべつしょう》の追討を忻都《きんと》・洪茶丘《こうさきゅう》らに命じ、日本には日本国信使趙良弼《ちょうりょうひつ》を派遣した。しかし北条時宗《ほうじょうときむね》は、二度にわたって来日した趙良弼を追い返し、ここに蒙古の襲来は必至の情勢となったのである。

文永《ぶんえい》一一年（一二七四）に二万八〇〇〇の元・高麗連合軍が襲ってきた。対馬《つしま》・壱岐《いき》を侵攻し、博多《はかた》湾に上陸し、集団戦法と「てつはう」と称される火器などによって日本軍は苦戦を強《し》いられたが、御家人《ごけにん》の果敢な戦いと、また蒙古軍の内部対立などもあって大軍は退いた。もとより様子見の侵攻であったのだろう。

続いて一二七五年、元が杜世忠《とせいちゅう》を派遣して服属をふたたび求めてきたので、幕府はこれを鎌倉の竜口《たつのくち》で処刑すると、再来に備えて九州の御家人に異《い》国警固《こくけいご》番役《ばんやく》を課し、博多湾を中心に上陸阻止のための石築地《いしついじ》（防塁）を築かせ、蒙古軍を待ち受けた。フビライは一二七九年に南宋を滅ぼしたことで日本をふたたび攻めることを決意し、一二八一年（弘安《こうあん》四年）に遠征軍を整えた。

四万の東路《とうろ》軍と一〇万の江南《こうなん》軍は二手から攻める手はずであったのだが、東路軍がいち早く五月に高麗を出発し、六月六日には博多湾へと進

15

んだ。しかし石築地の効果と御家人の防戦によって上陸できぬまま退いて、肥前《ひぜん》の鷹島《たかしま》で遅れていた江南軍と合体したところを暴風雨に襲われ、壊滅的な被害を受けたのである。

この蒙古襲来が、日本列島を一体のものと考えることを促したことは疑いない。奇跡ともいうべき暴風雨が「神風《かみかぜ》」と見なされ、「神国日本」の意識を強めた。蒙古襲来に対して神々が戦って蒙古の来襲を防いだという言説も広がった。信濃国《しなののくに》の諏訪《すわ》社の縁起絵巻『諏訪大明神絵詞《すわだいみょうじんえことば》』には、神功《じんぐう》皇后による「三韓征罰」以来の神の加護として、諏訪の神が「大龍と身を現して、蒙古の強暴を対《たい》治《じ》（退治）す」と説明されている。北畠親房《きたばたけちかふさ》の著わした『神皇正統記《じんのうしょうとうき》』も、蒙古合戦について、「神明、威ヲアラハシ形ヲ現ジテフセガレケリ」と記し、大風によって数十万の船が漂没したと述べ、「末世トイヘドモ神明ノ威徳不可思議ナリ」と指摘している。なおこの書は、巻頭でつぎのように語り、神国思想を展開しているのであった。

大日本《おおやまと》ハ神国《かみのくに》也。天祖《あまつみおや》ハジメテ基《もとい》ヲヒラキ、日神《ひのかみ》ナガク統《とう》ヲ伝《つたえ》給フ。我《わが》国ノミ此事アリ。異朝ニハ其《その》タグヒナシ。此故ニ神国ト云也《いうなり》。

ここでは「天祖」が国を開いてから「日神ナガク統ヲ伝給フ。我国ノミ此事アリ」と、皇統が持続して伝えられてきたことに、日本が神国たる所以《ゆえん》を求めている。中国や高麗とは違った独自性において神国思想が登場しているが、そこには日本の国土が一体のものであるという国土観の形成が背景にあったものと考えられる。

一体化する日本の国土観

この時代の国土観を示しているのが、日本列島を描いた「行基図《ぎょうきず》」である。列島と諸国を曲線で囲み、山城国《やましろのくに》を起点にした諸国への経路などを記したもので、次ページの図は、京都の仁和寺《にんなじ》蔵の写本であり、行基が作成したとされる図を嘉元《かげん》三年（一三〇五）一二月に写したとある。

一四世紀の中葉に成立した『拾芥抄《しゅうがいしょう》』所載の「大日本国図」も同様の図であって、これも行基の作とされている。「行基図」の名が広く定着していたことがわかるが、これらが行基に仮託された図であることは疑いない。しかしこれらの行基図とはやや異なった日本図が金沢文庫（横浜市）に所蔵されている。

もともとは称名寺《しょうみょうじ》にあったもので、東半分が失われ西国《さいごく》部分しか残されていないが、鱗《うろこ》のある動物の胴体が列島を取り囲み、その外側には異国が描かれている日本図である。異国の図が描かれている点や、その異国に「高麗《こうらい》ヨリ蒙古《もうこ》国」といった記載がある点などから、蒙古襲来以降の時期に作成されたものであることは疑いない。また、近年紹介された、千葉県鋸南《きょなん》町の妙本寺本《みょうほんじぼん》の日本図も「日本図・蒙古幷《ならびに》新羅《しらぎ》国高麗百済《くだら》賊来事」と題されており、鎌倉時代の日本図の写しである。

これらから考えるならば、鎌倉時代後期になって国土という観念が強まり、日本図がさまざまなかたちで描かれるようになったことがわかる。それは自分たちが住む日本列島を身体の延長としてとらえるようになったことに基づいているといえよう。

金沢文庫本の日本図では、列島を囲繞《いにょう》する動物が国土を守護する存在として描かれており、その形態からして龍《りゅう》か蛇と考えられるが、二つはともに日本列島を守る存在とみられていた。『諏訪大明神絵詞《すわだいみょうじんえことば》』は、神が龍の姿をとって蒙古に対抗した、と語っている。弘安《こうあん》二年（一二七九）に神事を行なっていたところ、大龍が雲に乗って西に向かったのを参詣《さんけい》していた人々が見て、神が今度の戦《いくさ》で本朝に贔屓《ひいき》するために出現したと思っていた。やがて弘安の役において悪風が起き、蒙古軍が惨敗したそのときには、博多津《はかたのつ》で諏訪の神の化現《けげん》である龍の姿が見え、上陸を阻止するために設けられた石築地《いしついじ》を守る御家人《ごけにん》もそれで力を得たといい、蒙古軍もこれを見て恐怖したともいう。

こうした日本図に描かれるようになった国土について、具体的に述べているのが日蓮《にちれん》である。その弘安四年閏《うるう》七月一日の曾谷二郎《そやじろう》への返事では、「日本国は道は七、国は六十八箇国、郡は六百余、郷は一万余、長さ三千五百八十七里也。人数は四十五億八万九千六百五十九人也、或《あるい》は云《いわ》く、四十九億九万四千八百二十八人也。寺は一万一千三十七所、社は三千一百三十二社矣」と記している。この場合の億は十万を意味し、

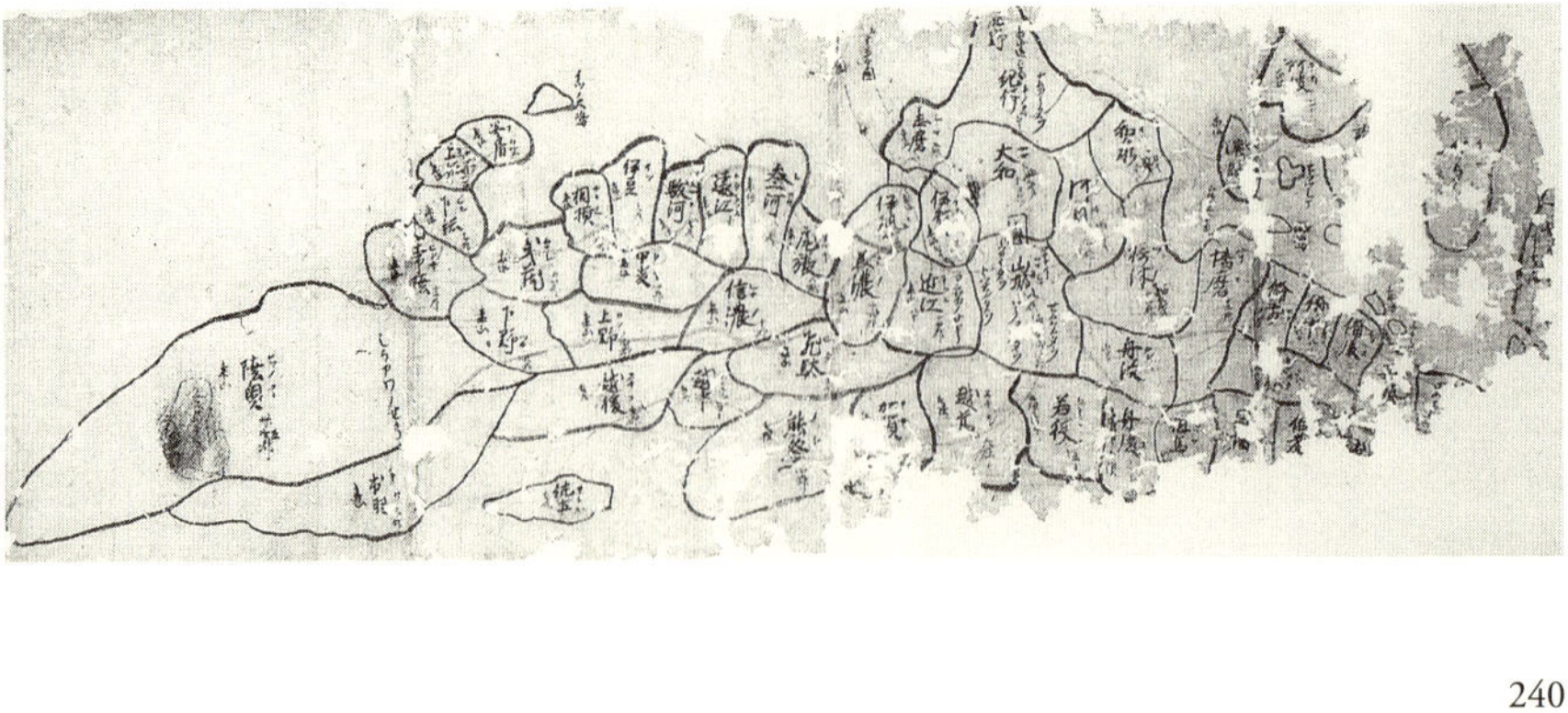

16

したがって当時の日本の人口は「四十五億八万九千」（四五九万）人と考えられていたことになる。

また弘安二年五月二日の新池殿《にいけどの》への返事では、「日蓮は日本国の者也」と自己規定し、日本国の位置を書き記したのち、仏法は天竺《てんじく》から漢土《かんど》を経て百済からさらに日本に渡ってきたのだが、仏法の繁昌《はんじょう》は漢土に勝《すぐ》れ、天竺に優《まさ》っている、として、日本人は阿弥陀仏《あみだぶつ》や大日如来《だいにちにょらい》、釈迦《しゃか》如来を信じてそれに守られていると指摘している。

こうした仏の化現が八幡神《はちまんじん》や天照大神《あまてらすおおみかみ》などの神であり、また龍であって、それらが国土を守る神という観念と結びつくことで、神国という観念が強く意識されるようになったのである。だがこの国土観は蒙古襲来とともに成長はしてきたものの、そこから生まれてきたものではない。幕府による全国支配という現実が前提にあったのである。

これ以前、鎌倉幕府が寛元《かんげん》四年（一二四六）に前将軍九条《くじょう》（藤原《ふじわら》）頼経《よりつね》を京に送り返し、頼経の父道家《みちいえ》の関東申次《もうしつぎ》を交替させ朝廷に徳政を行なうように求めると、朝廷では後嵯峨《ごさが》上皇の院政が開かれ、幕府の政策に添う政治を展開するようになった。「公家《くげ》」である朝廷は、政治の運営を幕府への顧慮なしには行なえなくなり、皇族将軍の派遣を求められても断われず、したがって鎌倉に送ったその将軍宗尊《むねたか》親王もいとも簡単に京に追放されることになった。幕府は「公方《くぼう》」と称され、政治の基本方針はこの公方から出され、公方が徳政を打ち出すと、朝廷はそれに応じて徳政を行なうよう

◉現存する最古の行基図
行基図とは、各地で灌漑《かんがい》設備の造営などを行なったとされる、奈良時代の僧行基に仮託された地図の総称。これは仁和寺蔵の行基図で、南が上になっている。

な関係となった。

武家の固有の領域であった東国《とうごく》と、朝廷の領域である西国の別はあまり意味をなさなくなり、それぞれ鎌倉と六波羅《ろくはら》の管轄地域ほどの意味をもつようになった。西国に所領を得た御家人のなかには西に移住する者も多くなった。多くの訴訟が「雲霞《うんか》のごとく」鎌倉に押し寄せ、永仁《えいにん》の徳政令《とくせいれい》はその訴訟の波に押されて発されたが、出されたとたんに、すぐに全国的に波及していった。それは「天下一同の法」として、あまねく適用されるものとして考えられるようになったのである。

アイヌの人々の動き

こうした国土の一体観とともに、目は境界の地に向けられた。奥州《おうしゅう》では平泉《ひらいずみ》の藤原《ふじわら》氏が滅ぼされたあと、陸奥《むつ》・出羽《でわ》の所領はあたかも幕府の植民地のごとく有力御家人《ごけにん》に分配され、守護《しゅご》は置かれずに奥州奉行《ぶぎょう》として葛西《かさい》氏が幕府の命を奉じる体制がとられていた。しかし、相次ぐ政争に勝利して幕府の実権を握った北条《ほうじょう》氏が、しだいに奥州にも勢力を広げていった。

この北条氏の代官となって津軽地方で力をつけていったのが安藤《あんどう》氏で、その拠点とされたのが津《つ》軽《がる》の十三湊《とさみなと》（青森県五所川原《ごしょがわら》市）である。この湊の近年の発掘によって、安藤氏は岩木川《いわきがわ》の河口部の砂洲《さす》に館を築き、その周囲には家人の屋敷や短冊形の町並みを形成し、寺もつくっていたことが明らかにされている。日本海沿岸の各地には潟湖《せきこ》が広がっていたが、その潟湖のひとつである十三湖《じゅうさんこ》に沿って湊町が形成され、それが海運活動を支えていたのである。

嘉元《かげん》四年（一三〇六）、越前《えちぜん》の三国《みくに》湊（福井県坂井市《さかい》）に「関東御免津軽船《つがるぶね》二十艘《そう》」のうち越中《えっちゅう》の放《ほう》生津《じょうづ》（富山県新湊市《しんみなと》）の本阿《ほんあ》が船主となっていた一艘が、湊の住人に鮭や小袖《こそで》などの積み荷を押し取られるという事件が起きている（『大乗院文書《だいじょういんもんじょ》』）。この船は幕府から津料免除の特権を認められて日本海を運航する船であって、「津軽船」と称されていたことからみれば、津軽の安藤氏が経営していたのであろう。

その船主は越中の放生津の本阿とあるが、この地には一遍《いっぺん》の弟子他阿弥陀仏《たあみだぶつ》が訪れていることを考えると（『一遍上人絵詞伝《いっぺんしょうにんえことばでん》』）、その名からして本阿は放生津の有徳人《うとくにん》であり、時衆《じしゅう》であったと考えられる。おそらくこの船は若狭《わかさ》の小浜《おばま》から、越前の敦賀《つるが》・三国湊、越中の放生津、越後《えちご》の直江津《なおえつ》、出羽《でわ》の秋田《あきた》湊などを経て津軽の十三湊に入り、そこで蝦夷地《えぞち》からの交易品を積んで戻っていったものとみられる。

安藤氏は幕府の「蝦夷沙汰《さた》」を現地で担う代官となって、小鹿島《おがしま》（男鹿《おが》半島）、西浜《にしはま》（津軽西海岸）、外《そと》ケ《が》浜《はま》、宇曾利郷《うそりごう》（下北《しもきた》半島）などの所領を有し、蝦夷地で活動するアイヌとの間で交易を行なっていたの

17

◉海運で栄えた十三湊
写真左が日本海で、右が十三湖。陸地の右上の林の付近は埋立地で、中世の港湾施設跡はそこから発見されている。

であろう。一二世紀の擦文《さつもん》文化の衰退を経て、この時期にはアイヌがその姿を見せるようになっていた。そのアイヌの活動は、大陸側の史料と日本側の史料の二つから浮かび上がってくる。

大陸側の史料である『元史《げんし》』によれば、元《げん》はアムール川（黒竜江《こくりゅうこう》）下流域のヌルガンに征東元帥府《せいとうげんすいふ》を置いて、一二六四年と一二八四〜八六年の二度にわたり、「骨嵬《こつがい》」（アイヌ）と「吉利迷《ぎりみ》」との抗争に介入し、樺太《からふと》（サハリン）のアイヌを討伐したという。アイヌはこの時期には樺太まで活動の場を広げており、そこから得た産品が、安藤氏らを介して日本へと入ってきたのであろう。

日本側の史料である『諏訪大明神絵詞《すわだいみょうじんえことば》』は、延文《えんぶん》元年（一三五六）に諏訪社の執行《しぎょう》で幕府の奉行人《ぶぎょうにん》の諏訪円忠《えんちゅう》が願主となって制作した絵巻であるが、それには、鎌倉時代末期に蝦夷で蜂起《ほうき》があった際、諏訪社の宝殿の上から諏訪大明神が大龍の姿となって現われて辰巳《たつみ》の方角に向かったのを人々が見ていたところ、同じ時刻にその大龍が奥州にも現われ、賊軍がたちまち官軍に降伏した、という話を載せている。これは安藤氏の季長《すえなが》と季久《すえひさ》の内部対立が起きたのを、幕府が蝦夷蜂起として蝦夷追討使《ついとうし》を派遣した事件であった。

同じ絵巻は、「蝦夷が千《ち》島《しま》」には「日《ひ》の本《もと》」「唐子《からこ》」「渡党《わたりとう》」の三つがあったと語る。このうちの渡党は、津軽安藤氏との交易のためにやってくるアイヌで、言語が通じること、ひげが多く身は毛に覆われ、戦場に臨んでは男は甲冑《かっちゅう》に弓矢を帯び、女は後陣で祈りを天に捧げること、動きは身軽いが馬は用いず、毒矢を使うこと、などを記している。残りの二つは居住地が「外国」に連なり、形は「夜叉《やしゃ》」のごとくで、農耕は知らないという。「日の本」は朝に日が早く出る道東地域に住むアイヌ、「唐子」が大陸に近い道北や樺太に住むアイヌであったとみられている。

鎌倉幕府が東国《とうごく》を固めて北方に進出してゆくのと、大陸で蒙古《もうこ》が勢力を広げてゆくのと、この二つの大きな動きに触発され、蝦夷地ではアイヌの活動が広がりを示すようになったのである。

琉球に誕生した王権

日本国の西南の境界では、事情はどうであったろうか。嘉元《かげん》四年(一三〇六)四月一四日の薩摩国《さつまのくに》河辺《かわのべ》郡の地頭《じとう》代官で郡司《ぐんじ》の千竈時家《ちかまときいえ》譲状《ゆずりじょう》には、「ハうのつ」(坊津《ぼうのつ》)の湊《みなと》町が見える(「千竈文書」)。時家は北条《ほうじょう》氏得宗《とくそう》家の被官《ひかん》で、その所領はほかに奄美《あまみ》諸島の「きかいしま」(喜界島《きかいじま》)、「大しま」(奄美大島《おおしま》)、「ゑらふのしま」(沖永良部島《おきのえらぶじま》)、「とくのしま」(徳之島《とくのしま》)にも及んでいた。

河辺郡の良港である坊津は、博多津《はかたのつ》や伊勢《いせ》の安濃津《あのつ》とともに「日本三津《さんしん》」として知られ、博多とともに対外貿易の拠点となっていた。そこを支配する領主が奄美諸島をも押さえていたことは、まさに北の安藤《あんどう》氏と相似形をなしており、千竈氏もまた安藤氏と同じく北条氏の代官として、この地域に勢力を広げていったのである。

建武《けんむ》政権の誕生とともに、北条氏の所領が没収されたことから、かつてここを領有したことのある島津《しまづ》氏の所領となったため、千竈氏が大きく発展することはなかったが、しかし奄美諸島の南に位置する琉球《りゅうきゅう》では、日本社会のさかんな交易や蒙古《もうこ》の海上活動に影響を受け、交易によって富を蓄積しはじめていた。

琉球は一一世紀から一二世紀にグスク時代に入り、その後、一三世紀になると大型グスク（城）が各地に生まれていた。山田《やまだ》グスク、大城《おおしろ》グスク、今帰仁《なきじん》グスク、座喜味《ざきみ》グスク、勝連《かつれん》グスクなど、二〇〇〇平方メートルを上まわる面積で複数の郭《くるわ》から構成され、その内部には正殿と御庭《うなー》（正殿前の広場）があって、倉庫や聖域を備えるのが一般的であった。

こうした大型グスクの首長は武力を有し、抗争を繰り広げていった結果、しだいに淘汰《とうた》されていった。たとえば大里《おおざと》村稲福《いなふく》の上御願《いいぬうがん》遺跡にある大型グスクは、標高一三〇メートルのウタキ（御嶽）に形成されていたのだが、一四世紀後半には廃絶して、ふもとの集落に統合されている。

その抗争に勝利しつつ大勢力を築いたのが浦添《うらそえ》グスクを本拠とした中山王《ちゅうざんおう》である。これについては、近世に著わされた『中山世鑑《ちゅうざんせいかん》』などの編纂《へんさん》物のほかに、近年の浦添グスクと王墓の「浦添ようどれ」の発掘によって、しだいに全貌《ぜんぼう》が明らかになってきている。

それによれば、王統の始祖とされる英祖王《えいそおう》が在位したという一三世紀後半には、ほかのグスクを

18

◉大型グスクの登場
沖縄県読谷村《よみたんそん》の座喜味グスクは東西約一三〇×南北約一四〇m。城壁に囲まれた中の四角い部分が正殿跡で、その前が御庭である。

圧倒する規模であったらしい。グスクからは高麗《こうらい》系の瓦《かわら》が出土しており、瓦葺《かわらぶき》の正殿が建造されていたとみられ、周囲の野面《のづら》積《づ》みの石垣はグスクを大きく取り囲んで全長数万メートルの規模に達していたとみられている。「ようどれ」も一三世紀後半には造営されており、家形木槨《いえがたもっかく》の中に朱塗りの鍍金《ときん》金具で飾られた漆《うるし》塗りの木棺《もっかん》が安置されていた。浦添は王都としての機能を有した可能性が大きい。

さらに一四世紀後半に入ると、グスクは切石《きりいし》積みの大規模な城郭へと発達し、その外側にも郭が配置され、柵列《さくれつ》を伴う堀や尾根筋には堀切《ほりきり》が設けられるなど、城郭としてさらに整えられていった。「浦添ようどれ」も、石積み構造に大改修されたことが明らかにされている。こうした大規模な石積みの城郭や墓は、その技術や思想において大陸や高麗からの影響を強く受けていたものと考えられ、琉球は独自の王権を形成する道をたどっていったのである。

19

◉改修された浦添ようどれ
一四世紀末～一五世紀前半に、ようどれの墓室は、それまでの家形木槨と漆塗りの木棺を廃棄して、石組み構造に改修された。三基の石棺には、洗骨された人骨が多数納められている。

モノとヒトの交流

大陸から流入したモノ

北宋《ほくそう》の太宗《たいそう》の命で編纂《へんさん》された事典『太平御覧《たいへいぎょらん》』は、平清盛《たいらのきよもり》が一二世紀末に初めて入手し、高倉《たかくら》天皇に献上されたが、しだいに大陸文化の影響が直接日本列島に及ぶようになると、つぎつぎと輸入されてゆき、一三世紀なかばを過ぎたころには数十部にも及んでいたという（『妙槐記《みょうかいき》』）。

唐物《からもの》は承久《じょうきゅう》の乱《らん》（一二二一年）後になると、京の社会を席巻し、やがて大量に日本列島に流入し、とくに鎌倉の社会に大きな影響を与えた。鎌倉では物価の上昇が著しくなったため、幕府は物価安定を図ったり、唐船の制限を行なったりなどしたが、唐物流入がやむことはなかった。

文永《ぶんえい》・弘安《こうあん》の役《えき》（一二七四・八一年）ののちも、元《げん》は何度か日本への再征を計画したが、そのつど、不調に終わった。しかしそれで元との往来がなくなったかというと、そうではなかった。国交こそ結ばれなかったものの、両国間の人の往来や物資の流れなどは、前にも増して頻繁になっていた。元は一二七六年に泉州《せんしゅう》・慶元《けいげん》などの港に市《し》舶司《はくし》を置いて貿易の管理に乗り出し、翌年には金と銅銭の交換を希望した日本の商人に貿易を許可し、その翌年には日本商船の受け入れを命じている。元は閉鎖的な国家ではなかったし、日本もまた渡航を全面的に禁止したのではなかった。

北条《ほうじょう》氏の一門金沢《かねざわ》氏が設けた金沢文庫所蔵の文書には、「唐物」を積んだ船が到着してそれを見たという内容の書状がいくつかある。地震と火事で被害を受けた、鎌倉の建長寺《けんちょうじ》の再建のために元に派遣された建長寺船のような存在も知られている。鎌倉幕府の奉行人《ぶぎょうにん》の中原政連《なかはらまさつら》が、延慶《えんぎょう》元年（一三〇八）に提出した『政連諫草《まさつらいさめぐさ》』には、執権《しっけん》を退いた北条貞時《さだとき》が、僧《そう》侶《りょ》を招いて供養し、仏の道を尋ねるなどしているのはまことに結構ではあるが、それが一日おきに行なわれ、しかも美々《びび》な膳が設けられ、「薬種を唐様の膳」に加えることが日々倍増の勢いでなされているのはよろしくない、という諫《いさ》めが記されている。唐様は食生活にまで及ぶ大きな変化をもたらしていたのである。

　大陸から流入したモノの代表は陶磁器である。一九七六年に韓国の新《シ》安《ナン》沖で発見された、一三二三年に日本に向かう途中で遭難した沈没船からは、大量の陶磁器が見つかっており、鎌倉や尾道《おのみち》などでは大陸から流入してきた大量の陶磁器が出土している。尾道では、昭和五〇年（一九七五）の第一次調査から現在まで数多くの発掘調査が実施されてきたが、陶磁器としては中国製の青磁《せいじ》や白磁《はくじ》があり、そのほかにも備前焼《びぜんやき》などの陶磁器が出土している。ここは平清盛《きよもり》によって平氏領となったのち、発展を見た港湾で、平氏の没落後は高野山《こうやさん》領大田荘《おおたのしょう》の年貢の積み出し港となり、やがて瀬戸内海交通と流通の拠点となったのである。

20

◉鎌倉出土の青磁
左は青磁《せいじ》算木《さんぎ》文香炉《もんこうろ》、右二つは青磁鎬蓮弁文碗《しのぎれんべんもんわん》。鎌倉でも中国産の陶磁器が多数出土しており、大陸との活発な交易がうかがえる。

そのため嘉元《かげん》四年（一三〇六）には「当浦の檀那《だんな》」（有徳人《うとくにん》）の力で浄土寺《じょうどじ》が律院として再興されたが、これにあたったのは大田荘の預所《あずかりどころ》となっていた法眼淵信《ほうげんえんしん》である。彼は遠く伊予《いよ》・長門《ながと》などの荘園《えん》年貢を請け負い、高野山からは尾道浦堂崎《どうざき》浄土寺・曼荼羅堂《まんだらどう》（海龍王寺《かいりゅうおうじ》）別当《べっとう》職や堂崎別所《べっしょ》分山野、浜在家《ざいけ》などを与えられていた（『浄土寺文書《じょうどじもんじょ》』）。

こうして「船津其《そ》の便を得るにより民烟《みんえん》富有」であった尾道では、元応《げんおう》元年（一三一九）に備後《びんご》守《しゅ》護《ご》の長井貞重《ながいさだしげ》の代官が、数百人を率いて大船数十艘《そう》で襲撃し、寺社数か所と政所《まんどころ》・民屋一〇〇〇余戸を焼き払い、仏聖供などを略奪する事件が起こっている（『高野山文書《こうやさんもんじょ》』）。

大量の銭の流通

大量に流入してきた唐物《からもの》のなかで、日本商人がとくに求めたのが銭《ぜに》であった。銭は平氏の時代から広く流入するようになり、治承《じしょう》三年（一一七九）には流行病に「銭《ぜに》の病《やまい》」と名付けるほどに流通していた（『百練抄《ひやくれんしょう》』）。

ただ朝廷は銭の流通に消極的であった。しばしば銭の禁令を出しており、正治《しょうじ》二年（一二〇〇）には、銭での取り引きを求める人とそれを拒む人との争いが起きて、検非違使《けびいし》による取り調べが行なわれている。しかし建保《けんぽう》三年（一二一五）五月に行なわれた連歌《れんが》では銭が賭物《かけもの》として出され、秀句を詠むと二〇〇文《もん》取れると定められて、後鳥羽《ごとば》上皇は二貫《かん》七〇〇文（一貫は一〇〇〇文）を獲得する好成績であったという。上皇は銭を賭物とするのを「下賤《げせん》」とはしたものの、朝廷儀式の賭弓《のりゆみ》でも銭が賭けられているとして納得している。このころには朝廷でも銭の流通を容認していたのであろう。
鎌倉幕府は銭の流通を容認したばかりか、御家人《ごけにん》役を銭で賦課し、年貢も銭で納めるのを認めている。暦仁《りやくにん》二年（一二三九）に幕府は白河関《しらかわのせき》より東（奥州《おうしゆう》）に銭を持ち込むことを停止したが、これは白河関より西での銭の流通が前提となっていた。なお仁治《にんじ》三年（一二四二）に、朝廷で絶大な力をふるった西園寺公経《さいおんじきんつね》は宋《そう》の皇帝に檜《ひのき》材の建物を贈って、その礼として一〇万貫の銭貨が贈られてきたのを受け取っている。

そうであれば国内で貨幣をつくって流通させればよいようにも思われるが、朝廷も幕府もそうはしなかった。それは銭が小額貨幣であって、コスト的に割が合わなかったことが大きい。日本で流通した銭はいずれも一文銭であり、大陸では五文や十文銭なども流通していたのである。また元《げん》が銭の流通を停止したため、大量の銭が日本に入ってきたことも関係しているであろう。

しかし外国から入ってきた銭が、どうして信用されるようになったのであろうか。ひとつは、米によって信用が裏付けられていたからとみられる。律令《りつりよう》国家以来、米を基準にして価値が計られてきており、米一石《こく》に対して銭一貫という換算が公定されてきた。もちろん米は、気候などによって収穫に違いがあり、価格の変動もあったのだが、基本的には米一石に銭一貫の取り引きが維持され、それが銭の信用をもたらし、またその固定相場により、大陸から銭が流入もした。

もうひとつは銭に込められた呪術《じゆじゆつ》力の問題である。銭はその形状や耐久性もあって、物神《ぶつしん》崇拝の対象とされやすく、安心のために、また魔物の力を封じるために、建物の柱穴《はしらあな》や甕《かめ》の中、井戸などに納められた。
列島の各地からは、埋められていた大量の銭がときどき発掘されている。それらが備蓄銭なのか、埋納銭なのかでいつも論争が起こるが、以上のような銭貨の機能からすれば、そのどちらかということではなく、備蓄銭であり、またかつ埋納銭であるとみるべきであろう。

しかし銭は明らかに重く、運搬も容易ではなかった。そこで通用するようになったのが為替《かわせ》である。鎌倉時代後期以降、一枚につき一〇貫という定額の為替が流通している。しかしここでも信用が問題になろう。一一世紀に使われた切符《きりふ》や下文《くだしぶみ》の場合は受領《ずりよう》の信用力が支えていたが、為替は、鎌倉後期から経済力をつけてきた土倉《どそう》や借上《かしあげ》などの高利貸しの信用力が支えたものと考えられる。だが彼らが振り出した一片の紙に、どうして信用力があるのかも問題になるが、そこには紙に書かれた文書に秘められた呪術力が作用していたものと考えられる。

文書は、中世にはみずからの権利を保証するものとして大事に保管されていた。権力が分散し、自力救済を基本にした社会

21

◉土中に埋められた大量の銭
壺《つぼ》の中に一万六七四枚の銭が入っていた。銭は緡《さし》という糸に通してまとめられている。ここでは、一緡九七枚で一〇〇文としていたようである。（新潟県柏崎《かしわざき》市東原町《ひがしはらまち》遺跡出土）

であったから、みずからの権利を守るためには、文書を大事に保管し、いざとなれば、それを提出して権利の保護を図る必要があった。文書に力を込めるために加持《かじ》・祈禱《きとう》を行なったりすることもあった。そのため、文書自体に呪術力が備わるようになったのである。

活発なヒトの交流

銭《ぜに》が流入した平氏政権の時代からは、大陸との間でヒトの往来も活発になった。東大寺《とうだいじ》の大仏鋳造の指揮をとった陳和卿《ちんなけい》などの宋人《そうじん》が日本に渡ってくるとともに、重源《ちょうげん》や栄西《えいさい》などの僧が大陸に渡ることも活発になった。これは鎌倉時代を通じて広がっていったが、とくに顕著になったのが鎌倉中期からである。

朝廷の実権を握っていた将軍頼経《よりつね》の父九条道家《くじょうみちいえ》は、嘉禎《かてい》二年（一二三六）に東大寺と興福寺《こうふくじ》の二寺をしのぐ寺を構想し、それぞれから一字ずつとった東福寺《とうふくじ》の造営を進めた。これは国家の安寧を祈り、君臣の寿福をことほぐことを目的としたもので、この大寺院の造営に際しては、開山《かいさん》に中国の径山《きんざん》で無準師範《ぶじゅんしはん》に学んで帰朝したばかりの円爾《えんに》弁円《べんえん》をあてた。

しかし道家は東福寺の完成を待たず、途中で失脚してしまい、東福寺は道家没後の建長《けんちょう》七年（一二五五）になってようやく完成する。この道家の東福寺を超えるべく、幕府の執権《しっけん》北条時頼《ほうじょうときより》が鎌倉に造営したのが建長寺《けんちょうじ》である。宝治《ほうじ》元年（一二四七）の宝治合戦《ほうじかっせん》で幕府の反対勢力を退けた時頼は、その余勢を駆って道家を失脚させると、九条家出身の摂家《せっけ》将軍にかえ宗尊《むねたか》親王を将軍に迎えて、大伽藍《がらん》の造営をもくろんだのである。これも中国の径山を模して伽藍を整え、宋から渡ってきた蘭渓道隆《らんけいどうりゅう》を招いて開山とし、その翌年には円爾弁円をも招いて禅《ぜん》戒《かい》を受けている。

この蘭渓道隆に続いて、無《む》学《がく》祖《そ》元《げん》が北条時宗《ときむね》の招きで一二七九年に来日して円覚寺《えんがくじ》の住持となり、さらに東明慧日《とうみょうえにち》が北条高時《たかとき》の招きで来日するなど、鎌倉の地は渡来僧によって宋朝の風が漂うことになった。とくに鎌倉の西北部の山内《やまのうち》は建長寺・円覚寺・浄智寺《じょうちじ》などの禅宗《ぜんしゅう》の建物が建ち、ここでは中国語が通用したのである。

この鎌倉の宋風の文化は、信濃《しなの》の塩田《しおだ》（長野県上田《うえだ》市）に移植された。ここは建治《けんじ》三年（一二七七）六月に、執権北条時宗《ときむね》を連署《れんしょ》として補佐してきた塩田北条氏の祖・北条義政《よしまさ》が、突然に引退して移ってきた地であったが、蘭渓道隆と親密な交流をもっていた樵谷惟僊《しょうこくいせん》が塩田の別所《べっしょ》に安楽寺《あんらくじ》を開き、その二世には渡来僧の幼牛恵仁《ようぎゅうえにん》がなって、「信州の学海」と称される文化の地となった。安楽寺の八角裳階《もこし》付きの三重塔は、純粋な禅宗様建築で、宋風の文化の名残をよく伝えている。

22

◉宋風文化を伝える安楽寺三重塔
現存する唯一の禅宗様の塔。木造八角形というのも類例がない。いちばん下の屋根が、初層につけられた裳階（庇《ひさし》の長い屋根）である。一四世紀建立。高さは約一九m。

渡来僧の影響を受けて大陸に渡る僧も急増した。南浦紹明《なんぽじょうみん》、桃渓徳悟《とうけいとくご》、約翁徳倹《やくおうとっけん》といった禅僧たちは、いずれも建長寺で蘭渓道隆に学んだのちに、大陸に渡っている。大陸に渡った僧のなかには、虎《こ》関師《かんし》錬《れん》が、「最近、わが国の凡庸な僧が熱に浮かされるように元土に押しかけているが、これはわが国の恥辱を遺《のこ》すようなものである」と批判しているような存在も多かったが、彼らはさまざまな名目をつけて、大陸と日本の間を往来する商船に乗り込んで渡っていったのである。

大陸に渡ったのは禅僧だけではなかった。泉涌寺《せんにゅうじ》を開いた俊芿《しゅんじょう》は、正治《しょうじ》元年（一一九九）に大陸に渡って多くの書物を携えて帰国し、京都で律宗（北京律《ほっきょうりつ》）を広めている。これに対して南都《なんと》で律宗《りっしゅう》を興《おこ》した叡尊《えいぞん》門下の覚如《かくにょ》は、寛元《かんげん》二年（一二四四）に定舜《じょうしゅん》らと大陸に渡って律三大部《りつさんだいぶ》を南都にもたらしている。覚如は、もとは吉野《よしの》の執行《しぎょう》であったが、吉野や熊野《くまの》には力で執行の座を奪い取る風習があったため、弟との争いを避けて遁世《とんせい》して叡尊の門下に入ったという。帰朝後には忍性《にんしょう》とともに熱海《あたみ》の伊豆《いず》山権現《さんごんげん》に下り、さらに鎌倉に開かれた律宗の新清涼寺《しんせいりょうじ》の長老になっている。

大陸伝来の技術

モノとヒトとともに技術も渡ってきた。建築の技術でいえば、まず東大寺《とうだいじ》の再建に伴って、重源《ちょうげん》により大仏様《だいぶつよう》という技術様式が入ってきた。これは東大寺大仏殿のような巨大建築に適した技術として採用されたもので、現存するのは東大寺南大門《なんだいもん》や播磨《はりま》の浄土寺《じょうどじ》浄土堂（兵庫県小野《おの》市）しかないが、それはその豪放な意匠が、そのままに定着することがなかったからであろう。

しかしこれを契機にして寺院建築の様式は新たな展開を迎えた。新和様《わよう》・禅宗様《ぜんしゅうよう》・折衷様《せっちゅうよう》などといった建築様式が、地域や檀越《だんおつ》の好みに応じて取り入れられ、考案されたのである。それは新たな仏教の動きとも連動しており、寺院の建築が勧進《かんじん》によって造営されるようになったことも大いに関連していよう。

勧進上人《しょうにん》は初期は浄土宗系であって、その代表が鎌倉の和賀《わか》江島《えじま》を築いた往阿弥陀仏《おうあみだぶつ》と、鎌倉大仏をつくった浄光《じょうこう》の二人である。『東関紀行《とうかんきこう》』には、大仏の造営についてつぎのように記されている。

代々《よよ》の将軍以下《いげ》、つくり添へられたる松の社葎《やしろむぐら》の寺、町々にこれ多し。その中にも湯井《ゆい》（由比）の浦といふ所に、阿弥陀仏の大仏を作り奉《たてまつ》るよし、かたる人あり。やがていざなひてまゐりたれば、尊くありがたし。ことのおこりを尋ぬるに、もとは遠江国《とおとうみのくに》の人、定光《じょうこう》上人といふ者あり。過ぎにし延応《えんおう》の頃より、関東の高き卑しきをすすめて仏像を作り、堂舎を建てたり。

23

◉**数少ない大仏様建築**
重源が、東大寺再建のために開発した荘園に建てたのが浄土寺である。浄土堂は東大寺に先立つ建久《けんきゅう》三年（一一九二）建立。大仏様の基本的な要素をもっとも備えているという。

当初は木造であったが、『吾妻鏡《あずまかがみ》』建長《けんちょう》四年（一二五二）八月十七日条には、金銅の釈迦如来像《しゃかにょらいぞう》がつくられたとある。この大仏については疑問が多い。ひとつは、どうしてこのような鋳造技術がもたらされたのかという問題であり、もうひとつは、当初は阿弥陀仏であったはずなのに、釈迦如来と見えており、しかも現存するのは金銅の阿弥陀仏であるという問題である。

前者の疑問については、寧波《ニンポー》を介しての大陸からの技術の伝来があったと考えられようが、後者の疑問については、記録に見えるとおりの変化であったとは考えられるものの、その証拠はまだ見つかっていない。

さて鎌倉時代後期になると、勧進上人はやがて禅律《ぜんりつ》系が多くなり、なかでも西大寺《さいだいじ》律《りつ》の叡尊《えいぞん》・忍《にん》性《しょう》らの律宗系の勧進上人が多大な活動をなしたのであった。

建築技術だけでなく、土木技術も入ってきた。鎌倉の和賀江島や筑前《ちくぜん》の鐘《かね》ケ《が》崎《さき》（福岡県宗像《むなかた》市）には突堤が築かれており、また、弘安《こうあん》元年（一二七八）には肥前《ひぜん》国河副荘《かわそえのしょう》（佐賀市）の河尻《かわじり》干拓のために、曹洞宗《そうとうしゅう》の大慈寺《だいじじ》開山《かいさん》である寒巌義尹《かんがんぎいん》が堤を築いている。義尹は大陸に二度渡り、銭塘江《せんとうこう》の開発から学んだ石組みによる工法を用いたのであった。

また徳治《とくじ》二年（一三〇七）に刻まれた、備中成羽川《びっちゅうなりわがわ》の文字岩《もじいわ》（岡山県高梁《たかはし》市）によれば、この川の水路は善養寺《ぜんようじ》の尊海《そんかい》が大勧進となり、奈良の西大寺《さいだいじ》の実尊《じっそん》が奉行《ぶぎょう》として開削したものといい、これにあたったのは石切り大工の伊行経《いぎょうけい》であったという。この石切りの技術も明らかに大陸からもたらされたものであって、早くは東大寺の南大門の仁王像《におうぞう》の裏に据えられている獅子《しし》の石像が伊行末《いぎょうまつ》の手になり、奈良の宇陀《うだ》郡にある大蔵寺《おおくらじ》の本堂の後方にある十三重石塔も同人の手になる。各地の十三重塔や五輪塔、宝篋印塔《ほうきょういんとう》などの供養塔や、石造りの地蔵菩薩《ぼさつ》、磨崖仏《まがいぶつ》などの石造物に、大陸伝来の技術が利用されたのであろう。

各地を歩いていると、突然にこうした巨大な石造物に出会ってびっくりすることがある。たとえば石清水八幡宮《いわしみずはちまんぐう》のふもとの頓宮《とんぐう》の西側には、高さ六メートルほどの巨大な五輪塔がそびえている。これには摂津《せっつ》の尼崎《あまがさき》の有徳人《うとくにん》が建てたという伝承があるが、銘文はなく、来歴は不明である。宝篋印塔では、熊野《くまの》の那智《なち》の青岸渡寺《せいがんとじ》の本堂の裏手に、元亨《げんこう》二年（一三二二）建立の巨大なものがある。十三重塔では、宇治川《うじがわ》の中洲《なかす》の浮島《うきしま》に、叡尊《えいぞん》が弘安《こうあん》九年（一二八六）に建立したものがある。

以上、日本列島を場とした職人をはじめとする人々の動きを探り、いかに町を形成したのか、活動の場である列島の国土をどう考えるようになったのか、モノや技術の流れはどうだったのか、などといった問題をみてきた。つぎの章では、その列島に花開いた芸能を中心とする文化について考えるが、その際、相互に影響を与えあった政治とのかかわりから探ることにしたい。

◉成羽川の文字岩
備中北部は鉄の産地で、成羽川はその輸送に利用された。この文字岩は、成羽川上流の難所を開削した水運事業の記念碑。現在文字岩はダムの底に沈んでおり、これは複製品。

第六章

政治と文化のかかわり

王権と文化統治

後鳥羽上皇と文化のかかわり

後鳥羽《ごとば》上皇は『新古今和歌集《しんこきんわかしゅう》』の撰集《せんしゅう》にあたって、『古今和歌集』を強く意識していた。「延喜《えんぎ》・天暦《てんりゃく》の治《ち》」と称された、理想的な醍醐《だいご》・村上《むらかみ》天皇の治世を範として、それに倣って和歌の興隆を試みたのである。事実上、後鳥羽上皇により編まれた『新古今和歌集』であるが、その仮名序《かなじょ》は、和歌が「世を治め民をやはらぐる道」であると記し、真名序《まなじょ》も「誠にこれ、理世撫民《ぶみん》の鴻徽《こうき》（大もと）」と記すなど、天皇による人民統治の手段であることが述べられている。

中世の文化はこのような政治との深いかかわりから生まれているが、後鳥羽上皇が政治と文化とを強く意識するようになったのは、その生い立ちと関係があった。祖父の後白河《ごしらかわ》上皇が勅《ちょく》撰《せん》集『千載和歌集《せんざいわかしゅう》』の撰集を歌人の藤原俊成《ふじわらのとしなり》に命じた直後に、平氏が安徳《あんとく》天皇を擁して都落ちしたため、幼くして位についたのが後鳥羽天皇である。祖父の影響下で育ち、蹴鞠《けまり》や闘鶏《とうけい》・相撲《すまい》・競馬《くらべうま》

1

◉文化的統治をめざした後鳥羽上皇
承久《じょうきゅう》の乱に破れ、隠岐《おき》に流されることとなった後鳥羽上皇が、配流《はいる》前にみずからの姿を似絵《にせえ》の名人の藤原信実《ふじわらののぶざね》に描かせたものとされる。

など、あらゆる芸能にエネルギーを注いだ。『承久記《じょうきゅうき》』は、「水練、早態《はやわざ》、相撲、笠懸《かさがけ》のみならず、朝夕武芸を事として、昼夜に兵具を整へて兵乱を巧《たくみ》ましましけり」と記しており、それは武芸にまで及んでいる。いずれもみずからが行なって楽しむものであり、刀を焼き鍛えたり、盗賊の追捕《ついぶ》を指揮したりしたことが『古今著聞集《ここんちょもんじゅう》』の説話にも見えている。そこには、東国《とうごく》に成立した幕府の存在が大きく影響していたことであろう。幕府を文化的に圧倒する意図があったものと考えられる。

なかでもとくに力を注いだのが和歌であった。正治《しょうじ》二年（一二〇〇）に六条《ろくじょう》・御子左《みこひだり》の二つの和歌の流れに属する歌人たちに命じ、一〇〇首の歌を詠《よ》ませた「百首歌《ひゃくしゅうた》」が、その最初の営みである。

そのときの上々の成果に気をよくした後鳥羽上皇は、続いて建仁《けんにん》元年（一二〇一）七月二七日に和《わ》歌所《かどころ》を置き、勅撰集の撰進《せんしん》を藤原定家《さだいえ》や六条家の藤原有家《ありいえ》のほか、源通具《みなもとのみちとも》、藤原家隆《いえたか》・雅経《まさつね》、寂《じゃく》蓮《れん》らに命じたが、それは三度目の熊野詣《くまのもう》での直後のことである。熊野詣での直後に『梁塵秘抄《りょうじんひしょう》』を完成させた後白河上皇に倣ったものであろう。その結果、成立した勅撰集が『新古今和歌集』である。元久《げんきゅう》二年（一二〇五）三月に奏覧されたが、「みづからさだめ、てづからみがける」と、上皇自身も撰集にあたったと、表明している。つぎの歌はその上皇の代表歌である。

人もをし　人も恨めし　あぢきなく　世を思ふゆゑに　物思ふ身は
（『続後撰和歌集《ぞくごせんわかしゅう》』）

（人をいとしく、時に人がうらめしく思われる。つまらなくも、世のことを思うがゆえに、思い悩むこの私である）

この歌集は、王朝文化の保護者としての存在を示すとともに、東国の幕府に対する朝廷の文化的優位が示されており、鎌倉にもたらされて将軍源実朝《さねとも》にも大きな影響を与えた。そして上皇はこれとともに、歌人のみならず、広く芸能者を登用して芸能の道を深めてゆく。たとえば蹴鞠の芸では、名人たちから「蹴鞠の長者」の号を捧げられるほどの上達ぶりを示し（『承元御鞠記《じょうげんおんまりのき》』）、漢詩文を愛好すると、摂政《せっしょう》の藤原良経《よしつね》により始められた和歌と漢詩をそれぞれ歌人・詩人に詠ませて競い合わせる詩歌合《しいかあわ》せの企画を、みずからのものとしている（『元久詩歌合《げんきゆうしいかあわせ》』）。

さらに順徳《じゆんとく》天皇を位につけると、朝廷の有職《ゆうそく》・公事《くじ》の故実に熱中するようになり、上皇の行動を中心に記す公事の書『世俗浅深秘抄《せぞくせんしんひしょう》』を著わしたが、その影響を直接に受けて、順徳天皇は天皇のあるべき姿を『禁秘抄《きんぴしょう》』に著わした。そのなかで天皇の「諸芸能の事」について、つぎのように述べている。

天皇には第一に学問を求める。天皇は学問をさほど修めなくともよいという意見もあるが、それは末代に至って天皇に大才《たいさい》が求められなくなっただけのことであり、天皇もしっかり学問をすべきであると指摘する。天皇の芸能の第二には管絃《かんげん》をあげている。天皇の楽器はこれまで多くは笛であったと記すとともに、琵琶《びわ》もまたよろしい、とする。琵琶は醍醐《だいご》天皇の時代から名器の玄上《げんじょう》が宝物《ほうもつ》として伝えられていて、それを後鳥羽上皇が好んで演奏しており、順徳天皇もまた演奏したうえでの主張であった。王権を象徴する名器をわがものとして演奏することへの強い欲求に基づくものであって、これ以後、琵琶が天皇の楽器となっていった。

こうして後鳥羽上皇の時代には王権が文化に深くかかわるようになり、その王権のもとで、さまざまな芸能の家が確立をみることになる。

王権による家業の認定

藤原俊成《ふじわらのとしなり》の子定家《さだいえ》は、後鳥羽《ごとば》上皇の企画した「百首歌《ひゃくしゅうた》」で歌の才能を認められると、「正治《しょうじ》・建仁《けんにん》に及んで、天満天神の冥助《みょうじょ》を蒙《こうむ》り、聖主聖朝の勅愛に応じて、僅《わず》かに家の跡を継ぐ」と日記『明月記《めいげつき》』に記し、和歌の家の継承を果たしたと感激している。その定家の代表歌が、『新勅《しんちょく》撰和歌集《せんわかしゅう》』のつぎの歌である。

来ぬ人を　まつほの浦の　夕凪《ゆうなぎ》に　焼くや藻塩《もしお》の　身もこがれつつ

（待っても来ない人を待つ私は、松帆の浦の夕なぎの際に海辺で焼く藻塩のように、恋の思いに身も焦がれています）

和歌ではこの御子左《みこひだり》家のほかに六条《ろくじょう》家があり、また定家と並び称された藤原家隆《いえたか》は壬生《みぶ》の家を形成し、飛鳥井雅経《あすかいまさつね》もまた『新古今和歌集《しんこきんわかしゅう》』の撰進《せんしん》を行なって和歌の家の基礎を築いている。

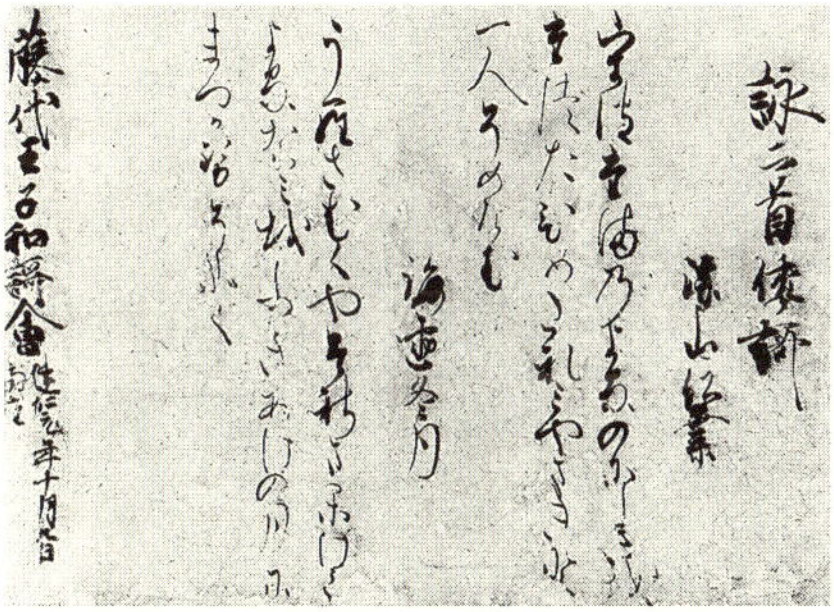

2

◉後鳥羽上皇の熊野懐紙
懐紙《かいし》とは、歌会で詠んだ歌を記す用紙のこと。図は建仁《けんにん》元年（一二〇一）に、熊野詣《くまのもう》での途中で開かれた藤代王子《ふじしろおうじ》の歌会で、後鳥羽上皇が詠んだ和歌を清書したもの。

そのほか慶忠《けいちゅう》の読経の家や、家寛《けかん》の声明《しょうみょう》（仏教音楽）の家、澄憲《ちょうけん》の唱導（説教）の家なども、この時代に確立をみており、儒学では菅原為長《すがわらのためなが》によって菅原氏の家が、藤原孝範《たかのり》によって藤原南家が、書では藤原行成《ゆきなり》の流れをひく行能《ゆきよし》の世尊寺《せそんじ》の家が確立している。

院政期を通じて貴族の家が形成されてきたことは先にみたが、この後鳥羽上皇の時期になって、家それぞれの芸能が家業として王権によって認定され、次代に継承されるようになったのである。おそらくそこには、東国《とうごく》の武家が武士の家の集合体として成立した影響もあったろう。

しかしこれらの家の確立は、後鳥羽上皇の強い個性との間に緊張感をはらんでなされたものである。定家は『明月記』に和歌をめぐる上皇との緊張感に満ちた交渉を記しており、ついに上皇の逆《げき》鱗《りん》に触れて出仕を止められることもあった。琵琶《びわ》と和歌の芸能を上皇に認められた鴨長明《かものちょうめい》も、上皇との軋轢《あつれき》から隠遁《いんとん》を余儀なくされた結果、京の郊外の日野《ひの》の草庵《そうあん》で世の無常を『方丈記《ほうじょうき》』に記し、発心《ほっしん》を求めた人々の動きを内面に入って観察した説話集『発心集《ほっしんしゅう》』を編んでいる。

さらに『新古今和歌集』の寄人《よりゅうど》を選ぶために後鳥羽上皇が実施した和歌の試験で不合格とされ、和歌の世界から退かざるをえなかった源顕兼《みなもとのあきかね》は、王権から逸脱した人々の話を集めて説話集『古事《こじ》談《だん》』を編んだ。これに後続する説話集『続古事談』は、上皇に仕えていて失脚した中納言《ちゅうなごん》藤原長兼《ながかね》が、あるべき王権の姿を説話のかたちで語ったものである。

これまでの院政期の王権は、列島に生じていた分権化の深まりに応じたものであったが、後鳥羽上皇が直面したのは東国における武家政権の成立であって、危機に応じてのものであった。したがって、その文化的統合の道は、やがては政治的統合へと向かった。承久《じょうきゅう》元年（一二一九）に源実朝《さねとも》が殺害されて、鎌倉とのパイプ役を失った上皇は、皇子を将軍として鎌倉に下してほしいと求める幕府の要請を一蹴《いっしゅう》した。意のままにならぬ武家に皇子を託すことはできなかったのであり、逆に寵《ちょう》愛《あい》する伊賀局《いがのつぼね》の所領に置かれた地頭《じとう》の停廃を求めて、幕府との対立を深めていった。

この後鳥羽上皇の行動に強い危機感を抱いたのが、上皇の護持僧《ごじそう》の慈円《じえん》である。日本の歴史を道理という視点に基づいて語るなかで、幕府の存在は道理に基づいたものであることを説いた歴史書『愚管抄《ぐかんしょう》』を著わすと、上皇に献呈して軽挙を諫《いさ》めようとした。しかし上皇は、八条院《はちじょういん》領や長講堂《ちょうこうどう》領などの皇室領荘園《しょうえん》を管轄するようになり、その経済的基盤が充実したこともあって、政治的統合を求めて討幕へと邁進《まいしん》し、ついには挙兵に踏み切った。ところが上皇方につく勢力は意外に少なく、圧倒的な幕府軍の前に敗れて隠岐《おき》に流され、子の順徳《じゅんとく》天皇も佐渡《さど》に流されてしまった。

この承久三年の承久《じょうきゅう》の乱《らん》のあと、朝廷政治は混乱したが、幕府の後押しによって後高倉《ごたかくら》法皇院政が開始されたように、文化や芸能も幕府とのかかわりのなかで展開してゆく。たとえば藤原定家は『新勅撰和歌集』を編んだが、幕府に配慮して後鳥羽上皇と順徳天皇の和歌が除外され、後堀河《ごほりかわ》天皇の和歌が巻頭に据えられた。『新古今和歌集』を編んだ後鳥羽上皇の記憶がまだなまなましく、そのため『新勅撰和歌集』の編纂《へんさん》は著しく政治的な性格を帯びていたのである。

承久の乱前後の天皇系図

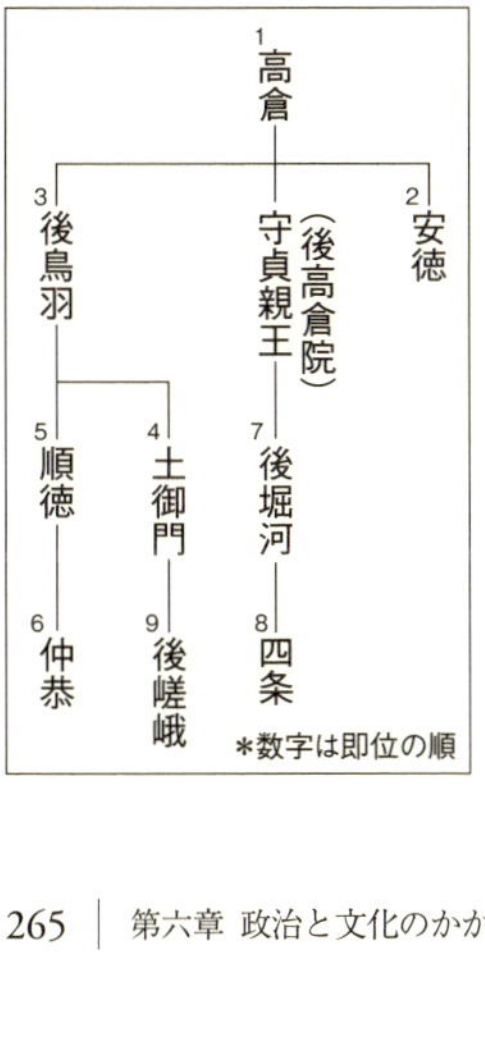

勅撰集は武家の存在を顧慮しつつも、王朝の権威を高めるべく編まれるようになっていた。

京から鎌倉への文化の流れ

鎌倉に武家政権を築いた源頼朝《みなもとのよりとも》は、政治機構や文化を整えるうえで、京から鎌倉に下ってきた人々を重用した。元暦《げんりやく》元年（一一八四）四月一四日、二人の文士が鎌倉に下ってきたが、そのうちの源光行《みつゆき》は、叔父季貞《すえさだ》が平清盛《たいらのきよもり》・宗盛《むねもり》の近くに仕え、父豊前前司《ぶぜんぜんじ》光季《みつすえ》も平氏に属していたことから、平氏の没落とともに父の免罪を請うためにやってきたものである。もうひとりの三善康信《みよしやすのぶ》は頼朝の乳母《めのと》の親類で、早くから頼朝に都の情勢を伝えてきており、このときには頼朝から「武家の政務」の補佐を託されたという。

このように武家政権の成立とともに、武家の威に服してその援助を得るため、あるいは武家政権の求めに応じるため、新たな未来をかけて鎌倉に下ってきた文士や芸能の人々、僧や職人などによって、武家の文化は形成されていったのである。

ところで頼朝といえば、下に掲げる京都の神護寺《じんごじ》蔵の画像がこれまで頼朝像として信じられてきた。その端正な風貌《ふうぼう》や威厳ある姿から、頼朝の人格や政治的動きを考えてきた人もいたのだが、これが頼朝であることの歴《れき》たる証拠はない。神護寺に残る記録や伝承によって、そう考えられてきたにすぎないのである。神護寺に残る記録を検討した研

◉いくつもの頼朝像
右が神護寺の伝源頼朝像。頼朝といえばこの像を思い浮かべる人も多いだろう。左は甲斐善光寺の源頼朝彫像。頼朝像として作成されたことがいちばん確実なものといわれる。

究から、足利直義《あしかがただよし》の画像ではないかとの説も出されたが、その装いなどは鎌倉期のものと考える見解もあって、これもまた確証が得られていない。したがって現段階では「伝源頼朝像」として処理されている。

神護寺は文覚《もんがく》が再興の努力をした寺で、頼朝はそれに多大な援助をしており、頼朝の画像がここにあっても不思議ではない。一方、同じように頼朝が再建に援助した寺に信濃《しなの》の善光寺《ぜんこうじ》があるが、その善光寺にあったと考えられる頼朝像が、甲斐《かい》の善光寺（甲府市）に蔵されている。

文治《ぶんじ》三年（一一八七）七月、頼朝は、焼失した信濃の善光寺の再興に合力《ごうりき》するよう「信濃国庄園公領沙汰人《さたにん》」に命じている。これは善光寺の阿弥陀《あみだ》仏を東国《とうごく》の霊仏として篤《あつ》く信仰し、顕彰することによって、東国の王としての存在を高めようとしたものである。そのあとの文治四年三月一〇日に、東大寺《とうだいじ》の重《ちょう》源《げん》上人から東大寺の修造への助成依頼があると、これにも積極的に対応し、東国の地頭《じとう》らに沙汰《さた》するように命じている。これは国王の寺の檀越《だんおつ》としての存在を示すものであった。

3

東国育ちの実朝《さねとも》が将軍になると、新たな動きが認められる。元久元年《げんきゅう》（一二〇四）正月に、源仲《なか》章《あきら》を侍読《じどく》に実朝の読書始《とくしょはじめ》が行なわれたが、この仲章は後鳥羽《ごとば》上皇の近臣であった。『愚管抄《ぐかんしょう》』には、儒者の家の生まれではないが、家を興《おこ》して儒家に入り、菅原長守《すがわらのながもり》の弟子となって学問に励んだ、と指摘されている。また儒者の菅原為長《ためなが》は、北条政子《ほうじょうまさこ》の依頼によって政治指南の書物『貞観政要《じょうがんせいよう》』の仮名文をつくって実朝に献上しており、政子は幼い実朝の教育を心がけたのであろう。さらに和歌では藤原定家《ふじわらのさだいえ》が実朝の師となっており、鴨長明《かものちょうめい》も関東に下って実朝に面会している。

実朝は京から妻を招き、後鳥羽上皇の政治に倣ったこともあって、鎌倉の文化は急速に京風に染められていった。建暦《けんりゃく》元年（一二一一）七月四日に『貞観政要』の読み合わせを始め、一一月二〇日まで続けているが、それを学んでいたときに、実朝はつぎの歌を詠んでいる。

建暦元年七月洪水天に漫《はびこ》り、土民愁歎《しゅうたん》せむことを思ひて一人本尊に向ひ奉り、聊《いささ》か祈念を致して云ふ

時により　すぐればたみの　なげきなり　八大竜王　雨やめたまへ

（時によって過ぎたるのは民の嘆きとなります。八大龍王よ、雨が降るのを止めさせてください）

『吾妻鏡《あずまかがみ》』には、この記事の近くに洪水があったとはなく、おそらくは『貞観政要』を学ぶなかで民を思うこの歌を詠んだのであろう。しかし和歌と蹴鞠《けまり》を好んだその京寄りの動きのため、承久《じょうきゅう》元年（一二一九）に側近の源仲章とともに殺害されてしまった。

承久の乱後になると、京から鎌倉をめざす動きは加速化した。多くの人々が鎌倉に下って新たな活躍の場を求め、武家の支えで家業の形成を図った。たとえば、紀行文『海道記《かいどうき》』は、危うく乱に連座して処刑されそうになった源光行《みつゆき》の手になるものと考えられる。これは貞応《じょうおう》二年（一二二三）四月上旬に、京の白河《しらかわ》に住む「侘士《わびびと》」が鎌倉に赴いたときの作品という体裁をとり、漢文の訓読体に近い和《わ》漢混淆文《かんこんこうぶん》で記されている。そしてそれから二〇年後の仁治《にんじ》三年（一二四二）八月中旬、京の東《ひがし》山《やま》のあたりに住む「閑人《かんじん》」が、鎌倉に旅行した際の紀行文として著わされたのが『東関紀行《とうかんきこう》』である。流麗な和漢混淆文で記されていて、これは光行の子親行《ちかゆき》の作品とみられる。二つの紀行文には鎌倉の繁栄が記され、京から鎌倉に下ってゆく文化人の思いがよく記されている。

頼朝が東海道を整備して以来、その道筋には新宿が設けられるなど、交通の発達は著しく、これらの紀行文は東海道が文化をはぐくむ場として成長してきたことを物語っている。その後も阿仏尼《あぶつに》の『十六夜日記《いざよいにっき》』や後深草院二条《ごふかくさいんにじょう》の『とはずがたり』などが生まれている。

東海道のほかにも、鎌倉と各地をつなぐ鎌倉道《かまくらみち》に道の文化は成長していった。宴曲《えんきょく》に詠まれた善光寺詣《もう》での道や、『曾我物語《そがものがたり》』に描かれた、工藤祐経《くどうすけつね》をねらって曾我兄弟が歩んだ道などである。これらの道は、『平家物語《へいけものがたり》』を語る琵琶《びわ》法師や、『曾我物語』を語る盲目の御前《ごぜ》など多くの芸能者が通り、さらには一遍《いっぺん》をはじめとする多くの宗教者を運んだのである。

皇統の分裂と文化

後嵯峨院政と新たな文化の展開

承久《じょうきゅう》の乱《らん》後の混乱を乗りきった朝廷は、幕府の徳政の要請に応じて、寛元《かんげん》四年（一二四六）に将軍頼経《よりつね》の父九条《くじょう》（藤原《ふじわら》）道家《みちいえ》を退けて、関東申次《もうしつぎ》を西園寺《さいおんじ》実氏《さねうじ》に交替させると、後嵯峨《ごさが》上皇の院政のもとに評定衆《ひょうじょうしゅう》を置き、評定衆を中心にした政治の運営を行なう、新たな院政体制を構築した。

幕府の要請で後高倉《ごたかくら》院政が生まれ、幕府に擁立されて後嵯峨天皇が位につくという幕府優位の段階を経て、この後嵯峨院政の成立によって、それまでの公家《くげ》・寺家・武家などの権門《けんもん》が相互補完的に国家の機能を分担する権門体制から、新たな院政体制へと転換していったのである。

それとともに上皇は、宗尊《むねたか》親王を将軍として幕府に送る協調路線をとり、病弱な後深草《ごふかくさ》天皇にかえてその弟の亀山《かめやま》天皇を立てると、亀山天皇は期待にこたえて早くから評定会議の場に臨席し、政治への関心を深めていった。蒙古《もうこ》の国書が到来した文永《ぶんえい》五年（一二六八）、後嵯峨上皇は識

4

◉蹴鞠
一三世紀後半に院政を行なった後《ご》嵯峨《さが》院の時代に、内裏で催された蹴鞠を描いたもの。後嵯峨上皇は蹴鞠をはじめさまざまな芸能を好んだ。（『なよ竹物語絵巻《たけものがたりえまき》』）

者に意見を求め、六月一四日にそれに応じて提出された意見について評定が行なわれたが、その場には後嵯峨・亀山両主が臨んでいる（『吉続記《きちぞくき》』）。

このときに前右大臣の徳大寺実基《とくだいじさねもと》が提出した意見書（『徳大寺実基政道奏状《せいどうそうじょう》』）は、宋《そう》の書物を引用して仏法衰微を指摘し、王権の危機意識を強調し、王権の主導性を強く主張したものであって、きわめて合理的な考えに基づいていた。その合理的なものの考え方は、『徒然草《つれづれぐさ》』のいくつかの話にもうかがえる。たとえば亀山殿の御所を建てるときに、蛇が出てきてやめようかという議論があったとき、王土に住むものは王には逆らえない、として実基が反対意見を退けたという（二〇七段）。

こうして後嵯峨院政の展開とともに、儒学の勉学が行なわれ、王朝の古典文化の学習が盛んになった。歴史書『五代帝王物語《ごだいていおうものがたり》』は後嵯峨の時代を聖代として描き、『徒然草』もこの後嵯峨の時代を高く評価している。その後嵯峨上皇は、文永九年正月に死を予期して亀山殿に移ると、譲状《ゆずりじょう》をしたため、後深草上皇・亀山天皇らに所領を配分して亡くなったのだが、つぎの政治を担う治天《ちてん》の君《きみ》については記さなかった。指名をしたところで、幕府によって覆されるならば、そうしないほうがよい、という考えであったろうが、このために後深草院と亀山院の間に後継者争いが始まった。

後深草上皇は、父が弟のほうに愛情を注ぐなか、待望の皇子を文永二年にもうけたので、これに皇位継承の望みを抱いたのだが、親王宣旨《せんじ》が下されぬうちに文永四年に亀山天皇に皇子が生まれ、その皇子が翌年に皇太子に立てられてしまった。ここに後嵯峨上皇は亀山天皇の子孫に皇統を伝えようと考えていたことがわかるが、しかし後深草上皇はあきらめなかった。琵琶《びわ》を習って秘曲の伝授をこの時期に受けているのは、そのことをよく物語っている。琵琶は、後鳥羽《ごとば》上皇が天皇の楽器として位置づけたことで、王権を象徴する楽器となっていたのである。

こうして後嵯峨の死後に、嫡系を主張する後深草上皇と、皇統の継承は今までの流れから明らかであるとする亀山天皇の間に争いが生じたが、結局、二人の母である大宮院《おおみやいん》の裁定により、後嵯峨の真意は亀山天皇にあるとされ、そのまま亀山天皇の政治が続行した。そこで天皇は文永一一年の蒙古襲来の直前に位を子に譲り、後宇多《ごうだ》天皇を立てて院政を開始し、文永の役をしのいだのであった。

ところがその翌年の建治《けんじ》元年（一二七五）一〇月、幕府の使節が突然に上洛《じょうらく》すると、後深草上皇の皇子熙仁《ひろひと》を皇太子に立て、鷹司兼平《たかつかさかねひら》を摂政《せっしょう》に就任させるよう要請してきた。後深草上皇が「このままでは出家して呪《のろ》うぞ」という強い意思を示して幕府を動かしたのである。これによりつぎの天皇には皇太子熙仁がつくことが約束され（伏見《ふしみ》天皇）、その父である後深草上皇が院政を行なうことが定まった。ここに天皇家の分立、皇統の分裂という事態が生じることになったのである。

亀山院の大覚寺統《だいかくじとう》と後深草院の持明院統《じみょういんとう》への皇統の分裂であり、大覚寺と持明院はそれぞれの皇統が管理していた御所の名である。直接には後深草上皇の執念がこの事態をもたらしたのではある

皇統分裂期の天皇系図

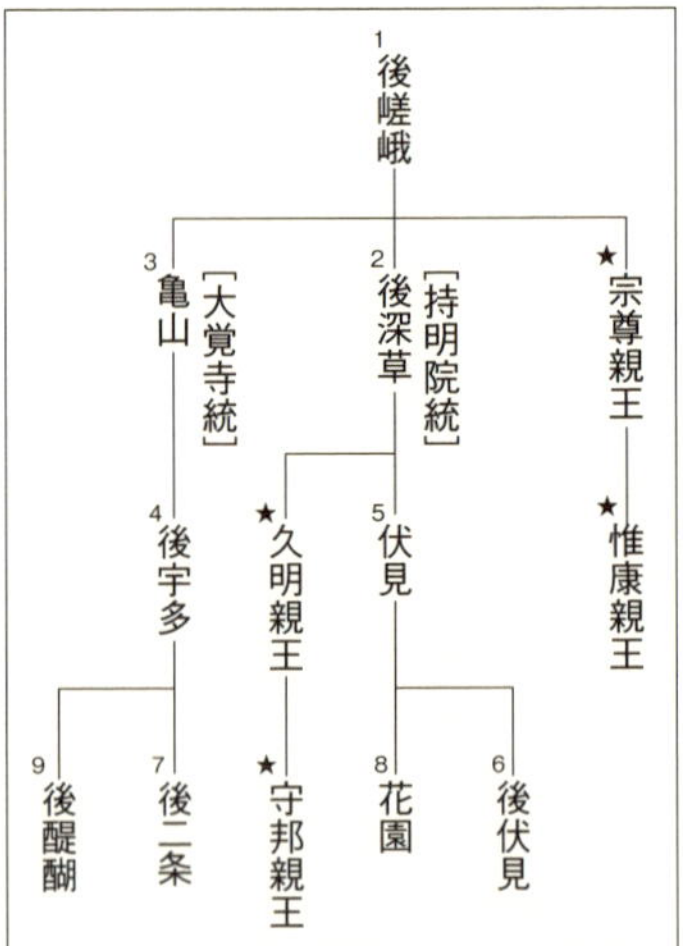

＊数字は即位の順。★印は鎌倉将軍

が、これには朝廷と幕府との窓口となっていた関東申次の西園寺実兼《さねかね》が介入していたものとみられる。実兼は、亀山上皇が実兼の叔父洞院実雄《とういんさねお》と結んでいることに反感を抱き、後深草上皇と結ぶようになったのである。そのこともあって実兼は皇太子熙仁の東宮大夫《とうぐうだいぶ》となり、摂政には、後深草上皇が天皇だったときの摂政である鷹司兼平がついている。

皇統の分裂と討幕への道

これまでにも皇統の分裂傾向はあったが、ほどなく解消されてきたのに、このたびについてはそうはゆかなかったのは、この皇統の対立の背景に、家をめぐる分立や対立が広く起きていたからである。摂関家《せっかんけ》では近衛《このえ》・鷹司《たかつかさ》・九条《くじょう》・二条《にじょう》・一条《いちじょう》の五つの家に分かれて争うようになっており、和歌の御子左家《みこひだりけ》も、藤原定家《ふじわらのさだいえ》の孫の代になって二条・京極《きょうごく》・冷泉《れいぜい》の三つの家に分立して争っていた。ほかの家においても、西園寺《さいおんじ》家と洞院《とういん》家のような嫡子と庶子をめぐる対立が起きており、それぞれが分裂した皇統や摂関家に結びつき、また幕府を頼んだので、対立は深刻になっていた。

それは文化にも影響していた。亀山《かめやま》治世の下で編まれた『続拾遺和歌集《ぞくしゅういわかしゅう》』から以後、大覚寺統《だいかくじとう》と持明院統《じみょういんとう》の対立の時代を反映して、御子左家の家督を継承した二条家が大覚寺統と結びつき、庶流の京極家が持明院統と結んで、勅撰《ちょくせん》集の撰者を争ったため、皇統の交替とともに短期間で勅撰集が編まれるようになったのである。なお冷泉家は、幕府に出仕してわが家の正統性を主張した。

こうして朝廷には二つの流れが生じた。ひとつは幕府の路線に合わせながら、朝廷固有の領域を固守しようという持明院統であり、もうひとつは儒学や仏教など大陸の文化に関心を示し、王権に権力を集中しようとした大覚寺統の流れである。二つの流れは、幕府の示した、両統が交替で治《ち》天《てん》の君《きみ》を出す両統迭立《てつりつ》という提案をめぐって、互いに競い合いながら、それぞれに党派をつくり、しだいに大きな潮流を形成していったが、それは文化の領域にも及んでいた。

持明院統では、伏見《ふしみ》・後伏見が和歌を好み、書をよくしており、京極為兼《ためかね》に『玉葉和歌集《ぎょくようわかしゅう》』を編ませるなど、新たな文化の振興に力を注いだ。なかでも和歌に新風を吹きこんだ為兼は、佐渡《さど》に流され、ついで土佐《とさ》にも流された特異な政治家であった。伏見上皇の子花園《はなぞの》天皇は、後嵯峨《ごさが》以来の中国の学問研究にも熱心で、その日記には毎日、何を学んだかを事細かく記し、とくに年末には一年間に読んだ書目をあげ勉学に励んだ。

大覚寺統では、亀山《かめやま》、後宇多《ごうだ》と中国の学問研究や禅宗《ぜんしゅう》など仏教の信仰に熱心であったが、その傍流から出た後醍醐《ごだいご》天皇は、日野《ひの》資朝《すけとも》などの少壮の学者や文観《もんかん》などの祈禱《きとう》僧を集めて儒教の談義などを行なった。「近日、禁裏頻《しき》りに道徳・儒教の事、沙《さ》

5

●後醍醐天皇の最初の討幕計画
後醍醐天皇の側近の日野資朝が、討幕を謀るために土岐《とき》頼員《よりかず》・多治見《たじみ》国長《くになが》らを集めて開いた無《ぶ》礼講《れいこう》の様子。討幕計画を事前に漏らしたのは土岐頼員といわれる。（『太平記《たいへいき》絵《え》巻《まき》』）

汰《た》ありと云々《うんぬん》」と、花園天皇は後醍醐天皇（「禁裏」）の動静を記し、藤原冬方《ふゆかた》や藤原俊基《としもと》らがかかわっているとしている（『花園天皇日記』）。やがてその周辺から「承久《じょうきゅう》の乱《らん》前の体制に戻れ」というスローガンが掲げられるようになり、天皇の出す綸旨《りんじ》の万能を主張して、他の権力や権威を否定していった。

元亨《げんこう》二年（一三二二）に後醍醐天皇は親政を開始すると、京都の職人を統轄する政策をとるとともに、記録所を置いて、訴訟をみずからが裁き、飢饉《ききん》に応じては米を放出するなどの意欲的な政治を推進していった。しかし皇位をわが子ではなく、兄の後二条《ごにじょう》天皇の系統に継承させることが幕府によって定められたことから、不満は幕府に向けられ、それが高じて皇位を実力でわが系統に伝えるべく討幕の謀《はかりごと》をめぐらしたのである。その計画は正中《しょうちゅう》元年（一三二四）に密告によって事前に漏れたが（正中の変《しょうちゅうのへん》）、このとき、万里小路《までのこうじ》宣房《のぶふさ》が鎌倉に持参した弁明書には、「関東は戎夷《じゅうい》なり。天下管領然《しか》るべからず。率土の民は皆皇恩を荷《にな》ふ。聖主の謀叛《むほん》と称すべからず」と記されていたという。天下管幕府は戎夷であってそれが天下を管領すべきではない、国内の民は天皇の恩を負うものであり、天皇に謀叛を称してはならない、とはあくまでも強気の天皇であった。

討幕の基盤となった天皇至上主義

後醍醐《ごだいご》天皇は儒学を学んだことから、中国の宋学《そうがく》に基づいて政権を築こうとしたのかというと、そうではなかった。後醍醐の肖像が神奈川県藤沢《ふじさわ》市の清浄光寺《しょうじょうこうじ》に残されているが、それはこれまでの天皇とは異なって、身には袈裟《けさ》をまとい、手には密教の法具を持ち、冠は中国の天子に倣い、そして頭上には天照皇大神《てんしょうこうたいしん》（伊勢《いせ》神宮《じんぐう》の神）、八幡大菩薩《はちまんだいぼさつ》、春日大明神《かすがだいみょうじん》の神の名が墨で書かれている。王法・仏法・神祇《じんぎ》で身を飾ったその姿こそ、この王権のあり方をよく物語っていよう。

花園《はなぞの》天皇は儒学を学ぶ意味について、「本性《ほんしょう》に達し、道義を修め、礼儀を知り、変通《へんつう》を弁じ、往《ゆく》を知り来《きたる》を鑑《かんがみ》る」ものと考えており、このような徳政の思想からすれば、天皇は徳ある王であらねばならなかったのだが、無礼講を開くなどした後醍醐天皇はそうした考えをまったく持ちあわせていなかった。

二度目の後醍醐の討幕の計画も元徳《げんとく》三年（元弘《げんこう》元年〔一三三一〕）に六波羅探題《ろくはらたんだい》に漏れて、天皇は京都を脱出して笠置山《かさぎやま》にこもった。驚いた幕府はすぐに大軍を上らせて天皇の身柄を拘束し、隠岐《おき》に流して持明院統《じみょういんとう》の光厳《こうごん》天皇を立てたのである（元弘《げんこう》の乱《らん》）。後醍醐の挙兵計画を諫《いさ》めた近臣の吉田定房《よしださだふさ》は、「異朝は紹運《しょううん》の体、頗《すこぶ》る中興多し。蓋《けだ》し是《こ》れ異姓更《さら》に出づる故《ゆえ》のみ。本朝の刹利《せつり》天祚《てんそ》一種なるが故に、陵遅《りょうち》（衰え）目に甚《はなは》だしく、中興期なし」と語って、日本で中興の政策がうまくゆかないのは、天子の種がひとつであるからだと指摘したが、これに対して後醍醐は、天皇の種に基づいてその支配の絶対性を主

6

◉後醍醐天皇像
「後醍醐」の名は、天皇親政の醍醐・村上《むらかみ》両天皇の時代を理想とし、みずから名のったもの。強烈な個性と自負の天皇であった。

張し、あらゆる領域の人々にかかわっていった。

そのなかには急成長してきた「悪党《あくとう》」がいた。播磨国《はりまのくに》の動きを綴《つづ》った『峯相記《ぶしょうき》』はこう語っている。

「正安《しょうあん》・乾元《けんげん》のころ（一三〇〇年頃）から悪党の活動は目にあまり、耳に満ちて聞こえるようになった。海賊・山賊・強盗のほか、借金の取り立てや追剝《おいは》ぎも行ない、柿色に染めた着物に女用の笠を着けるなどその異類・異形《いぎょう》なるありさまは、ほかの人々とは異なっており、竹の長い槍《やり》や撮棒《さいぼう》などを武器に持つ風体で、一〇人・二〇人など集団をつくり城にこもって合戦を行なうようになった。それが一三二〇年代になると、立派な馬に乗り、五〇騎、一〇〇騎を連ねて、弓矢や武器も金銀をちりばめ、鎧《よろい》腹巻きも照り輝くばかりになって、各所を動きまわるほどに成長していった」

荘園《しょうえん》の年貢を納めず、各所で乱暴を働いて荘園領主に訴えられ、幕府から悪党として追捕《ついぶ》の対象となっていた武士たちが、裕福な存在へと上昇していたことがわかる。彼らは流通経済に乗って富を蓄えてきた新興の武士であり、時に「悪党」として追捕の対象ともなったが、それには御家人《ごけにん》なども加わるように

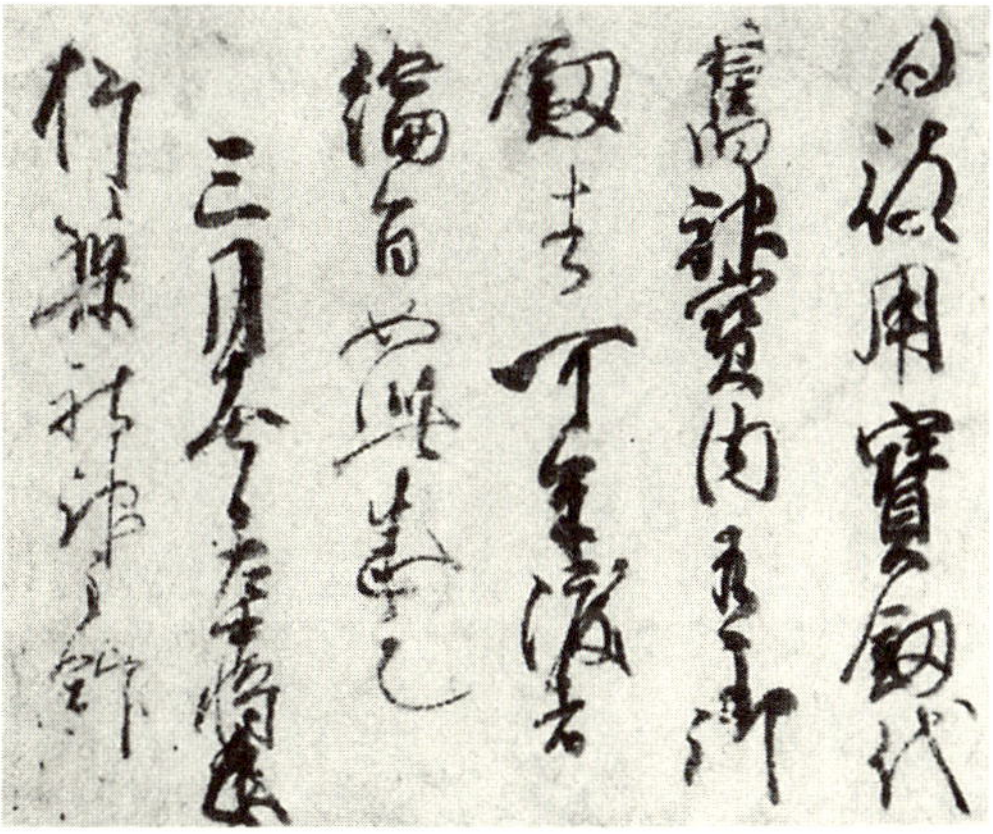

7

●後醍醐天皇直筆の綸旨
正慶《しょうきょう》二年（元弘三年〔一三三三〕）に配流《はいる》先の隠岐を脱出した後醍醐天皇が、杵築社《きづきしゃ》（出雲《いずも》大社）に宝剣の献上を命じた綸旨《りんじ》。本来は蔵人《くろうど》などが書くところを、天皇が直筆している。

なっていた。そうした悪党を後醍醐は手足に使ったのである。

元弘の乱によって「天皇の御謀叛《むほん》」も一件落着するかにみえたが、畿内近国には楠木正成《くすのきまさしげ》らの新興の武士の勢力が、新たな戦法によって挙兵するという事態が起き、さらに有力御家人の足利高氏《あしかがたかうじ》（尊氏）が反旗を翻したことから情勢は一変した。北条氏《ほうじよう》に次ぐ幕府の有力者の反旗によって幕府は分裂し、京の六波羅探題、鎌倉の幕府、そして博多《はかた》の鎮西探題《ちんぜいたんだい》がそれぞれ襲撃の的とされ、ついに滅び去ったのである。後醍醐のとなえる王権至上主義が討幕をもたらし、公武一統の建武《けんむ》政権が生まれたのであった。

婆娑羅の王権

南北朝《なんぼくちよう》の動乱を象徴する画像といえば、これまで足利尊氏《あしかがたかうじ》の像とされてきた騎馬武者像があげられる。ざんばら髪に、刀を肩に担い、矢は折れ、という奮戦のスタイルは、動乱に疾駆する武者のあり方を雄弁に物語っている。頭上に尊氏の花押《かおう》があることから尊氏像とされてきたが、近年になって、むしろそれを根拠として尊氏像ではなく、尊氏に仕えていた、たとえば高師直《こうのもろなお》などのような尊氏配下の武士の像と見なされるようになった。

新政権の誕生とともに、それとばかりに所領の安堵《あんど》と獲得をめざした諸国の武士たちは京都に殺到し、京の社会は大混乱に陥った。その様子を皮肉ったのが「京童《きようわらわ》の口遊《くちずさみ》」を記した「二条河原落書《にじようがわらくしよ》」である。落首《らくしゆ》が立てられた二条河原は建武《けんむ》政権の御所と目と鼻の先の鴨川《かもがわ》の河原である。

此《こ》ノ比《ごろ》都ニハヤル物　夜討・強盗・謀綸旨《にせりんじ》
召人《めしゆうど》・早馬・虚騒動《からさわぎ》　生頸《なまくび》・還俗《げんぞく》・自由出家

ここには恩賞を求め、情報を求めて、右往左往している武士たちの姿がよくうかがえる。天皇が綸旨万能を主張し、綸旨をつぎつぎに発給したため、それを利用して謀綸旨が横行し、召人（囚人）や早馬・虚騒動など何やらわからぬままの騒動に巻き込まれ、いつしか首が晒《さら》されたり、僧が還俗《げんぞく》したり、武士や貴族が勝手に出家したりするなど、僧俗の秩序がなくなった。

俄《にわか》大名・迷者《まよいもの》　安堵・恩賞・虚軍《そらいくさ》
本領ハナルル訴訟人　文書入タル細葛《ほそつづら》
追従・讒人《ざんにん》・禅律僧　下剋上《げこくじょう》スル成出者《なりでもの》

突然に大名になった者がいるかと思えば、所領を失って没落する者もいる。安堵を求め、恩賞を求めて、偽って戦《いくさ》をしたかに見せかけたり、本領を離れて細葛籠《かご》に文書を入れ、訴訟の

8

◉騎馬武者像
長く足利尊氏像とされてきたが、現在ではほぼ否定されている。それでも、南北朝期の傑出した武士像であることは間違いない。

人々が上洛《じょうらく》してくる。綸旨を得るため人に追従し、人を陥れ、また禅僧・律僧などの政権に取り入った僧を頼むとは、なんともはや下剋上をする者たちか。

こうした状況にあって、建武政権は数年にして瓦解《がかい》してしまった。すべてを後醍醐《ごだいご》天皇個人が勅《ちょく》断《だん》するシステムには、本来的に無理があった。旧領を安堵し、新恩を給与することを政権はうたっていたが、旧領を回復させると新恩地は少なくなってしまい、新恩を与えると旧領の回復を願う要求にこたえられないことになる。やむなく後醍醐天皇は、訴訟を受理する雑訴《ざっそ》決断所《けつだんしょ》を置き、そこを通じて訴訟などを担当させたが、「洩《も》るる人なき決断所」と「二条河原落書」に指摘されたように、さまざまな人をそこに登用したため、身動きがとれなくなる弊害も起きた。

摂関《せっかん》を停止し、知行国制《ちぎょうこくせい》も廃するなど、律令制《りつりょう》に回帰し、後醍醐みずからが『建武年中行事《けんむねんじゅうぎょうじ》』を著わすなど律令政治への復古をスローガンとしたのだが、すでに王朝の政治機構は変質して久しく、後醍醐の考えたとおりには機能しなくなっていた。復古の掛け声は、結果的には律令との訣別《けつべつ》をもたらすことになったのである。

新たな財源を考えて紙幣を発行しようとし、また新たに御家人《ごけにん》に課役を賦課しようとしても、そのいずれもうまくゆかず、ついには足利尊氏が反旗を翻して、幕府との協調を主張していた持明院《じみょういん》統《とう》の天皇が立てられることになった。こうして建武政権は崩壊し、後醍醐天皇は吉野《よしの》に逃れて正統を主張することになり、ここに南北朝の対立が生まれたのである。

室町《むろまち》幕府の政治方針を記した建武《けんむ》式目《しきもく》は、「近日、婆佐羅《ばさら》と号して、専《もっぱ》ら過差を好み、綾羅錦繡《りょうらきんしゅう》・

精好銀剣《せいごうぎんけん》・風流服飾《ふりゅうふくしょく》、目を驚かさざるはなし」と記し、華美で贅沢《ぜいたく》（「過差」）な婆娑羅《ばさら》の風潮が広がっていたと批判したが、いわば後醍醐天皇の王権はこの婆娑羅風であったともいえよう。「バサラ」とは金剛石（ダイヤモンド）のことであるが、その硬さと輝きと同じ怪しい魅力が、この時代にはあった。

鎌倉幕府は鎌倉時代末期になると「公家《くげ》」に対して「公方《くぼう》」と称していたが、その公方を否定して築かれた後醍醐天皇の公武一統が崩壊したのち、さまざまな公方が生まれることになった。室町幕府は公方様、関東を支配する鎌倉府は鎌倉公方と称され、各地には「所の公方」「時の公方」が出現し、公方の多元化と重層化が起きることになった。これを契機にして天皇の権威は、個々の荘園《しょうえん》村落にまで下降していった。武士も、職人も、村人も綸旨を得たと称し、あるいは偽《にせ》綸旨を作成して、自己の権利を主張していった。そのため朝廷に集中していた権威も、広く分散していった。後醍醐天皇の公武一統を経て、本格的な分権化が始まったのである。

そうしたなかで地方の文化の動きとして見落とせないのが、談義所《だんぎしょ》の展開である。鎌倉時代後期から地方では、僧侶の研鑽《けんさん》の場として、また学問活動の拠点として談義所が多数生まれていた。その初見は信濃《しなの》佐久《さく》の津金《つがね》談義所であるが、こうした天台宗《てんだいしゅう》の談義所は、武蔵《むさし》慈光寺《じこうじ》の尊海《そんかい》が川越《かわごえ》の無量寿寺《むりょうじゅじ》を再興して仙波《せんば》談義所を設けてから、関東の各地に生まれるようになった。それは天台宗のみならず、真言宗《しんごんしゅう》・日蓮宗《にちれんしゅう》・浄土宗《じょうどしゅう》へと拡大されてゆき、これが地方の学問文化の拠点となったのである。

室町殿の統一王権

寄合の芸能

婆娑羅《ばさら》の王権を体現した後醍醐《ごだいご》天皇に対して、佐々木導誉《ささきどうよ》（高氏《たかうじ》）は婆娑羅の風俗を体現した大名であった。当初は鎌倉幕府の得宗《とくそう》の北条高時《ほうじょうたかとき》に仕えていたが、幕府の滅亡に動いたのちは、建武《けんむ》政権で雑訴《ざっそ》決断所《けつだんしょ》の奉行《ぶぎょう》をつとめ、さらに足利尊氏《あしかがたかうじ》に従って室町《むろまち》幕府が成立すると、近江《おうみ》守護や政所《まんどころ》執事をはじめ室町幕府の要職をつとめるなど、変転する政治情勢に巧みに乗っている。

導誉は『佐々木系図』に「香会《こうえ》、茶道、人に長ず」と記された風流《ふりゅう》の文化人でもあり、世阿弥《ぜあみ》の『中楽談義《さるがくだんぎ》』に猿楽能《さるがくのう》に影響を与えた人物と記されている。茶や能、連歌《れんが》・花・香といったこの時代のあらゆる領域の芸能の展開に深くかかわったが、その婆娑羅ぶりについて、『太平記《たいへいき》』はいくつものエピソードを載せている。

暦応《りゃくおう》三年（興国《こうこく》元年〔一三四〇〕）一〇月、子の佐々木秀綱《ひでつな》が延暦寺《えんりゃくじ》の門跡寺院である妙法院《みょうほういん》の法師との諍《いさか》いから打擲《ちょうちゃく》されたのを怒った導誉は、妙法院を焼き討ちし、そのために比叡山《ひえいざん》の訴えにあい、流されることになった。しかしその配流《はいる》の途中で、猿が比叡山の神の使者と考えられていたことから、若党三〇〇人に猿皮の靫《うつぼ》に猿皮の腰当《こしあて》をさせ、鶯籠《うぐいすこ》を持たせて従わせたばかりか、酒肴《しゅこう》を設けて遊女と遊ぶなど、公家《くげ》の成敗と山門《さんもん》の訴えをあざ笑ったという。

貞治《じょうじ》五年（正平《しょうへい》二一年〔一三六六〕）三月には、時の管領《かんれい》斯波《しば》高経《たかつね》が将軍の屋形《やかた》で花の下の遊宴を開こうとしたのに対抗して、洛西《らくせい》の大原野《おおはらの》で花の下の宴を開いたが、その贅《ぜい》を尽くしたさまは、まさに豪華絢爛《けんらん》「世に類《たぐい》なき遊び」であって、高経のもくろみを台なしにしたという。

南北朝《なんぼくちょう》の動乱は、吉野《よしの》に逃れた後醍醐天皇が亡くなると、その供養が天龍寺《てんりゅうじ》で行なわれ、それとともにおさまるかにみえたが、尊氏と弟直義《ただよし》との間で武家政治の方針をめぐる対立もあって、戦乱は容易にはおさまらなかった。それがしだいに終息を迎えてゆくのは、『太平記』が完成した一三六〇年代である。この時期の文化のあり方をよく物語るのが、導誉もたしなんだ茶と連歌《れんが》である。

栄西《えいさい》によって伝えられた茶を飲む習慣は、鎌倉時代後期になると急速に広がり、幕府の執権金沢貞顕《しっけんかねざわさだあき》が書状で、「茶以下唐《から》物《もの》」と唐物の筆頭には茶をあげるほどで、栂尾《とがのお》や宇治《うじ》などの国産の茶の栽培も始まっていた。たんに飲むにとどまらず、茶の飲み当てを競う茶勝負としての闘茶《とうちゃ》も行なわれるようになった。そうした茶会の風景を描くのが『太平記』巻三三の「武家富貴《ふうき》の事」である。武士が富貴を謳歌《おうか》し、身に錦繍《きんしゅう》をまとい、食には八珍《はっちん》を尽くし、都では佐々木導誉をはじめとする大名が茶の会を開いて寄り合い、異国・本朝の重宝を集め、百座の粧《よそお》いを競っている、と記し、なかでも闘茶の会の勝負では、染

◉**闘茶札**
闘茶は、何種類かの茶を用意して自分の飲んだお茶がどれかを当てたり、「本」（京都の栂尾《とがのお》の茶）か「非」（それ以外の茶）かを当てたりする遊びで、闘茶札はその際に用いられた。

物・色小袖《いろこそで》・沈香《じんこう》・砂金《さきん》・鎧《よろい》などが賭《か》けられていた、と記している。

このような同好の士が集まる寄合《よりあい》の場では、上の句と下の句を別の人が詠みあって唱和する連歌も好まれ、隆盛を極めるようになっていた。室町時代の連歌師の心敬《しんけい》が著わした『ささめごと』は、「この道は、凡《およ》そ応長《おうちよう》の頃より世に盛りにてもて出でたると見えたり」と記し、「応長の頃」の鎌倉時代末期ごろ盛んになったと記しているが、応長二年（一三一二）にはそこに「先達《せんだつ》」と記されている善阿《ぜんあ》が主宰して、京都の嵐山《あらしやま》で法輪寺《ほうりんじ》千句の連歌会《れんがえ》が行なわれている。

この連歌会は「花の下連歌」と称されたように、世俗を逃れた地下《じげ》の遁世者《とんせい》らを中心にして行なわれていたものであった。『菟玖波《つくば》集』に載る性遵法師《しようじゆんほうし》の歌の詞書《ことばがき》に「元応《げんおう》二年春の比《ころ》、鎌倉の花下にて一日一万句の連歌侍《はべ》りけるに」とあって、元応二年（一三二〇）には一万句という大規模な会が鎌倉でも開かれていた。『太平記』は、楠木正成《くすのきまさしげ》のこもる千早城《ちはやじよう》（大阪府千早赤阪《あかさか》村）を攻めていた幕府軍が万句の連歌会を行なったと記しており、連歌は武士らの戦意高揚にもひと役買っていた。

武士のなかでも佐々木導誉が連歌に強い関心を示し、導誉の句風が一世を風靡《ふうび》したことを、二条《にじよう》良基《よしもと》の『十問最秘抄《じゆうもんさいひしよう》』は記している。導誉は文和《ぶんな》三年（正平九年〈一三五四〉）に播磨《はりま》に出陣する際、連歌会を開き、同五年三月には自邸で千句連歌会を開いている。

摂関《せつかん》家の二条良基が連歌師救済《ぐさい》の協力を得て、延文《えんぶん》二年（正平一二年〈一三五七〉）に『菟玖波集』を完成させると、これに導誉が動いて勅撰《ちよくせん》集となることを朝廷に求め、その結果、准勅撰とされるに至っている（『園太暦《えんたいりやく》』）。この連歌集は、貴族・武士・遁世者の三者の協力でなったことからもわかるように、貴族や武士、地下の連歌師など五〇〇名以上に及ぶ広範な作者の歌が収録されており、さほどに連歌は広く定着したのであった。共通の意思をもつ人々が寄り集まって結束を誓う寄合の場において、連歌はまことにふさわしい芸能であった。

なお和歌では『新千載《しんせんざい》和歌集《わかしゅう》』が編まれたが、これは将軍の足利尊氏の執奏《しっそう》（天皇への奏聞の取り次ぎ）を得て後光厳《ごこうごん》天皇が二条為定《ためさだ》を撰者《せんじゃ》に命じたものであり、以後の勅撰集はいずれも将軍の執奏によって成立している。『新拾遺《しゅうい》和歌集』は尊氏の子の義詮《よしあきら》が、『新後拾遺和歌集』は義満《よしみつ》が執奏しており、つぎの将軍の義持《よしもち》の時期にはみられないが、最後の勅撰集『新続古今《こきん》和歌集』は、将軍義《よし》教《のり》の強力な主導権により編まれている。勅撰和歌集は、天皇の名を借りて将軍の治世を称《たた》えるものへと変化していたのである。

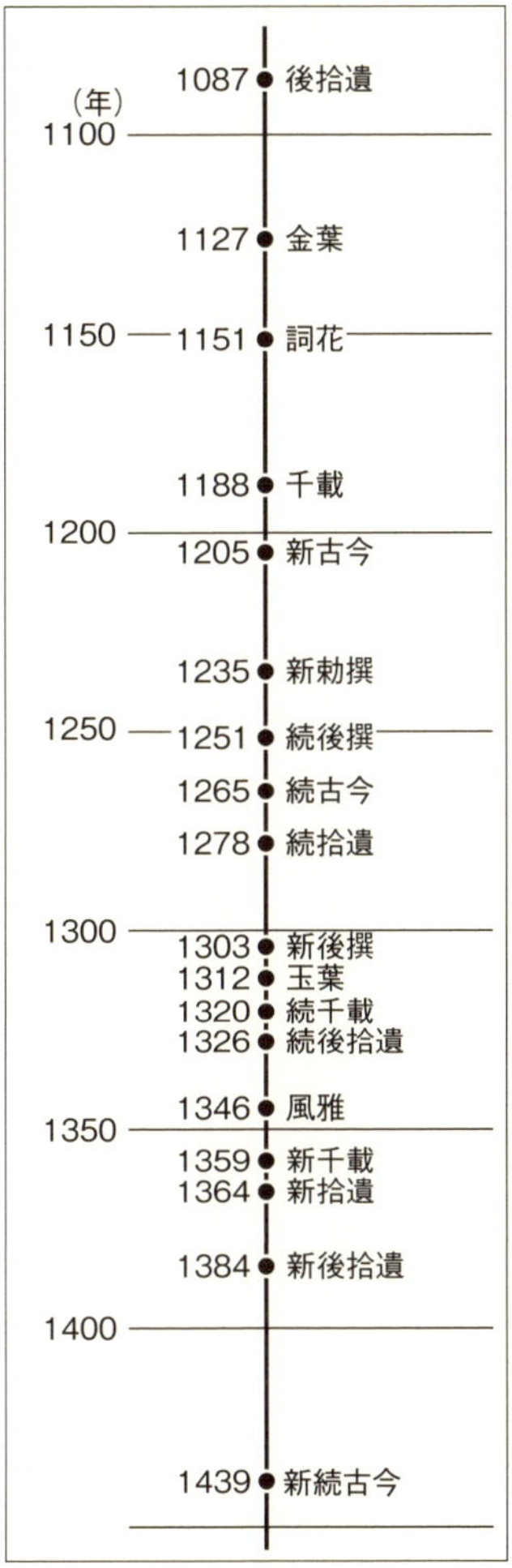

◉中世の勅撰和歌集
勅撰和歌集の奏覧年（成立年）を詳しく見ると、一四世紀に入ってから集中的に撰集されたことがわかる。天皇の大覚寺《だいかくじ》統と持明院《じみょういん》統の対立、撰者の御子左《みこひだり》家の分裂の影響である。

義満の登場と応安の半済令

貞和《じょうわ》二年（正平《しょうへい》元年〔一三四六〕）に関白《かんぱく》になった二条良基《にじょうよしもと》ほどに、長期にわたって摂関《せっかん》として影響力をふるった人物はこれまでにいなかった。南北朝《なんぼくちょう》の対立という厳しい状況と、新たな公武関係の形成という局面にあってのものであれば、良基には並々ならぬ強い意思と実行力、そして時にはあえて妥協をもする決断力があったものと推察される。

下の肖像画からもそうした性格がうかがえよう。政治のみならず、さまざまな行事を仮名文で記し、多くの著作を残すなど、王朝の古典文化の復興に尽くしたのである。その良基にとって最初の政治的難関となったのが、観応《かんのう》二年（正平六年〔一三五一〕）のいわゆる「正平一統」であった。南朝が北朝の三上皇および皇太弟《こうたいてい》を吉野《よしの》に連行してしまい、北朝の皇位継承が困難となった事件である。これに対し良基は、光厳《こうごん》上皇の母広《こう》義門院《ぎもんいん》を治天《ちてん》の君《きみ》にすることで後光厳《ごこうごん》天皇の即位は可能として切り抜けると、以後、公武関係に力を発揮していった。時に室町《むろまち》将軍足利義満《あしかがよしみつ》への追従かと思えるほどの密着ぶりも示したのである。

義満が若くして将軍になると、二条良基は義満が朝廷の儀式に加わるのを積極的に支援し、指南

10

◉二条良基像
後醍醐《ごだいご》天皇に仕えた父道平《みちひら》に対し、良基は北朝に重用された。文化面でも和歌・連歌に優れ、『菟玖波集』を撰集している。

していった。義満の官位は急速に上昇し、二五歳で左大臣となり、三七歳で太政《だいじょう》大臣となって、永《えい》徳《とく》三年（一三八三）には武家としては初めて准三宮《じゅさんぐう》となったが、それぞれに応じて義満に礼式を指導した。とくに永徳二年に義満が元日節会《せちえ》の内弁《ないべん》（儀式の取りしきり役）を初めてつとめて以後、節会の内弁を一九度もつとめることになるが、これはまったく良基の指導の賜物《たまもの》であった。

こうして義満は公家《くげ》の世界で頂点に達したことにより、貴族たちを家礼《けらい》として組織することが可能となり、それとともに幕府は京都のさまざまな支配権をつぎつぎと接収していった。

一方、幕府の全国支配のうえでは、義満が将軍になった直後に代替わりとして出された応安《おうあん》元年（一三六八）の応安の半済令《はんぜいれい》が大きな意味をもっていた。半済とは年貢の半分を納めることを意味し、初めて出された半済令は、観応三年（正平七年）に兵粮米《ひょうろうまい》の調達のために近江《おうみ》・美濃《みの》・尾張《おわり》の三か国の本所《ほんじょ》領を対象とし、その年の収穫に限って、守護《しゅご》に年貢半分の徴発を認めたものである。

南北朝の動乱は、これまでの戦乱とは違い、長い年月にわたって列島を縦断して行なわれており、武士は長期にわたり各地を転戦していた。しかし従軍の装備や食料は自弁が原則であったから、それを支える仕組みが必要とされる。そこで戦う武士のために兵粮料所《ひょうろうりょうしょ》が預け置かれたり、半済といったかたちで一時的に給与されたのである。しかしこうした土地の経営は転戦する武士には難しく、経営そのものは現地の近くにいる富裕な人々（有徳人《うとくにん》）によって担われ、そこから兵粮などが補給されていたと考えられる。

そうしたなかで出された応安令は、戦乱とはかかわりなく、皇室領や寺社・摂関領など以外の荘《しょう》園《えん》・公領の年貢について、その半分を武士に給付することを広く認めたものである。残りの半分は荘園領主の取り分となるわけだが、当時の領主は年貢の半分も確保できないことが多かった。そのため、権益を確保し、以後の武士の押領《おうりよう》を押しとどめることを考えた貴族や寺社は、こぞって半済を申請してきた。

かつて地頭《じとう》の権限を決めたのは文治《ぶんじ》二年（一一八六）の太政官符《だいじようかんぷ》であり、承久《じようきゆう》の乱《らん》後の新補《しんぽ》地頭の得分を定めたのも貞応《じようおう》元年（一二二二）の宣旨であった。応安令も宣旨で出されており、これが「大法」として広く受け入れられ、これを契機に土地の領有体制は安定するようになり、動乱は終息に向かってゆく。関東では、足利尊氏《たかうじ》の子基氏《もとうじ》が鎌倉公方《くぼう》となって関東管領《かんれい》上杉憲顕《うえすぎのりあき》の補佐を得て鎌倉府が整えられ、九州には、九州探題《たんだい》として今川了俊《いまがわりようしゆん》（貞世《さだよ》）が派遣された。

ただその安定も、日本列島のみで達成されたのではない。元《げん》を中心とした東アジア世界の動揺の鎮静化と呼応してのものである。大陸では元王朝が滅んで一三六八年に明《みん》王朝が建国されると、歴代の王朝の伝統に基づいて律令《りつりよう》を制定し、周辺諸国に朝貢を求めるとともに、海外渡航と外国人との私的交流を禁止する海禁を実施した。朝鮮半島では李《り》氏の朝鮮王朝が建国され、琉球《りゆうきゆう》では中山王《ちゆうざんおう》が明と国交を結んで統一運動が開始されていった。

東アジア世界では明王朝を軸にした新たな冊封《さくほう》秩序の形成が始まっており、日本列島の安定もそれと連動していたのである。

義満による武家の王権の示威

足利義満《あしかがよしみつ》の登場によって室町《むろまち》幕府の体制は整えられ、文化のうえでも武家が公家《くげ》にかわって指導力を発揮する時代が到来することになった。その点を、まずは義満による都市の文化への関与からみてみよう。

祇園祭《ぎおんまつり》は南北朝《なんぼくちょう》期末には新たな展開をみていた。応安《おうあん》七年（一三七四）の祇園祭は「祇園会鉾《ぎおんえほこ》など、下辺《しもわたり》経営す」と見え（『師夏記《もろなつき》』）、永和《えいわ》二年（一三七六）の祇園祭も、「下辺鉾ならびに造物山《つくりもののやま》」が出されたとあり（『後愚昧記《ごぐまいき》』）、洛中《らくちゅう》の下辺（下京《しもぎょう》）を中心に鉾《ほこ》や山《やま》が出されるようになっていたことがわかる。そうした山鉾を出す町は、北は二条《にじょう》、南は五条《ごじょう》、東は万里小路《までのこうじ》、西は猪熊小路《いのくまこうじ》の範囲に分布していた。

義満は永和四年の祇園祭に際し、寵愛《ちょうあい》の藤若《ふじわか》を伴って、四条東洞院《しじょうひがしのとういん》の桟敷で見物しているが、この藤若こそ幼い世阿弥《ぜあみ》である。義満はその二年後にも一〇間《けん》の桟敷をつくって見物しており、以後、将軍の見物は「祇園会御成《おなり》」として恒例化した。義満は祭礼の経費である馬上役《ばじょうやく》の欠如という事態にも梃子《てこ》入れをして、洛中の土倉《どそう》に馬上方一衆という組織をつくらせ、その経費を負担させている。それとともに、

南北朝期の天皇系図

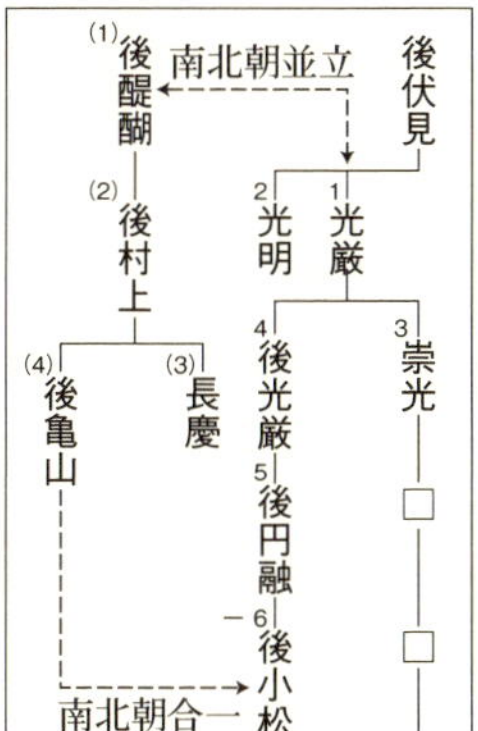

◉南北朝合一前後の天皇系図
足利義満の申し入れによって、南朝の後亀山《ごかめやま》天皇が北朝の後《ご》小松《こまつ》天皇に三種の神器《じんぎ》を渡すかたちで南北朝は合一された。しかし後小松天皇は義満に完全に実権を握られていた。

幕府は金融業者である土倉や酒屋の本格的な掌握をめざし、明徳《めいとく》四年（一三九三）には土倉・酒屋を幕府の財源とする法令を出している。

永和三年に御所の造営を始めた義満は、諸国の名花を移植したことから、その室町殿御所は「花の御所」と称された。永徳《えいとく》二年（一三八二）に義満はその花の御所の東に相国寺《しょうこくじ》を創建したが、これは禅僧の義堂周信《ぎどうしゅうしん》が命名したもので、すでに亡き夢窓疎石《むそうそせき》を名目上の開山《かいさん》、春屋妙葩《しゅんおくみょうは》を事実上の開山とした禅宗《ぜんしゅう》寺院である。五山《ござん》の第一位、あるいは第二位とされ、寺内の鹿苑院《ろくおんいん》には五山の統轄機関となる鹿苑僧録《ろくおんそうろく》が置かれたが、その規模といい、機能といい、武家の宗教的な権威を象徴するものとなった。

義満はさらに父義詮《よしあきら》の三三回忌に相国寺の境内に七重塔を建てたが、これは武家の王権を象徴するものとなった。院政期の王権を象徴する白河《しらかわ》天皇が建立した法勝寺《ほっしょうじ》の九重塔は、南北朝期に焼失してのち、再建されないままになっていた。それにかわって京の地にそびえ立ったのがこの相国寺の七重塔であり、まさに武家の王権を示威するモニュメントにほかならない。

つぎに諸国への対応はどうであろうか。南北朝の動乱を戦ってきた諸国の守護《しゅご》には強大な軍事力が備わっており、義満はまずはその力の削減を図った。いくつもの国の守護職をもつ管領《かんれい》の細川《ほそかわ》・斯波《しば》両氏を失脚させたり、また登用したりという繰り返しのなか、美濃《みの》など三か国の守護土岐《とき》氏を土岐氏《ときし》の乱《らん》（一三九〇年）で、山陰道を中心に一一か国の守護であった山名《やまな》氏を明徳《めいとく》の乱《らん》（一三九一年）で勢力を削減すると、ついに明徳三年には南北朝合一を実現している。

さらに九州に派遣していた今川了俊《いまがわりょうしゅん》の任を解き、最後に残った、周防《すおう》・長門《ながと》など六か国の守護大名である大内氏《おおうち》も応永《おうえい》の乱《らん》（一三九九年）で討っている。

こうしたなか、至徳《しとく》三年（一三八六）に丹後《たんご》の天橋立《あまのはしだて》の遊覧を手始めに、嘉慶《かけい》二年（一三八八）に駿河《するが》の富士山《ふじさん》、康応《こうおう》元年（一三八九）には讃岐《さぬき》の宇多津《うたづ》を経て安芸《あき》の厳島《いつくしま》と周防・長門、そして明徳元年に越前《えちぜん》の気比宮《けひのみや》に赴いている。この遊覧と参詣《さんけい》の地は、細川、今川、大内、山名、斯波氏ら有力大名の領国であって、それぞれににらみを利かすとともに、武家の王権を示威する意味があった。なかでも厳島は平清盛《たいらのきよもり》が篤《あつ》く信仰した神社であり、富士山は清盛が赴こうとして果たせなかった霊山である。義満は武家として太政大臣に昇った清盛を強く意識していた。

明徳四年九月の伊勢《いせ》参宮は、その総仕上げとなった。伊勢は「国主神《くにぬしがみ》」と見なされており、そこへの参詣は国主としての義満の存在をアピールするものとなったのである。鎌倉の武家の王権を支えたのは鶴岡八幡宮《つるがおかはちまんぐう》であったが、ここに室町の武家の王権は石清水八幡宮《いわしみずはちまんぐう》とともに伊勢神宮にも支えられるところとなった。以後、将軍は頻繁に伊勢参宮を行なうことになる。

続いて応永《おうえい》元年（一三九四）に将軍職を子の義持《よしもち》に譲って太《だい》

11

◉足利義満像
太政大臣辞任・出家後も、政治的実権は義満が握りつづけた。みずからを「法皇」に擬した義満は、皇位簒奪《さんだつ》も図ったという説もある。

政《じよう》大臣になると、その翌年には太政大臣を辞任して出家するが、これはまさに院政に倣ったものである。

花の文化の時代

平清盛《たいらのきよもり》と同様に、足利義満《あしかがよしみつ》の目は対外関係にも注がれた。初期の室町《むろまち》幕府の外交関係を担ったのは、禅僧の春屋妙葩《しゆんおくみようは》である。貞治《じようじ》六年（一三六七）に入京した高麗《こうらい》の使節を接待するとともに、返書を記したことから僧録《そうろく》に任じられ、以後、対外関係には妙葩に代表される夢窓《むそう》派の禅僧があたることになる。

妙葩は甲斐国《かいのくに》に生まれ、母方の伯父《おじ》である夢窓疎石《そせき》のもとで受戒し、天龍寺《てんりゆうじ》の住職となったのちは、禅宗《ぜんしゆう》の興隆と五山《ござん》の地位を高めるべく努力した。しかし南禅寺《なんぜんじ》に楼門《ろうもん》の新築を提言したため、園城寺《おんじようじ》と比叡山《ひえいざん》の門徒から配流《はいる》を求められ、それに応じた管領《かんれい》の細川頼之《ほそかわよりゆき》が応安《おうあん》元年（一三六八）に楼門を撤去させたことから、頼之と対立して天龍寺住職を辞して丹後《たんご》の雲門寺《うんもんじ》（京都府舞鶴《まいづる》市）へ隠《いん》棲《せい》している。

やがて康暦《こうりやく》の政変（一三七九年）で頼之が失脚したのち、入京して南禅寺住職として復帰すると、京都の天龍寺雲居庵《うんごあん》や臨川寺《りんせんじ》でさかんに出版活動を展開し、この木版印刷は五山版《ござんばん》と呼ばれた。

妙葩は義満から篤《あつ》い信任は得ていたが、義満が本格的な日明《にちみん》貿易を展開するのは、妙葩の死後のことである。応永《おうえい》八年（一四〇一）、義満は博多《はかた》商人の肥富《こいずみ》と側近の祖阿《そあ》を明に送り、翌年に「日本国王」を名のって明との冊封《さくほう》関係に入ると、これとともに勘合《かんごう》貿易を推進し、大陸から膨大な唐物《からもの》を輸入した。このように幕府が明や朝鮮との貿易を行なうようになったのは、外交権を通じて王権を主張するという側面もなくはないが、おもには貿易の利を求めてのものであった。

応永《おうえい》四年に義満は、北山《きたやま》の西園寺《さいおんじ》邸を譲り受け、別荘として北山殿《きたやまどの》を造営したが、唐物はその邸内の二階建ての会所（天鏡閣《てんきょうかく》）に飾られた。この唐物コレクションは「御物《ごもつ》」と称され、将軍の側近《そば》くに仕える目利きの遁世《とんせい》者である同朋衆《どうぼうしゅう》により管理され、武家の王権を荘厳《しょうごん》することとなった（『君台観《くんだいかん》左右帳記《そうちょうき》』『御物御画目録《ごもつおんえもくろく》』）。

同じ邸内に建てられた三層の舎利殿《しゃりでん》は、世に金閣《きんかく》と称されたように、金箔《きんぱく》が施され、王権の富を象徴し、さらに王権を荘厳するものとなった。その第一層の法水院《ほっすいいん》、第二層の潮音洞《ちょうおんどう》はともに寝殿《しんでん》造りで、第三層の舎利の安置された禅宗様《ぜんしゅうよう》の究竟頂《くっきょうちょう》と相まって、和様《わよう》と唐様《からよう》との統合という性格がうかがえる。

こうした義満期の文化は、金閣のあった北山にちなんで北山文化と称されるが、それは将軍をパトロンとする点に特徴があり、禅宗と能が文化の中心をな

12

◉達磨図
達磨《だるま》は中国禅宗の祖。禅宗文化と呼ばれる要素がすべて禅宗に由来するわけではないが、新米の中国文化は禅僧がもたらし、禅宗を通じて日本に普及することが多かった。明兆《みんちょう》画。

していた。
このうちの禅宗文化は五山文化とも称されるが、五山の制度は、中国の南宋《なんそう》末期に禅宗の保護と統制のために格式高い五つの寺を定めたことに由来するもので、鎌倉幕府が建長寺《けんちょうじ》をはじめとする大寺院を鎌倉に建立して五山と呼ぶようになり、室町幕府によって正式に鎌倉・京都それぞれに五山が定められた。たびたび改定があったが、至徳《しとく》三年（一三八六）に五山の上に南禅寺が置かれ、京五山として天龍寺・相国寺《しょうこくじ》・建仁寺《けんにんじ》・東福寺《とうふくじ》・万寿寺《まんじゅじ》の五寺が定まった。

五山には宋《そう》・元《げん》の禅林で行なわれていた文学が、入宋僧や入元僧らによってもたらされた。四六駢儷体《しろくべんれいたい》（漢字四字・六字の句を基本として対句を用いる文体の文章）を用いて幕府の外交文書を起草する政治的要請もあって学ばれ、法語や漢詩がさかんにつくられた。代表的な詩文集に義堂周信《ぎどうしゅうしん》の『空華集《くうげしゅう》』、絶海中津《ぜっかいちゅうしん》の『蕉堅藁《しょうけんこう》』がある。

能は、その母体となった猿楽《さるがく》が鎌倉時代の後半に、近江《おうみ》や大和《やまと》で座が形成されて発展してきたのを受けて、大和結崎座《ゆうざきざ》の能作者の観阿弥《かんあみ》がさまざまな芸能を取り入れて基礎が築かれ、子の世阿弥《ぜあみ》

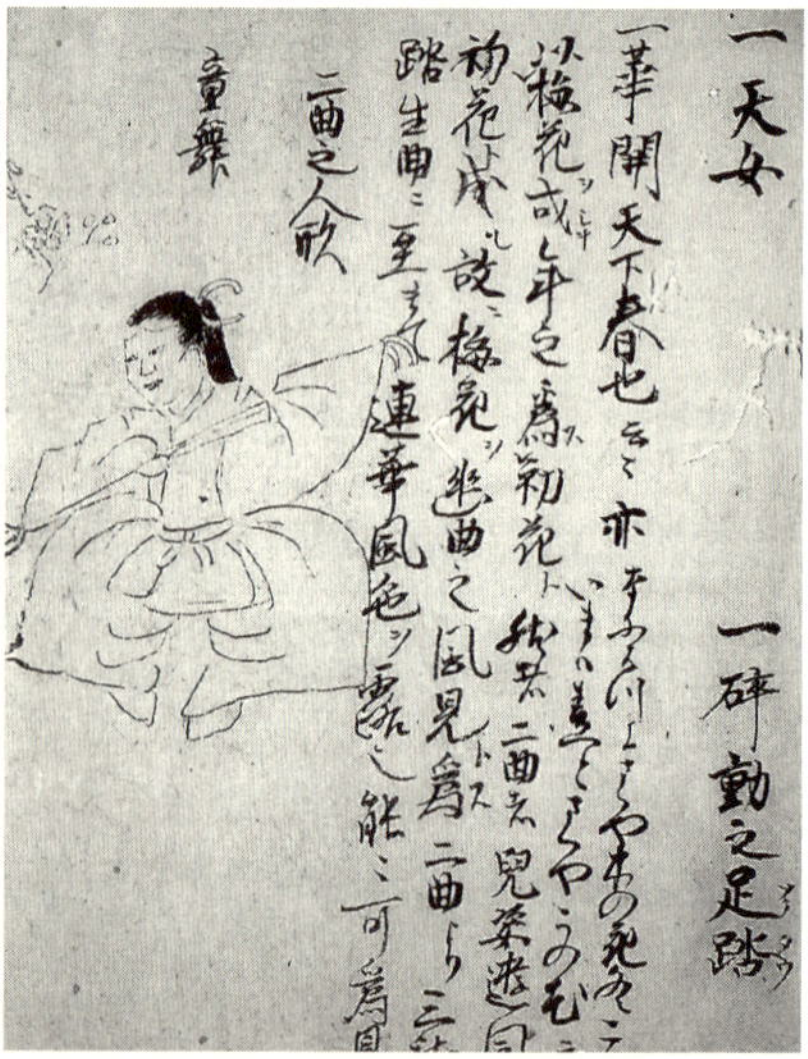

13

◉二曲三体人形図
世阿弥が、『至花道』で述べた二曲《にきょく》（舞・歌）三体《さんたい》（老体・女体・軍体〈男〉）説を、みずから絵入りで説明したもの（図は金春禅竹《こんぱるぜんちく》の写本）。世阿弥の能の実態を示す貴重な書。

がその跡を受けて大成している。

応安《おうあん》七年（一三七四）に京の新熊野《いまくまの》社での観阿弥・世阿弥父子の演じた猿楽能の共演が、義満の気に入るところとなり、将軍の保護のもとで能の芸は高められていった。世阿弥は応永《おうえい》七年（一四〇〇）から『風姿花伝《ふうしかでん》』を著わして、実践的な演劇論を展開し、猿楽の能を中心にして田楽《でんがく》や曲舞《くせまい》などの芸能を取り入れ、芸能の身体性を深めるとともに、禅宗の精神性を加味するなど、多くの芸能を総合化したのである。

この時代の文化は、前代の婆娑羅《ばさら》の文化に対応させれば、世阿弥の著作にしばしば見える花にたとえて花の文化といえよう。世阿弥は何かと芸能を花にたとえており、「幽玄の花」「童《わらわ》の花」などの表現がよく見える。著作も『風姿花伝』『花鏡《かきょう》』や『至花道《しかどう》』など花にちなんだ書名となっている。他方で将軍義満は、御所に諸国から花を移植し、座敷には花を並べて七夕《たなばた》の花合せを楽しんでおり、六角堂《ろっかくどう》の池坊《いけのぼう》の専慶《せんけい》は立花《りっか》を始めている。この時代は「諸道の明匠」が出現し、武家の王権と渡り合って屹立《きつりつ》した精神とともにあった、まさに花の文化の時代であった。

不安定な後継者問題

朝廷の権限を吸収して強力な権力を築いた足利義満《あしかがよしみつ》が応永《おうえい》一五年（一四〇八）に亡くなると、子の義持《よしもち》がその跡を継いだ。義満の生存時からその父子関係はよくなく、九歳で将軍職を譲られていたが、義持に実権はなく、後小松《ごこまつ》天皇の北山殿《きたやまどの》への御成《おなり》に際しては、義満の寵愛《ちょうあい》した異母弟の義嗣《よしつぐ》が天皇に拝謁《はいえつ》したのに、義持はその機会を与えられなかったほどである。

それだけに義持は、父への反発もあって、義満の政治をつぎつぎと改めていった。翌年には二代将軍足利義詮《よしあきら》の住んでいた三条坊門邸《さんじょうぼうもん》に移ると、北山殿は金閣《きんかく》を除いて取り壊し、義満に対する太《だい》上《じょう》天皇の追号も辞退し、応永一八年には朝貢形式をとる日明《にちみん》貿易（勘合《かんごう》貿易）も取りやめている。公武統一型の義満の政治路線から、武家政権の路線へと舵《かじ》を切り替えたのであるが、じつは義満がいなくては、そのまま公武統一型の政治路線を進むのは困難だったのである。

義持は禅宗《ぜんしゅう》を深く愛し、禅宗の規矩《きく》に従った生活を送ろうとして、三条坊門邸の建物や園池には中国風の名称を付し、顕山道詮《けんざんどうせん》という道号のほかに、楽全道人《がくぜんどうじん》という号も用いた。また夢窓《むそう》派に占められた相国寺《しょうこくじ》に他派の僧を入れ、あるべき禅宗の境地を求めていった。隠遁《いんとん》を志向する禅僧と好んで交流し、周辺の細川満元《ほそかわみつもと》、畠山満家《はたけやまみついえ》、大内盛見《おおうちもりみ》、山名時熙《やまなときひろ》らの有力守護《しゅご》と禅僧を囲む会は、文雅の会の体を示していたとされる。

政治的にも、文化的にも、義満の時代に多くの経験を積んできた彼ら有力大名たちによって、義持の政権は支えられていた。応永一七年には南朝最後の天皇だった後亀山《ごかめやま》法皇が吉野《よしの》へ出奔し、これに呼応した北畠満雅《きたばたけみつまさ》が称光《しょうこう》天皇即位を不服として両統迭立《てつりつ》の約束を守るように要求する反乱が起き、また応永二三年には関東地方で上杉禅秀《うえすぎぜんしゅう》の乱《らん》が起きるなど、波瀾《はらん》含みの政治状況であった。義持はこれらに関与していたとして弟の義嗣を相国寺に幽閉すると、やがて殺害しているが、それは有力大名との合議で行なわれたのである。

したがって後継者問題には慎重だった。みずからが、義満の後継者と目されていた義嗣を退けて地位を確保しただけに、応永三〇年に子の義量《よしかず》に将軍職を譲ると、翌年に等持院《とうじいん》で出家して相続をスムーズに行なおうとした。ところが、その義量が早く亡くなってしまい、落胆した義持は後継者を定めないまま、有力守護に後事を託して応永三五年に四三歳で死去している。

将軍の継承問題は二代続いて失敗したわけで、その影響力は大きかった。以後、幕府の政治は後継者問題によってつねに不安定な状況に陥っている。

義持の跡を継いだのは、還俗《げんぞく》して将軍となった義教《よしのり》である。管領《かんれい》の畠山満家の提案によって、石《いわ》清水八幡宮《しみずはちまんぐう》で行なわれた籤《くじ》引きで将軍に選ばれるという異例な措置がとられたのだが、結局は播磨《はりま》

足利氏系図

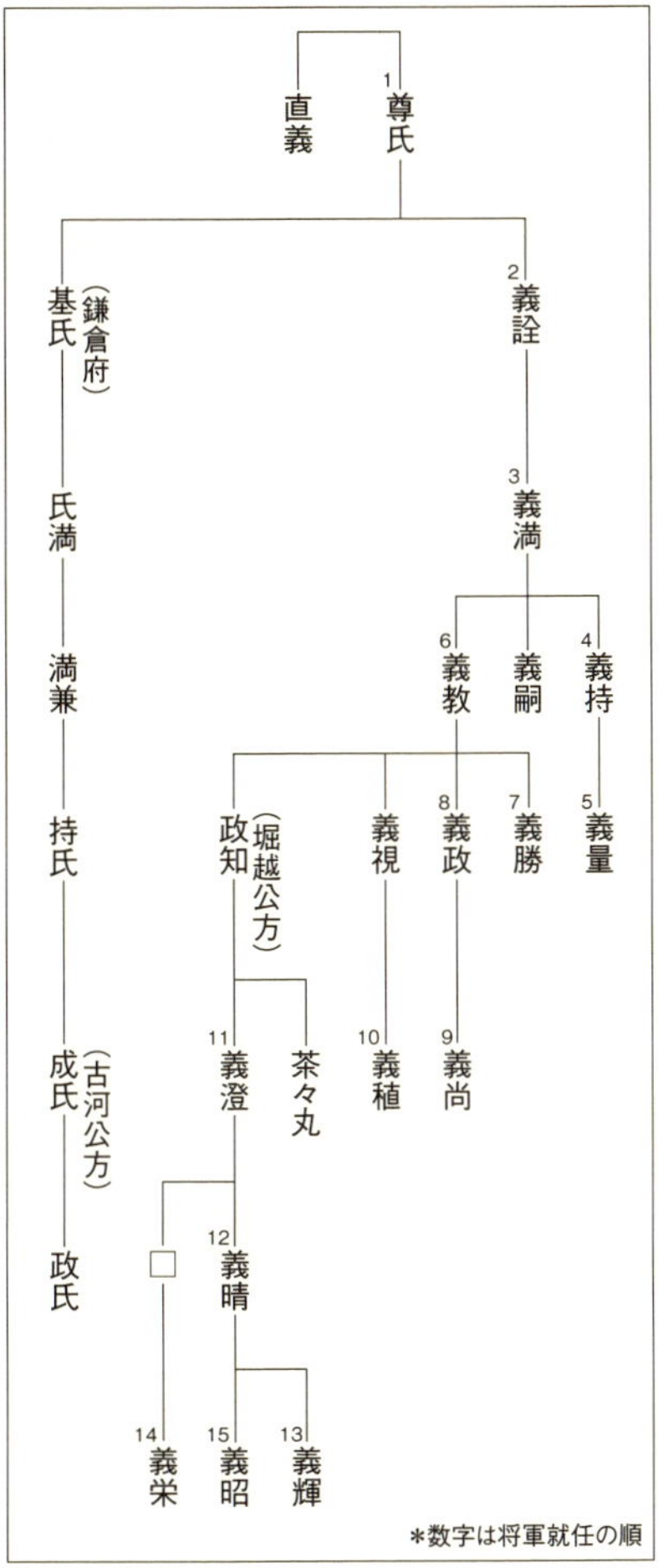

の守護大名の赤松氏《あかまつ》によって殺害されることになる。

後継者問題で揺れたのは将軍家だけではなく、守護大名家でも、また天皇家においても同様であった。家の内部に、家臣をはじめとしてさまざまな権力が介入するようになり、家の主人の意思が通らなくなっていた。籤引きで将軍に選ばれた義教が、すぐには将軍になることを承知せず、就任の際に斯波《しば》氏、畠山氏、細川氏から「将軍を抜きにして勝手なことをしない」と誓文を取ったのも、そうした状況が背景としてあったからである。

しかしひとたび将軍になると義教は強権を発揮し、幕府権威の復興と将軍親政の復活に力を注いだ。称光天皇死後の皇位継承問題に介入し、後花園《ごはなぞの》天皇に『新続古今和歌集《しんぞくこきんわかしゅう》』撰集《せんしゅう》を執奏《しっそう》し、醍醐《だいご》寺《じ》三宝院《さんぼういん》の満済《まんさい》を政治顧問として儀礼の形式や訴訟手続きを整え、奉行人《ぶぎょうにん》の意見を用いて政治を行なうようになり、中断していた勘合貿易を再開させた。さらに将軍直轄の軍事力である奉公衆《ほうこうしゅう》を整備し、鎌倉公方《くぼう》足利持氏《もちうじ》が自立の望みをもつと、これを攻め、比叡山《ひえいざん》の勢力を取り込むため山門使《さんもんし》節《せつ》をおいてコントロールするようになり、守護勢力にも圧迫を加えていったのである。

その政治は「万人恐怖」と呼ばれるようになり、嘉吉《かきつ》元年（一四四一）に義教が畠山家の家督を畠山持国《もちくに》から持永《もちなが》に委譲させたことから、赤松満祐《みつすけ》・教康《のりやす》父子が不安に駆《か》られて義教の謀殺を計画し、同年六月二四日、関東の結城合戦《ゆうきかっせん》の戦勝祝宴を名目に義教を自邸に招き、祝宴の最中に義教を暗殺したのであった（嘉吉《かきつ》の乱《らん》）。

重層化する列島の社会

重層的な権力構造

足利《あしかが》義満《よしみつ》・義持《よしもち》・義教《よしのり》の三代の時代は、日本列島の各地に国人《こくじん》と称される領主が独自な拠点を形成した時代である。鎌倉時代の地頭《じとう》領主とは違って、地方において広範な政治経済活動を行なう領主を国人領主《こくじんりょうしゅ》と称しているが、その典型が安芸《あき》の沼田荘《ぬたのしょう》（広島県三原《みはら》市）を拠点にして周辺に勢力を広げてきた小早川《こばやかわ》氏である。

小早川氏は相模《さがみ》の土肥《どひ》氏の流れを引き、鎌倉時代に蓮華《れんげ》王院《おういん》領沼田荘の地頭を譲られた茂平《しげひら》の代に現地に入ると、隣接する都宇《つう》竹原《たけはら》荘（広島県竹原市）を得て領家《りょうけ》の西園寺《さいおんじ》家に仕え、六波羅《ろくはら》に奉公する在京人《ざいきょうにん》ともなって、この地帯一帯に勢力をのばしていった。沼田荘内を流れる沼田川《ぬたがわ》河口の湿地帯である「塩入荒野《しおいりこうや》」を開拓して、その富によって大きく発展し、荘内には市が立って、南北朝《なんぼくちょう》期にはその市に小早川氏の家臣が住むのを禁止するほどに、市の住人の力も大きくなった。

そうした豊かな富によって、応永《おうえい》四年（一三九七）に小早川春平《はるひら》が愚中周及《ぐちゅうしゅうきゅう》を迎えて創建したのが、臨済宗《りんざいしゅう》の仏通寺《ぶつつうじ》（三原市）である。周及は美濃《みの》に生まれ、夢窓疎石《むそうそせき》・春屋妙葩《しゅんおくみょうは》のもとで修行したのち、大陸に渡って即休契了《しっきゅうかいりょう》（佛通禅師《ぶつつうぜんし》）に師事して修行に励んで法を継ぐと、帰朝後は五山《ござん》の叢林《そうりん》を嫌って丹波《たんば》の天寧寺《てんねいじ》（京都府福知山《ふくちやま》市）にいたが、それを小早川春平が口説いて迎え、仏通寺が創建されたのである。
つぎの春平の子の則平《のりひら》になると、将軍義持の側に仕えるとともに、朝鮮との貿易にも携わって、朝鮮から貿易を許可された「図書《としょ》」の第一号を与えられ、一七回にわたって通商を行なって、経済的な繁栄を築いている。

小早川氏の居館がどこにあったのか明らかではないが、南北朝期後半から各地で国人の居館をみることができる。越前《えちぜん》の御舘《おたち》館、越後《えちご》の中条《なかじょう》氏の江上館《えがみやかた》、信濃《しなの》の高梨《たかなし》氏館、美濃《みの》の江間《えま》氏館、石見《いわみ》の益田《ますだ》氏館などである。このうち益田氏館の「三宅御土居《みやけおどい》」（島根県益田市）は、応安《おうあん》年間（一三六八～七五年）に益田兼見《かねみ》により築かれたものと考えられており、益田川の右岸の微高地上に立地し、土塁に囲まれ、そのまわりには堀が巡らされている。これからすれば、小早川氏の居館も沼田川沿いの微高地上に立地していたのであろう。

国人たちは、南北朝期を経てしだいに安定した支配をするようになったことから、居館も長期的に維持されるようになったのであるが、自身の力だけで安定していたわけではない。しばしば相互の利益を確保すべく一揆《いっき》を結んで守護と対抗しており、安芸国では応永一二年に三三人の国人が連署《れんしょ》して、新守護に対抗して一揆を結んでいる。また一族一門の

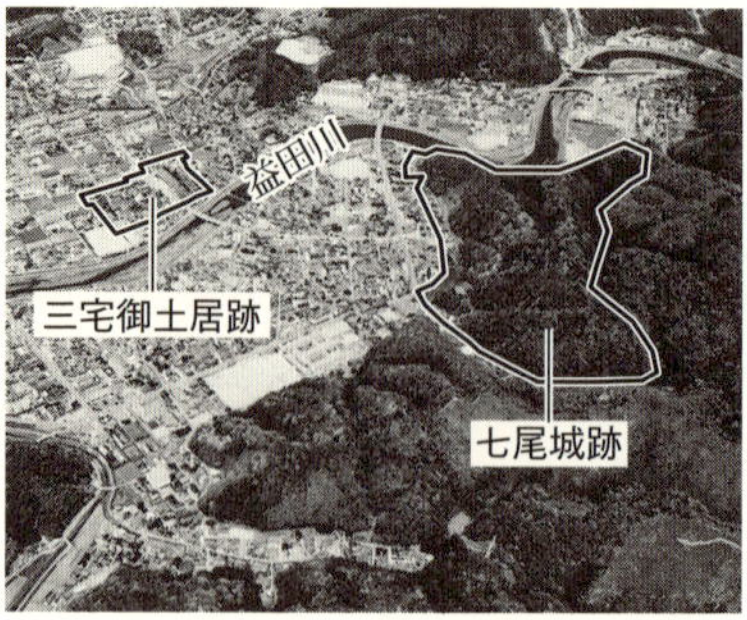

14

◉三宅御土居跡周辺
三宅御土居跡を横断する県道計画に伴う発掘調査の過程で、館跡の重要性が改めて指摘され、保存が決まった。益田川を挟んだ対岸の七尾《ななお》城は益田氏の居城である。

なかでも、つねに対立が繰り返されており、惣領《そうりょう》に対抗して一門が一揆を結ぶことも多かった。

そうした多くの一揆契状《けいじょう》は、上部権力との条項、住民との条項、内部の結束条項などからなり、一揆成員が平等で契約したことを表現するために連署形式がとられている。肥前五島《ひぜんごとう》に広がる松浦党《まつらとう》の武士が結んだ一揆契状はいくつも残されているが、小早川氏にも一揆契状が残されており、宝徳《ほうとく》三年（一四五一）の一揆契状では、一族一三家の連署が放射状に並ぶ、いわゆる「からかさ連判」によって、契約を交わしている。

こうした国人たちの上に守護は乗っていたが、守護の国内的基盤は、幕府から与えられた権限を除けば、国人とほぼ同じ程度だった。つまり国人の上に守護が、守護の上に将軍が乗っているという重層性がこの時代の特徴をなしていた。かつて院政期の王権が分権化の深まりに応じたものであったのと同様に、この室町《むろまち》の王権の場合も、分権化のいっそうの深まりに対応するものであった。

発展する町と湊

将軍・守護《しゅご》・国人《こくじん》の権力構造の重層性を支えたのは、日本列島の各地に生まれた湊《みなと》や宿《しゅく》であり、そこを活動の場とする土倉《どそう》や酒屋、禅僧、商

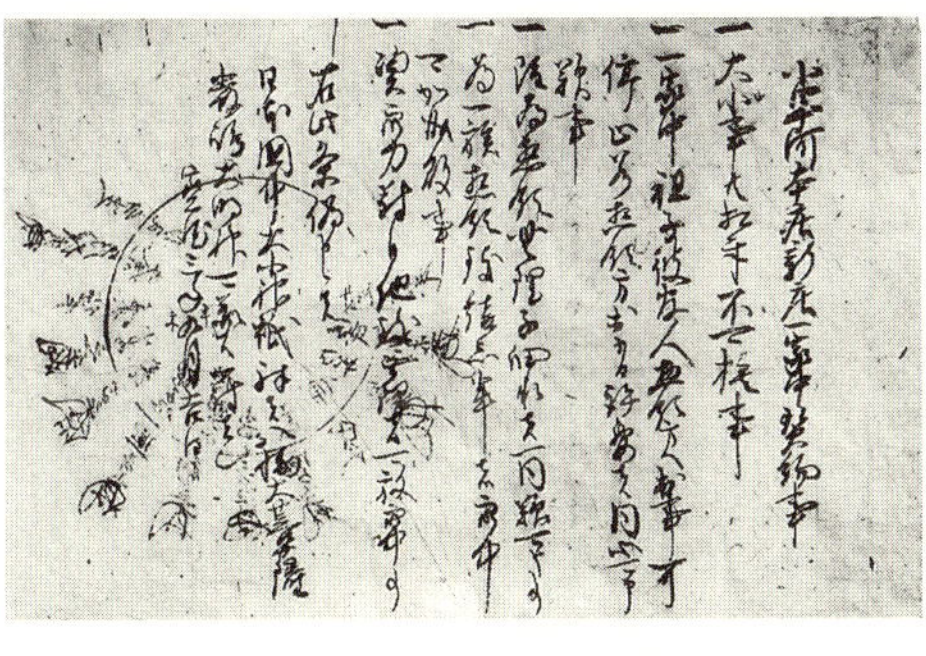

◉**契状裏に書かれたからかさ連判**
からかさ連判には、人々の一体性・平等性の強調や、発起人の隠蔽《いんぺい》などの意図があったとされる。この宝徳三年の一揆契状では、契状の裏に連判されている。

人などの富裕な有徳人《うとくにん》であった。一三世紀後半から一四世紀前半にかけて各地に湊や宿が生まれてきたことは先にみたが、一四世紀後半から一五世紀前半にかけては、そうした場につぎの大きな発展期が訪れていたことを各地の発掘調査が伝えている。なかでもそのことをよく示しているのが、備後《びんご》の草戸千軒《くさどせんげん》（草戸千軒町遺跡）である。

草戸千軒は、広島県福山市《ふくやまし》を流れる芦田川《あしだがわ》の中洲《なかす》を中心に広がる遺跡であるが、ここは河川の改修工事によって川の流れが付け替えられたために川の中洲になったもので、中世には芦田川河口の三角洲上の微高地にあった。集落が見えはじめるのは一三世紀中ごろだが、一三世紀後半から一四世紀初頭にかけて道路や溝が設けられて、大工・鍛冶《かじ》などの作業場や商取引が行なわれる区域がみられるようになる。

やがて一四世紀前半から中ごろにかけては、遺跡の南半分には溝や柵で区切られた短冊のような細長い区画が並び、その短冊型地割りの短辺は一方が道路に面し、もう一方は堀割に接し、商業や手工業に関係した人々の居住地だったと考えられている。数多くの木簡《もっかん》が出土しており、そこからは商品取引や金融にかかわる記述があって、商業・金融活動が盛んであったことを物語っている。ただ一四世紀後半になると遺跡の空白も認められるのだが、一五世紀になると大規模な整地が施され、町がつくりなおされて流通や金融の機能が集約されていった。近くには瀬戸内海の良港として知られる鞆《とも》があるので、そこと深くかかわりながら発展してきた集落とみられる。ここからは、町が再生を繰り返していたことがわかる。

『庭訓往来《ていきんおうらい》』は一四世紀後半に編まれた往来物、すなわち往復書簡の雛型《ひながた》であるが、その四月の書状は「市町《いちまち》興行」や「廻船着岸の津」の整備の必要性を指摘したのち、市町には辻《つじ》小路を通し、見世棚《みせだな》を構えさせ、絹布や贄《にえ》菓子などの売買の便を整えるべきであると語っている。さらにそこには「鍛冶《かじ》、鋳物師《いもじ》、巧匠《ごうしょう》、番匠《ばんじょう》、木道《きのみち》（良材を判じて伐り出す人）」「金銀銅の細工、紺搔《こうかき》、染殿《そめどの》、綾織、蚕養《こがい》、伯楽《はくらく》、牧士《ぼくじ》、炭焼、樵夫《きこり》、檜物《ひもの》師（木工職人）、轆轤《ろくろ》師、塗師《ぬっし》、蒔画《まきえ》師」といった、さまざまな職人や商人・芸能民・宗教者・文筆の輩《ともがら》などを広く招いて据えるように求めている。これからもわかるように、この時期には市町や津が各地で成立していったのである。

　廻船の津といえば、博多津《はかたのつ》・坊津《ぼうのつ》と並んで日本三津のひとつとして広く知られた伊勢《いせ》の安濃津《あのつ》（津市）は、伊勢湾に面した良港である。数年前のことだが、伊勢湾で漂流したタンカーが安濃津に漂着したことがあり、中世の湊が潮の流れに基づいて立地していたことがよくわかる。この安濃津もまた、発掘によって一三世紀後半から一四世紀前半にかけての時期がひとつの繁栄期であり、続いて一五世紀前半がつぎの繁栄期であったことが明ら

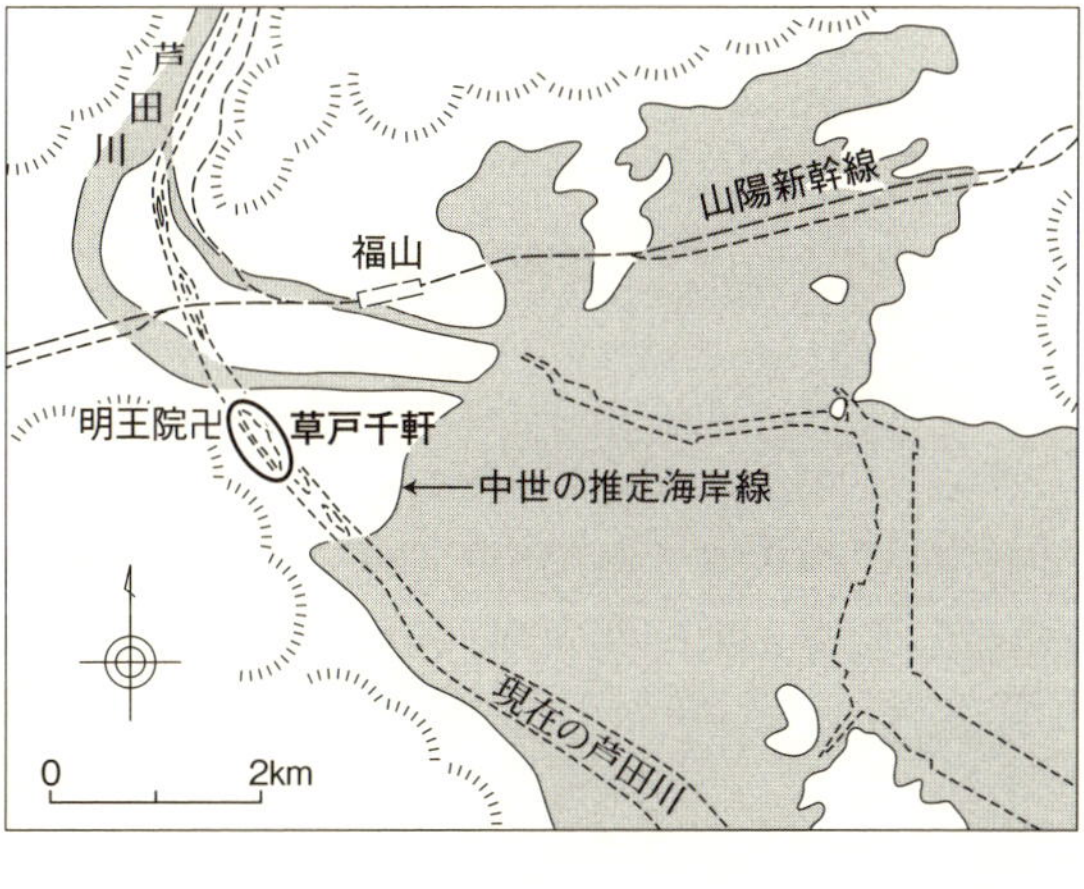

●草戸千軒の当時の海岸線
草戸千軒は、大正末期からの芦田川改修工事で遺構・遺物が発見されるまでは、文献にしかその名を見せない「幻の中世都市」だった。

かにされている。

応永《おうえい》二五年（一四一八）にここを訪れた花山院長親《かざんいんながちか》は、『耕雲紀行《こううんきこう》』に「その夜は、あの、津につきぬ。念仏の道場にやどる。ここはこの国のうちの一都会にて、封彊《ほうきょう》（境）もひろく、家の数も多くて、いと見所あり」と記しているが、ここは関東と京とを結ぶ境界に位置しており、港湾都市としての典型をなしていたのである。

同じく伊勢湾の大湊《おおみなと》（三重県伊勢市）も、東国《とうごく》と伊勢神宮の門前都市である宇治《うじ》・山田《ようだ》《やまだ》を結ぶ港湾都市であった。明徳《めいとく》三年（一三九二）に武蔵《むさし》の品川《しながわ》湊に入港した船の帳簿「湊船帳」には、三〇艘《そう》の船名・船主名・問《とい》（渡船業者）名が記されているが、それは伊勢の大湊と品川とを往来する船であった。

この品川湊の妙国寺《みょうこくじ》は、鎌倉時代の弘安《こうあん》八年（一二八五）に日蓮《にちれん》の直弟子天目《てんもく》上人が開基したものと伝えられており、一五世紀になって品川湊の有徳人の鈴木《すずき》道胤《どういん》親子が梵鐘《ぼんしょう》を寄進し、七堂伽藍《がらん》を一七年の歳月をかけて整備したという。文明《ぶんめい》二年（一四七〇）太田《おおた》道灌《どうかん》の父道真《どうしん》は、武蔵の河越《かわごえ》（川越）で連歌師《れんがし》の心敬《しんけい》・宗祇《そうぎ》を招いて連歌会《れんがえ》「河越千句」を興行したが、そのときに鈴木道胤も会に参加して句を詠んでいる。品川湊もまた港湾都市として成長していたことがうかがえる。

16

◉復元された町並み
発掘調査の成果から、草戸千軒の姿が浮かんできた。これは、当時の町並みを実物大で復元したもので、手前は船着き場の周辺に立った市《いち》の風景である。

列島に広く流通した物産

京都聖護院《しょうごいん》の門跡道興准后《もんぜきどうこうじゅごう》は、文明一八年（一四八六）に東国《とうごく》の熊野《くまの》三山支配地の状況を視察する途次、品川《しながわ》に立ち寄った際に品川浦の製塩の様子を歌に詠んでいるが（『廻国雑記《かいこくざつき》』）、伊勢《いせ》の大湊《おおみなと》周辺にも大規模な塩浜があって、塩浜が売買の対象になっていた。

御伽草子《おとぎぞうし》の『文正草子《ぶんしょうぞうし》』は、鹿島《かしま》大神宮の雑色《ぞうしき》だった男が常陸《ひたち》の鹿島郡角折《つのおれ》の磯で塩焼きに成功して徳人《とくにん》になり、長者となった話である。塩浜の経営は利潤が大きかったのであろう。森鷗外《もりおうがい》の『山椒大夫《さんしょうだゆう》』の元本となった説経節《せっきょうぶし》『さんせう大夫』に見えるさんせう大夫も、丹後《たんご》で製塩を広く行なっていた長者であった。

この塩のように、各地には産物が広く生まれていた。『庭訓往来《ていきんおうらい》』は、一一世紀に編まれた『新猿《しんさる》楽記《がくき》』と同じく、日本列島の各地に生まれた特産品を載せている。『新猿楽記』と比較してみると、変化した物、変わらぬ物などがよくうかがえる。たとえば、衣料や工芸品には変化が大きいが、金属製品や原材料には変化が少なく、食料品では宇賀《うが》昆布・夷《えぞ》鮭・奥漆《おくうるし》などの北海道や東北地方の産品が増えている。さらに、これ以外に多く見えるのが洛中洛外《らくちゅうらくがい》や近国の産品である。

洛中　大舎人《おおとのえ》綾・六条染物・猪熊《いのくま》紺《こう》・大宮《おおみや》絹・烏丸烏帽子《からすまるえぼし》・室町伯楽《むろまちはくらく》・姉小路《あねこうじ》針《はり》・小柴黛《こしばまゆずみ》・城《きど》殿扇《のおうぎ》

洛外　仁和《にんな》寺眉作《じまゆつくり》・東山蕪《ひがしやまかぶら》・西山心太《にしやまこころぶと》・嵯峨《さが》土器《かわらけ》・大原薪《おおはらたきぎ》・小野《おの》炭・鞍馬《くらま》木芽漬《きのめづけ》

近国　大津練貫《おおつねりぬき》・宇治布《うじ》・手島筵《てしまむしろ》・奈良刀《ならがたな》・高野剃刀《こうやかみそり》・醍醐烏頭布《だいごうどめ》

これらは「京の町人《まちうど》、浜の商人《あきうど》、鎌倉の誂物《あつらえもの》、宰府《さいふ》の交易、室兵庫《むろひょうご》の船頭、淀河尻《よどがわじり》の刀禰《とね》、大津坂本《さかもと》の馬借《まがせ》、鳥羽《とば》白河《しらかわ》の車借《くるまがせ》、泊《とまり》々の借上《かしあげ》、湊《みなと》々の替銭《かはしせん》、浦々の問丸《といまる》」などの活動を通じて流通したが、それぞれの地の有徳人《うとくにん》のあり方がそこからよくうかがえる。

こうしてさまざまな物資・物産が湊や宿《しゅく》を経て流通し、有徳人が生産や流通に携わり、国人《こくじん》と交わるなかで、国人も富を蓄えていったのである。津軽《つがる》の十三湊《とさみなと》に根拠地を置いた安藤《あんどう》氏は、南北朝《なんぼくちょう》の動乱を経て幕府に従うと、応永《おうえい》三〇年（一四二三）に安藤陸奥守《むつのかみ》が馬二〇匹、鳥五〇〇〇羽、銭《ぜに》二万匹《ひき》（一匹は一〇文《もん》）、海虎（ラッコ?）皮三〇枚、昆布五〇〇把《わ》を将軍に進上している。これは北方との交易によって得た富にほかならない。また永享《えいきょう》八年（一四三六）四月に「奥州十三湊日之本将軍安倍康季《あべやすすえ》」は、前年に焼失した若狭《わかさ》の羽賀寺《はがじ》（福井県小浜《おばま》市）を再建している（『羽賀寺縁起《えんぎ》』）。

日本海沿岸の湊の繁栄は、多くの文学作品にも登場している。謡曲『婆相天《ばそうでん》』や説経節『さんせう大夫』に登場する越後の直江津《なおえつ》は、東国・西国《さいごく》の船が出入りして、人買い商人の活動する繁華な湊として描かれており、幸若舞曲《こうわかまい》の『笈《おい》さがし』には「六ちょう船のせんどう七月の初、あいた（秋田）さかた（酒田）をこぎ出し」と秋田湊・酒田湊が見え、『義経記《ぎけいき》』には越前の敦賀《つるが》の津、越《えっ》中《ちゅう》の如意《にょい》の渡《わたり》、越後の直江津が登場している。

一方、応永一七年に上洛《じょうらく》した薩摩《さつま》の島津元久《しまづもとひさ》は、将軍義持《よしもち》や有力大名に緞子《どんす》や毛氈《もうせん》などの中国産品とともに、麝香《じゃこう》・沈香《じんこう》・南蛮酒・砂糖などの琉球《りゅうきゅう》から入手した産品を贈っている。日本列島は空前の繁栄を呈し、その繁栄がもたらす富を享受したのであった。

徳政一揆と花枯れの時代

空前の経済的な繁栄に沸く日本列島は、ある種の「バブル経済」にあったが、それに冷水を浴びせたのが徳政一揆《とくせいいっき》である。足利義持《あしかがよしもち》から義教《よしのり》へと将軍の代替わりがあった正長《しょうちょう》元年（一四二八）に起きた正長《しょうちょう》の土一揆《つちいっき》は、近江《おうみ》の馬借《ばしゃく》の一揆に始まって、またたく間に京都・奈良へと波及したが、これに対して、大和《やまと》の守護《しゅご》権を掌握していた興福寺《こうふくじ》は大いに驚くとともに、一一月に借銭《しゃくせん》破棄の徳政を宣言している。

一天下の土民《どみん》蜂起《ほうき》す。徳政と号し、酒屋・土倉《どそう》・寺院等を破却せしめ、雑物等恣《ほしいまま》にこれを取り、借銭等悉《ことごと》くこれを破る。管領《かんれい》これを成敗《せいばい》す。凡《およ》そ亡国の基、これに過ぐべからず。日本開《かい》白《びゃく》以来、土民蜂起是《こ》れ初めなり。

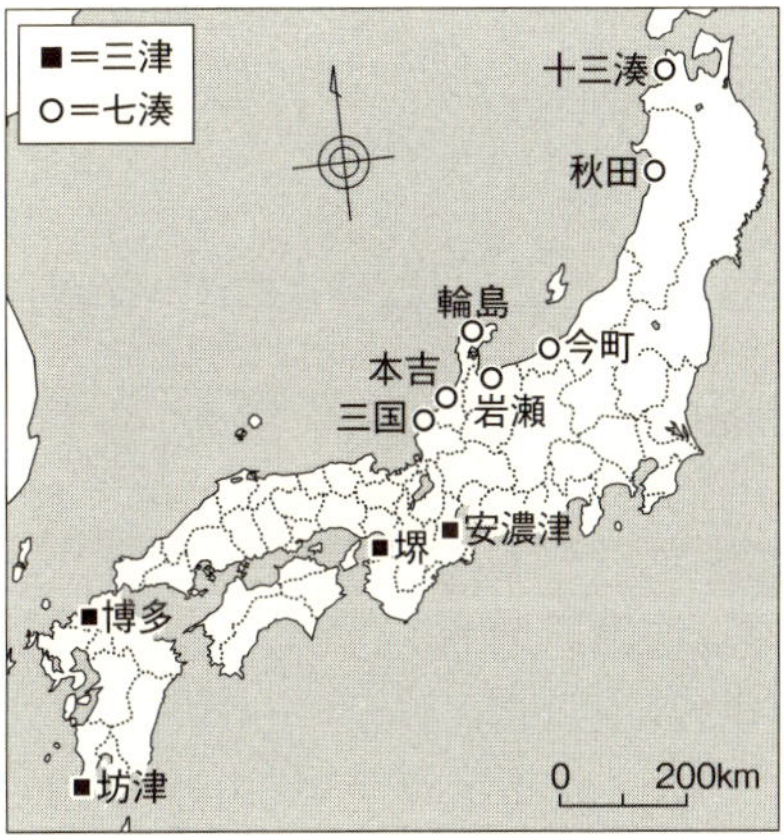

◉三津七湊
中世に発達した港湾都市。なお、坊津《ぼうのつ》は中国から見た「日本三津《さんしん》」であり、『廻船式目《かいせんしきもく》』では、博多津《はかたのつ》・安濃津《あのつ》・堺津《さかいのつ》を「三津」とする。

興福寺尋尊《じんそん》の手になる『大乗院日記目録《だいじょういんにっきもくろく》』に見える記事であるが、いかに支配者を驚かせたのかがよくわかる。とはいえすでに馬借たちは、応永《おうえい》二五年（一四一八）に大津《おおつ》の馬借が祇園《ぎおん》社の山徒円明坊《えんみょうぼう》に押し寄せて新関《しんぜき》設置の抗議をしており、応永三三年には近江坂本《さかもと》の馬借が米の購入を手控えた北野《きたの》社や祇園社に乱入して閉籠《へいろう》する事件を起こしていた。

思えば永仁《えいにん》の徳政令（一二九七年）は日本列島を襲った経済的な衝撃への幕府の対応であったが、この徳政一揆は幕府が牽引《けんいん》した経済的な繁栄への「土民」の反応であった。ねらわれたのが「酒屋・土倉・寺院」という幕府の経済的基盤であったことがこのことを示している。

それだけではない。翌年に播磨《はりま》で蜂起した「土民」は、「国中の侍」を攻めており、荘園《しょうえん》代や守護方の軍兵が命を失ったり、追い払われたりした。「土民」は「侍をして国中に在《あ》らしむべからざる」と豪語していたという。国人《こくじん》らもねらわれたのである。

これらの一揆には管領や守護が収拾にあたったので、ひとまずは切り抜けたが、嘉吉《かきつ》元年（一四四一）六月の嘉吉《かきつ》の乱《らん》で将軍足利義教が殺害されると、ふたたび「代初めの徳政」を求めて坂本の馬借が中心となって蜂起した。このたびは組織的であった。地侍が指導して一揆は数万人に膨れ上がって、京都を包囲したという。九月には東寺《とうじ》、北野社を占拠し、丹波口《たんばぐち》や西八条《にしはちじょう》を封鎖した。一揆勢は外部との連絡を断ったうえで、酒屋・土倉・寺院を襲撃したのである。

これに対して、幕府の管領細川持之《ほそかわもちゆき》が土倉方一衆から賄賂《わいろ》一〇〇〇貫《かん》をもらって、彼らの保護のために出兵命令を出したというわさが有力守護の耳に入って、出兵が拒否されるなどの混乱もあったが、新将軍足利義勝《よしかつ》の名で一揆勢の要求が受け入れられ、閏《うるう》九月、山城《やましろ》一国平均の徳政令が発布されて事態は収拾されている。しかしそこには大きな変化が透けてみえよう。

一揆を起こしたのが流通経済を担っていた馬借であったこと、賄賂を返したとはいえ、対応した幕府が土倉からの金銭で動こうとしていたことである。経済の歯車は狂いはじめており、政治の指導者には緊張感が消えかかっていた。義教の専制もその政治的な弛緩《しかん》を生んでいたのであろう。

それとともに、正長の土一揆を生んだ背景に応永末の飢饉《ききん》があったことも考えておく必要がある。応永二八年には「去年炎旱《えんかん》飢饉」「今年又疫病興盛万人死去」といわれ（『看聞日記《かんもんにっき》』）、久しくなかった飢饉が起きたのは気候の変動の前触れであった。

この時期の文化は、心敬《しんけい》の『ひとり言《ごと》』が指摘するように、永享《えいきょう》年間（一四二九～四一）までの和歌や連歌《れんが》の名匠や先達《せんだつ》が「きらきらし」く活躍していた花の時代から、花枯れの時代へと移っていた。

心敬は、絵画では「絵かく人数を知らず、さる中にも周文《しゅうぶん》禅学、天下に並びなかりし最も第一となり」として周文をとくにあげている。また「天下に近き世の無双の人々」としてあげたのは、『平家物語《へいけものがたり》』を

17

◉幅広く活躍した周文
周文の仕事は、絵だけではなく仏像の彩色など多彩だったが、確実に周文作といえる作品は残っていない。図は伝周文といわれる『水色巒光図《すいしょくらんこうず》』。中国の山水画の影響が色濃い。

語る琵琶《びわ》法師の千一検校《せんいちけんぎょう》であり、「奇特無双の上手」と記す。碁打ちでは相模《さがみ》の大山《おおやま》の衆徒《しゅと》の大円《だいえん》と三浦民部《みうらみんぶ》の二人の名をあげ、この二人はその「手合い」が、「昔より今に生まれぬばかり」であると語っている。

猿楽《さるがく》では、世阿弥《ぜあみ》について「世に無双不思議のことにて色々様々の能どもを作りをき侍《はべ》り」と記している。その世阿弥は将軍義持の時代になると、将軍を中心とした守護大名の禅への理解や、能への鑑賞眼などによって磨かれ、幽玄能《ゆうげんのう》を完成させたのだが、つぎの将軍義教の時代になると、甥《おい》の音阿弥《おんあみ》を後援していた義教との関係の悪化から、永享六年（一四三四）に佐渡《さど》に流され、以後の消息はわからない。

さらに詩や連句は、昔は公家《くげ》がもっぱらにしていたが、禅宗《ぜんしゅう》の学者にのみ名匠が現われたとして、南禅寺《なんぜんじ》の惟肖得巌《いしょうとくがん》、建仁寺《けんにんじ》の心田清播《しんでんせいは》をあげ、ついで「よろづのさま、世の人には遙《はる》かに変はりはべる」と人々が語ったという一休宗純《いっきゅうそうじゅん》をあげている。

和歌では今川了俊《いまがわりょうしゅん》から和歌を学び、東福寺《とうふくじ》の書記となって徹書記《てつしょき》と称された正徹《しょうてつ》がいたが、歌論書『正徹物語《しょうてつものがたり》』を著わし、心敬らの弟子を育てたものの、義教に疎まれて『新続古今和歌集《しんぞくこきんわかしゅう》』には一首も入らなかった。この時期は、文化の地方への広がりがあるとともに、新たな文化の胎動期にあったといえよう。

第七章

中世の環境と社会の変化

気候変動から時代を探る

気候変動と社会の動き

ここに三つのグラフがある。縄文杉《じょうもんすぎ》で著名な屋久杉《やくすぎ》の炭素安定同位体比に基づく、過去二〇〇〇年間の平均気温からの偏差を示したもの。群馬の尾瀬ヶ原《おぜがはら》のゴヨウマツ亜属花粉の出現率からみた古気候曲線を示したもの。それと海水準変動《かいすいじゅんへんどう》によるフェアブリッジ曲線である。

日本列島の西と東、あるいは南と北の地域から採取したデータと地球規模の気候変動に関するものであり、これらのグラフを見てゆくと、同じような変化が認められ、日本列島の気候の動きがほぼつかめる。すなわち、西暦一〇〇〇年頃からしだいに温暖期に入るが、やがて寒冷期を迎え、一三〇〇年頃からまた緩やかな温暖化への道をたどるものの、一五世紀になるとみたび寒冷期を迎える、というものである。

言うまでもなく、このことは何も日本列島にのみ特有な気候変動ではなく、東アジアやユーラシア世界に共通するものであって、たとえば一五世紀の寒冷期は、「小氷期《しょうひょうき》」として地球規模で寒冷な時期だったことが知られている。ではこの気候変動は、社会にどのような影響を与えたのであろうか。中世を通じての変化がうかがえる京都を例にとって考えてみよう。

最初の時期は九、一〇世紀である。平安京《へいあんきょう》のなかにしだいに都市京都が形成されてくるが、この都市の形成を通じて、それまでは藤原京《ふじわらきょう》・平城京《へいじょうきょう》・長岡京《ながおかきょう》などと、都がつねに移動してきたのが、以後には移動がなくなるのである。寒冷期に、人々は自然とのかかわりを模索し住む場を定めるようになったのであろう。

やがて一二世紀になって飢饉《ききん》が襲ってくる。最初の飢饉は鴨長明《かものちょうめい》の『方丈記《ほうじょうき》』に「崇徳院《すとくいん》の御位《みくらい》の時、長承《ちょうしょう》のころとか、かかるためしありけり」と記されている長承の飢饉である。『百練抄《ひゃくれんしょう》』長承三年（一一三四）の記事に「今年以後、天下飢饉」と見えており、その五月には「近日霖雨《りんう》、京中路

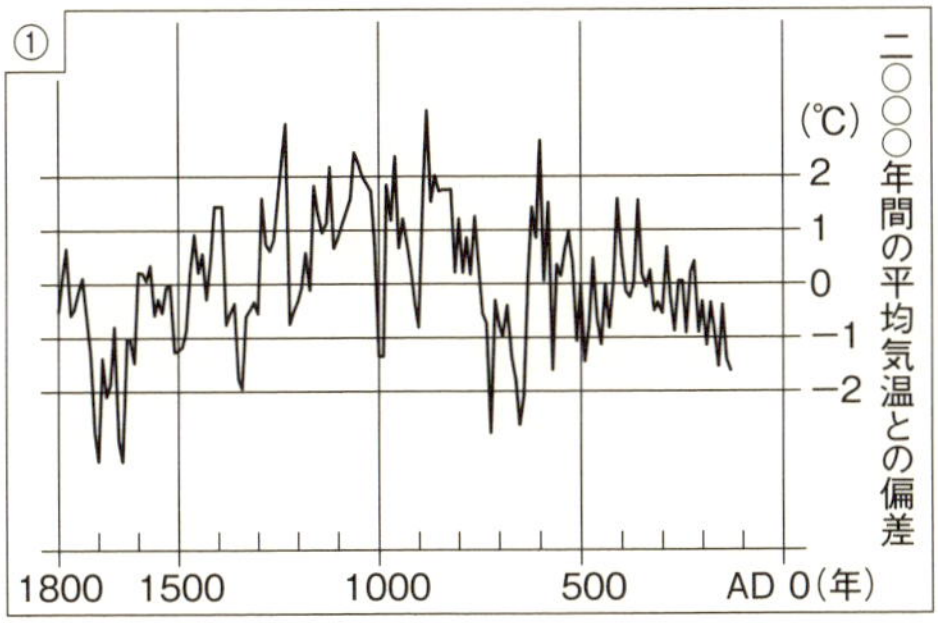

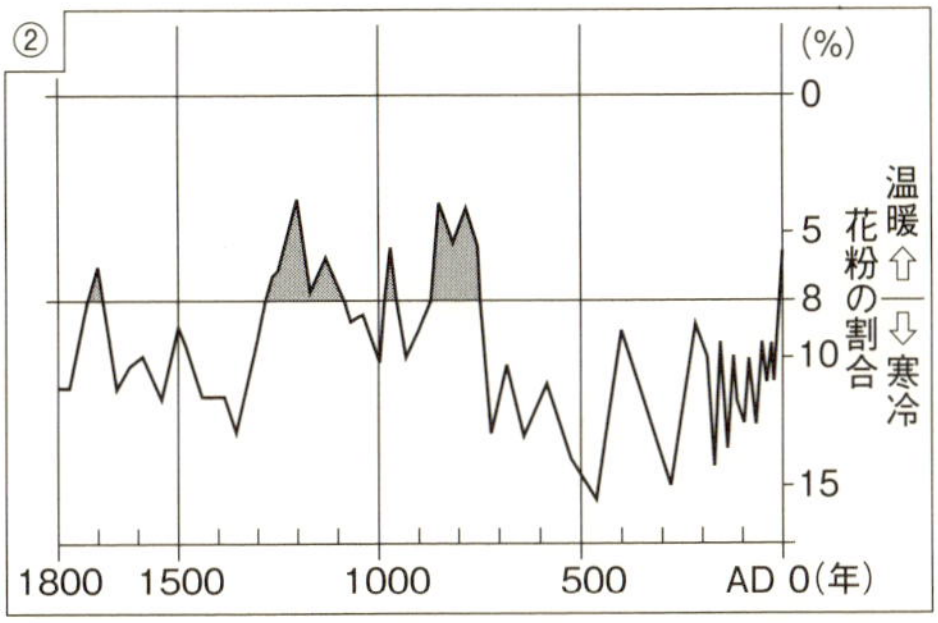

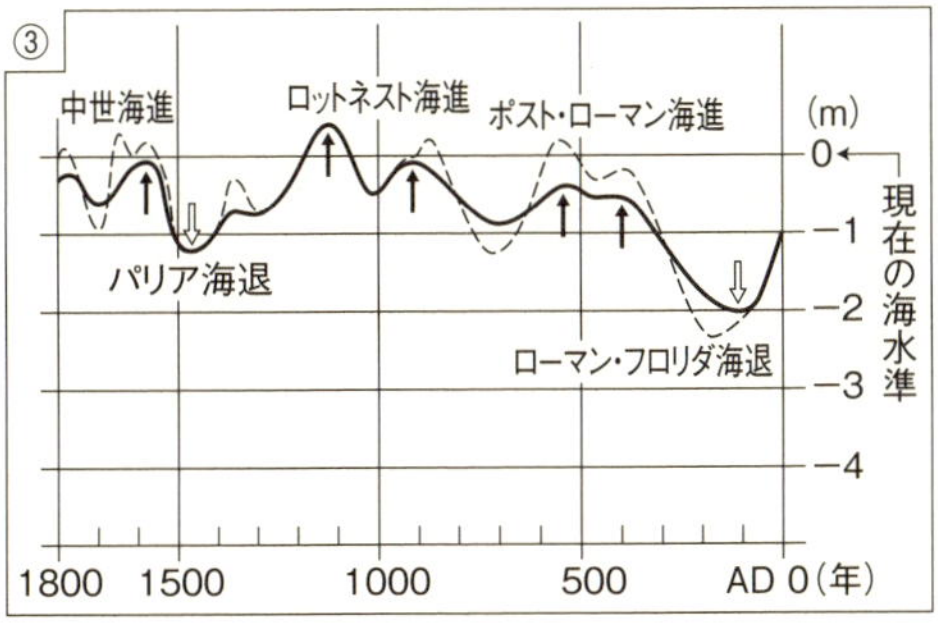

◉三つのグラフ

グラフ①は、樹齢一八〇〇年以上の屋久杉から検出された炭素安定同位体の割合の変化から、各時期の気温と平均気温との偏差を推定したもの。②は、寒いほどマツは増殖し花粉量が増えることから、堆積物中のマツの花粉の割合を調べて、気候変動を推定したもの。③は、アメリカのフェアブリッジ教授が、堆積物の分析から過去の海水準（海面）の変動を推定したもの。

頭往反不通、七道五畿この愁《うれい》あり」ということで、翌年四月に保延《ほうえん》に改元したが、「近日天下大飢《け》渇《かつ》、道路に餓死する者多く、或《あるい》は小児を捨て、或は乞食の者多し」（『中右記《ちゅうゆうき》』）というありさまが数年続いている。

これは鳥羽《とば》院政の始まりのころで、この時期に生まれ育った法然《ほうねん》や栄西《えいさい》、重源《ちょうげん》らによって新たな信仰がとなえられていったのと無関係ではない。武士の活動もこの時期から地方で盛んになってゆく。こののち、保元《ほうげん》の乱《らん》（一一五六年）の直前にも久寿《きゅうじゅ》の飢饉があって、それとともに流入した飢民や武士の動きとともに、保元の乱は勃発《ぼっぱつ》したのである。

そのつぎに起きた飢饉が、以下のように『方丈記』に描かれた養和《ようわ》の飢饉（一一八〇～八一年）である。

> 養和のころとか、久しくなりて覚えず。二年《ふたとせ》があひだ、世の中飢渇して、あさましき事侍《はべ》りき。或は春夏ひでり、或は秋大風、洪水《おおみず》など、よからぬ事どもうちつづきて、五穀悉《ことごと》くならず。……築地《ついひじ》のつら、道のほとりに、飢ゑ死ぬる者のたぐひ、数も知らず、取り捨つるわざも知らねば、くさき香《か》世界に満ち満ちて、変りゆくかたちありさま、目もあてられぬ事多かり。

時は源平の争乱期であった。あまりに多くの死者を見た仁和寺《にんなじ》の隆暁法印《りゅうぎょうほういん》が、亡くなった人の額に阿の字を書いて縁を結ばせたところ、その数は四万二三〇〇あまりになったという。阿の字は梵《ぼん》字《じ》の主要母音で大日如来《だいにちにょらい》を意味していた。この飢饉の直撃を受けた平氏は、有効な対策をとれないままに戦闘を続行したことがひとつの敗因となって、滅んでゆくことになる。そしてこの時期から新たな仏教運動が広く展開していったのである。

鎌倉時代に入って、大きな影響を与えたのは寛喜《かんぎ》の大飢饉である。これについて藤原定家《ふじわらのさだいえ》は『明月記《めいげつき》』寛喜三年（一二三一）七月二日条に「死骸《しがい》道に満つ。逐日《ちくじつ》加増、東北院の内その数を知らず」と記し、幕府の記録『吾妻鏡《あずまかがみ》』同年三月十九日条にも「今年世上飢饉。百姓多く以《もっ》て餓死す」と記され、全国的な飢饉となった。この飢饉に応じて朝廷では寛喜の新制四二条を発布し、幕府では翌年に貞永式目《じょうえいしきもく》五一条を制定している。ともに法を定めて徳政を試みたのである。しかし朝廷がこの寛喜の新制を境に、以後はまとまったかたちで法令を出すことをしなくなってゆくのに対し、幕府は積極的に法令を出していった。ここに政治の実質的指導権を幕府が握り、朝廷はその政治の受け皿となるように変化していったのである。

京都の経済的発展

変化の第二の画期は、一三世紀後半からである。朝廷が幕府に支えられながら、改めて京都を経済的基盤に据えてゆき、都市京都には共同体が形成されてくる。その動きはすでに詳しくみたところである。

鎌倉幕府を倒した後醍醐《ごだいご》天皇の建武《けんむ》政権は、その京都の経済的基盤の上に形成されたが、この建武政権を倒して武家政権を再興するにあたって、幕府をどこに置くのかが大きな問題となり、そこで定められたのが建武《けんむ》式目《しきもく》（一三三六年）である。それによれば、武家の繁栄の跡を追って、善政を求めるべしとしたうえで、京中《きょうちゅう》での倹約と宴《うたげ》の規制、私宅や空き地の没収の禁止、無尽《むじん》銭《せん》・土倉《どそう》などの金融業者の活動を保護すべきことを方針として掲げている。すなわち経済的に卓越した京都の魅力が、武士の「故郷」である鎌倉を捨てさせることになったのである。

　それでも足利尊氏《あしかがたかうじ》・義詮《よしあきら》二代までは「鎌倉大納言《だいなごん》」などと称され、鎌倉にその基盤のあることが強調されていたが、三代目の義満《よしみつ》からは「室《むろ》町殿《まちどの》」と称され、京都にどっぷりと浸《つか》るようになった。それとともに室町幕府は検非違使《けびいし》が有していた京都の検断権を吸収してゆき、行政・裁判権をも接収していった。幕府の侍所《さむらいどころ》や政所《まんどころ》の主要な業務は、京都の治安維持や行政にあてられるようになった。そして明徳《めいとく》四年（一三九三）には洛中《らくちゅう》・辺土に散在する土倉・酒屋に対して、幕府は一律に課役《かやく》を賦課するところとなったのである。

　応永《おうえい》三三年（一四二六）に作成された酒屋名簿によれば、京都の酒屋は北は一条《いちじょう》から南は七条《しちじょう》まで、西は大宮《おおみや》から東は東朱雀《ひがしすざく》（鴨川《かもがわ》の東の大

1

●描かれた土倉の姿
大火で家を焼かれ、焼け残った蔵の近くにたたずむ土倉一家。土倉の姿が絵巻類に描かれた、数少ない例。（『春日《かすが》権現験記《ごんげんげんき》絵巻《えまき》』）

路）までの洛中にまんべんなく分布しているほか、一条以北、河東《かとう》、北野《きたの》、嵯峨《さが》などの洛外にまで及んでいる。

このように京都は第二期になって順調に発展した。途中に南北朝《なんぼくちょう》の動乱はあったものの、それもじつは経済の順調な発展により戦闘が支えられていた面があったのである。貞治《じょうじ》六年（一三六七）の洛中棟別銭《むねべちせん》は家屋一棟ごとに一〇文宛《あ》てで一万疋《ひき》が課されており、一疋が一〇文にあたるから一万棟が負担していた計算になるが、文安《ぶんあん》三年（一四四六）には一棟あたり一〇〇文で二万貫（一貫＝一〇〇〇文）というから、二〇万棟が負担するようになっている。数字のとおりでないとしても、一〇倍以上の人口増加があったことは疑いない。

灰土のなかの京都

しかし第三期の小氷期《しょうひょうき》の気候は、京都に大きな爪痕《つめあと》を残した。嘉吉《かきつ》の乱《らん》で殺害された将軍足利義教《あしかがよしのり》の跡は、後継者の義勝《よしかつ》がすぐ亡くなったため、八歳の義政《よしまさ》が継いだが、その義政が文安《ぶんあん》六年（一四四九）に将軍になって政務をとり、やがて義満《よしみつ》に倣って公武統一型の路線を歩みはじめた長禄《ちょうろく》三年（一四五九）のことである。

この年は天候が不順で、九月に台風により鴨川《かもがわ》が氾濫《はんらん》し、京中の溺死《できし》者は膨大な数にのぼった。京都には米が入らなくなり、米価が暴騰して餓死者が出て、一揆《いっき》が頻発した。翌年には天候不順がいっそうひどくなり、日照りによって全国的な飢饉《ききん》となった。いわゆる長禄・寛正《かんしょう》の飢饉である。

各地で餓死者が続出し、人肉を食うといううわさも飛び交った。東福寺《とうふくじ》の太極《たいぎょく》が記した『碧山日録《へきざんにちろく》』は、その情景をこう記している。

京の六条《ろくじょう》町でひとりの老女が子供を抱いてしきりに名前を呼んでいた。しかし何度呼んでも子供が返事をしないので、女は声を上げて泣き伏した。見ると、子はすでに死んでおり、母親は慟哭《どうこく》しつづけていた。道行く人が生まれを尋ねると、河内《かわち》からの流民という。三年もの旱魃《かんばつ》が続き、稲が実らないうえに重税がかけられ、税を出さないと刑罰が加えられるので、他国を流浪して食を求めて京都までやってきたのだが、ついに子は餓死してしまったという。

飢饉とともに大量の流民が京都に入ってきていたのである。この惨状から時宗《じしゅう》の僧願阿弥《がんあみ》は粥《かゆ》の施行《せぎょう》に乗り出し、将軍の許可を得て、六角堂《ろっかくどう》の南の道に草屋《そうおく》を設け、そこに飢えた人々を収容したところ、一日に何十人もの死者が出て、毎日、屍《しかばね》を鴨川に埋める始末であった。さらに八〇〇〇人分もの粥の施行をするという現実に、ついに力なく撤収することになったという。また、ある僧が小さな木の卒塔婆《そとば》を死骸《しがい》の上に置いていったところ、

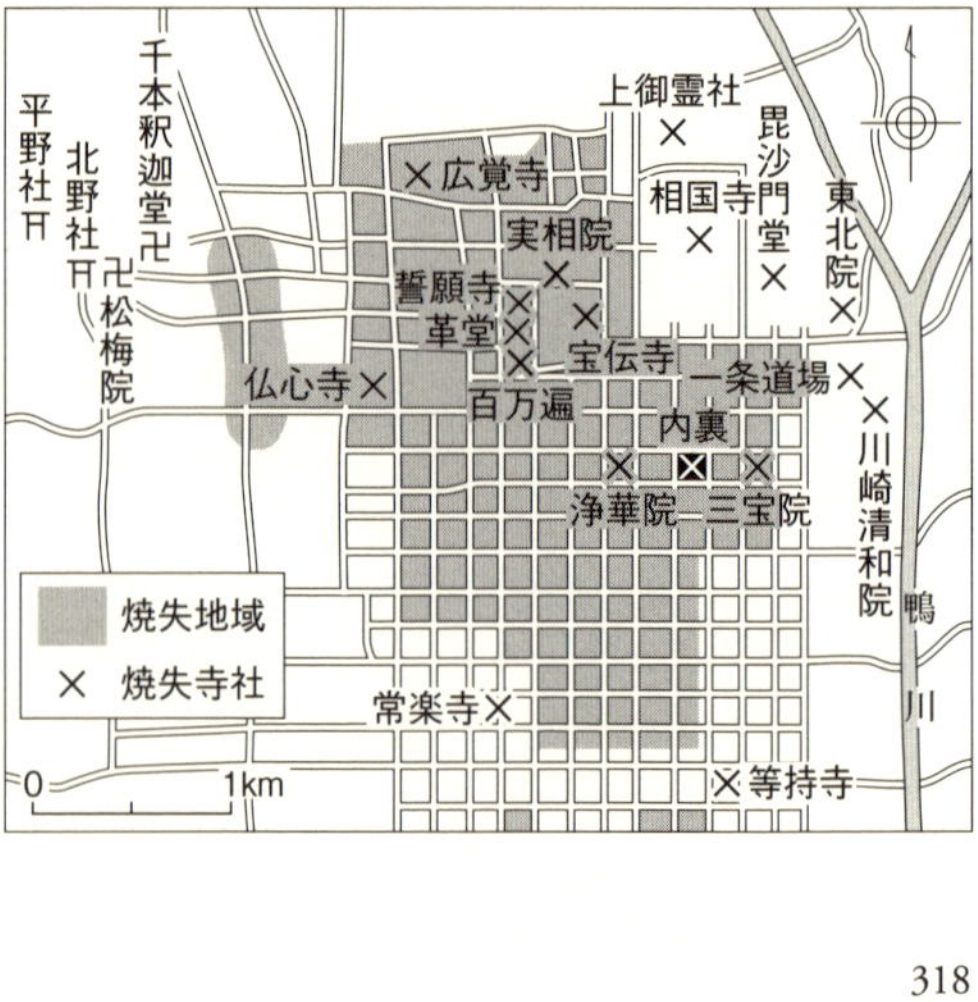

●応仁の乱の被害状況
応仁の乱は、将軍足利義政《あしかがよしまさ》の跡継ぎ問題と、管領《かんれい》の畠山《はたけやま》家の相続問題をめぐる争いに、有力大名たちの思惑が複雑に交錯して起こった。当時の記録類の多い上京側は、被害の状況が詳しくわかっている。

それは八万二〇〇〇個に及んだという。養和《ようわ》の飢饉の二倍の数であった。

やがて起きた応仁《おうにん》の乱《らん》によって、京都は焼け野原となる。幕府が東軍と西軍とに分裂して争った結果、大量の雑兵《ぞうひょう》が集められ、流入してきた飢民、合戦に集められた兵など、その数は両陣営合わせて三〇万にのぼったといわれる。彼らは文正《ぶんしょう》元年（一四六六）の秋から集まりはじめ、翌年正月に御霊林《ごりょうばやし》で交戦し、五月に全面的に戦闘を開始すると、その年には洛中《らくちゅう》の大半は戦火で焼失した。こうして始まった戦いは畿内近国へと波及し、その戦乱は約一〇年続いたのである。

『応仁記《おうにんき》』は、「天下大いに動乱し、それより永く五畿七道悉《ことごと》く乱る」と記し、「花の都」が「狐狼《ころう》のふしど」となってしまい、たまたま残った東寺《とうじ》や北野《きたの》社さえもが「灰土」となった、という。どうして京都はこれほどにも荒廃してしまったのであろうか。その原因が戦乱や失政、飢饉などにあることは確かであるが、戦乱といっても、南北朝《なんぼくちょう》の動乱をはじめ、京都はつねに戦場となってきていた。飢饉もつねに京都を襲ってきていた。

しかし、これまではたくましく復興が遂げられてきたにもかかわらず、応仁の乱で大きな打撃を受けたのはなぜか。明らかなことは、応仁の乱の際には、その復興の力に欠けていたからであろう。そうみてゆくと、事は京都だけの問題ではないことがわかってくる。

各地の町や湊の衰退

備後《びんご》の草戸《くさど》千軒《せんげん》でも、一五世紀の前半までは水路や街路が設けられ、物資の取り引きが行なわれた施設や倉庫も建てられ、町の人口が増加していた。しかし一五世紀の後半になると、その中心部では堅固な柵や土塀で囲った構えがつくられるような様相に変化し、町屋風の建物が消える。南部では大型の溝・堀によって囲まれた方形の区画の屋敷らしきものは生まれるが、やがてこれも一六世紀初頭には消えてしまうという。

このように草戸千軒は、一五世紀後半からその性格が変化してゆき、一六世紀初頭には町の機能が完全に失われてしまっていた。当初、「幻の中世都市」として発掘が始まった段階では、芦田川《あしだがわ》の中洲《なかす》にあったことから、福山《ふくやま》の城下町の形成や洪水の影響によって芦田川の流路が変化して水没したものと考えられてきた。しかし町の機能はすでに一六世紀には失われていたのである。

津軽《つがる》の十三湊《とさみなと》もまた、すでにみてきたように一五世紀前半までは豊かな富を誇っていた。発掘からもそのことは確かめられている。遺跡の中央にある大型の屋敷の南側に、東西方向にのびる大きな土塁と堀がつくられ、その南側から南北にのびる中軸道路と、それに交わるかたちで平行して等間隔にのびる道路がつくられるなど、大規模な整備が行なわれていた。堀を伴った大きな屋敷は領主の館と考えられているが、その北側には屋敷群が生まれており、海に接して港湾施設が整えられ、南側に

2

◉草戸千軒の性格の変化
一五世紀後半の中心部の復元模型。土塀や柵の設置は、当時の経済活動の活発化に伴う、防御意識の高まりを示している。

は町屋が短冊状に並んでいた。

ところが一五世紀後半になると、その領主館や屋敷群のある北部一帯の道路や堀は埋められてしまい、石が詰め込まれた土坑墓《どこうぼ》による墓域が広がっている。遺物を見ても瀬戸焼《せとやき》が激減しており、港湾の機能も失われていたことがわかる。領主の安藤氏《あんどう》が享徳《きょうとく》二年（一四五三）に滅んだ事実と合致するが、その機能の喪失とともに、日本海側で多くみられる飛砂《ひさ》現象によって、湊は埋もれてしまったという。

この時期の日本海側の湊の機能の喪失については、このような飛砂現象を原因とみることが多い。たしかに加賀《かが》の普正寺《ふしょうじ》遺跡（金沢市）でもそのことが認められる。この遺跡は、大野荘《おおののしょう》の年貢積み出し港として機能していた河口部の湊遺跡であって、多くの陶磁器や銭《ぜに》、石塔類が出土しているが、一五世紀中期には砂に埋もれてしまったという。

しかし、現在でも飛砂現象は日本海沿岸地域でみられるのに、なぜこのときの飛砂によって衰退したのかが問題となってくる。飛砂に影響を与える条件は、低温と多湿であるというから、小氷期《しょうひょうき》という寒冷化現象の影響は大きかったのであろう。また、それまでの好調な経済によって河川流域での開発が進められ、そのために河口部に土砂が流入して堆積《たいせき》する傾向を生んでいたことが考えられる。そうした現象があっても、不断の人間のかかわりによって克服できようが、その力が失われ

3

◉砂に埋もれた普正寺遺跡
かつて湊だったのが、現在は砂丘となっている。写真は、遺跡から出土した石塔類。五輪塔は、立った状態で砂に覆われていた。

れば一気に砂に埋もれてしまうことになる。

同じような湊の衰退について太平洋岸で指摘されているのが、明応《めいおう》の津波である。伊勢の安濃津《あのつ》は、応永《おうえい》三一年（一四二四）一二月の『室町殿伊勢参宮記《むろまちどのいせさんぐうき》』に「あの、津も近くなりぬるに、なぎさに松原のつづきたる所あり」と記され、「ゆききの船人の月に漕《こぎ》こえ」と句にも詠まれるような優良な湊であったが、明応《めいおう》七年（一四九八）の地震による津波の大きな影響を受けた。大永《だいえい》二年（一五二二）に連歌師《れんがし》の宗長《そうちょう》がここにやってきたときに、「この津、十余年以来荒野となりて四、五千軒の家・堂塔跡のみ」と往時の繁栄が過ぎ去ったと記している（『宗長手記《そうちょうしゅき》』）。遠江《とおとうみ》の元島《もとじま》遺跡（静岡県磐《いわ》田《た》市）も、磐田の国府《こくふ》近くに生まれた見付宿《みつけしゅく》の発展とともに成長してきた、太田川《おおたがわ》河口の湊であるが、明応の津波の影響を受けて、やはり急激に衰退していったとみられている。

明応の津波の影響は大きかったが、安濃津が宗長の来たあとすぐに復興を遂げているように、復活する力が備わってさえいれば、そうした自然条件は克服できるのである。このように一五世紀後半は、各地の湊町にとって大きな転機を迎えていたことがわかる。宿《しゅく》の場合でも、たとえば武蔵《むさし》の鎌倉道《かまくらみち》に沿う苦林宿《にがばやしゅく》のあった堂山下《どうやました》遺跡（埼玉県毛呂山《もろやま》町）は、越辺川《おっぺがわ》の右岸に立地する集落であるが、一六世紀初頭までは建物跡や井戸などの遺構が認められるものの、その後は完全に機能を失っている。宿のような道沿いの集落は、交通路や流通の変化が大きく影響したことであろう。

町がこうした状態であったのに対して、村はどうだったのだろうか。正長《しょうちょう》の土一揆《つちいっき》の発端となった畿内近国の村の状況を眺めてみよう。

郷民の村とその景観

菅浦の村の結びつき

近江《おうみ》の菅浦《すがうら》（滋賀県西浅井《にしあざい》町）は、琵琶湖《びわこ》北部の葛籠尾《つづらお》半島の先端に生まれた小さな湾の奥にあり、背後に急な山の傾斜面が迫っている地である。田畠在家《ざいけ》などは山門《さんもん》（延暦寺《えんりゃくじ》）支配下にあり、住民は蔵人所《くろうどどころ》の供御人《くごにん》になる者が多く、鎌倉時代末期には御厨子所《みずしどころ》・内蔵寮《くらりょう》に属していた。ここでも鎌倉後期から村の結びつきを強め、永仁《えいにん》五年（一二九七）に菅浦の住人が近江の守護使《しゅごし》と対立したときには、蔵人所を通じて訴訟を行なっており、正安《しょうあん》四年（一三〇二）には、隣接する大浦荘《おおうらのしょう》との相論にかかわって古老たちが村に金を融資する置文《おきぶみ》を作成している。

貞和《じょうわ》二年（正平《しょうへい》元年〔一三四六〕）には「おきふミ」（置文）が定められ、隣接する大浦荘との間での係争地である日指《ひさし》・諸河《もろかわ》の田畠について、一、二年の年紀売りは認めるものの、永代の売買は禁じること、

4

◉菅浦と大浦荘の土地をめぐる争い
図は、右上の大浦荘とその下の菅浦の間に境界線を書き込んで、菅浦側の主張の証拠としたもの。争いは幕府が菅浦領と認めて決着した。下の島は、信仰の対象とされた竹生島《ちくぶしま》。

もしこれに違反した場合は「惣《そう》の出仕」（村の会議への出席）を止めることなどを定め、一二人の住民が署判を加えている。

こうして生まれた「惣」は、乙名《おとな》・中老《ちゅうろう》・若衆《わかしゅ》などと呼ばれる東・西各一〇名の計二〇名によって運営され、領主による検注《けんちゅう》の拒否や、年貢の減免要求、年貢の地下請《じげうけ》などを行なってきた。琵琶湖に面していた関係上、廻船活動や漁業活動も盛んで、応永《おうえい》四年（一三九七）には海津《かいづ》の地頭《じとう》の仲介で、琵琶湖南岸の堅田《かたた》と湖上の漁場の範囲を取り決めている。

このような権利を獲得し維持するために、菅浦は文書の保管に努め、時には偽文書を作成することすらあった。菅浦が現在まで保管してきた文書は膨大な量に及ぶ（『菅浦文書《すがうらもんじょ》』）。そして村の結びつきのために、元亨《げんこう》元年（一三二一）には村の寺である阿弥陀寺《あみだじ》に二〇〇巻の大般若経《だいはんにゃきょう》の版経《はんぎょう》を入手して収め、残り四〇〇巻を村人が発願《ほつがん》して書写している。大般若経全六〇〇巻は、読めば邪を除き、見れば福がもたらされて栄えるといわれ、奈良時代から諸大寺で読まれてきたが、鎌倉時代後期になると、村においても書写され転読されるようになったのである。

こうして一四世紀を通じて、村の活動は広く周辺に及び、盛んな経済活動を繰り広げていたが、文安《ぶんあん》二年（一四四五）と寛正《かんしょう》二年（一四六一）の二度にわたる日指・諸河をめぐる大浦荘との相論は、それまでとはやや違い、周辺の地頭や荘民《しょうみん》らも巻き込む合戦を引き起こし、武力対決を伴っていた。

このときの合戦の様子は文書に記されている。文安二年には「七、八十の老共《おとなども》も弓矢を取《とり》、女達も水をくミ、たてをかつく事」とあるように、老若男女が総動員であたり、その訴訟費用は銭《ぜに》二〇〇貫文《かんもん》・兵粮米《ひょうろうまい》五〇石、酒五〇貫文分もかかったという。寛正二年には「一味同心候て、枕をならへ打死仕候はんとおもひきり、要害をこしらゑ相待」と、一味同心して要害を構えて合戦に備え、討死《うちじ》にをも辞さなかったという。

このように村が武力を蓄え、周辺の地域と合戦を行なうという事態は、どうして生まれたのであろうか。近江に始まる、徳政を求めた土一揆《つちいっき》の影響も大きかったことであろう。近江の奥島《おくしま》・北津田《きたつだ》荘（滋賀県近江八幡市《おうみはちまん》）の沙汰人《さたにん》は、独自の徳政令を嘉吉《かきつ》元年（一四四一）八月に定めている。またこれまでに広がっていた経済活動の行きづまりも、その背景として考えられる。

京都近郊の郷民の動き

京都の東南に位置する山城《やましろ》の伏見荘《ふしみのしょう》は、建久《けんきゅう》二年（一一九一）の長講堂領注文《ちょうこうどうりょうちゅうもん》（文書）に見える皇室領である。室町《むろまち》時代になると、後花園《ごはなぞの》天皇の父貞成《さだふさ》親王（後崇光院《ごすこういん》）の領有となっていたところから、その記した『看聞日記《かんもんにっき》』によって村の状況がうかがえる。

正長《しょうちょう》の土一揆《つちいっき》が起こる直前の応永《おうえい》三二年（一四二五）四月、伏見荘の村の「地下人《じげにん》」が大挙して近くの炭山《すみやま》に入り杭《くい》を打ったところ、これに炭山村から抗議があって緊張が走った。というのも、伏見村が炭山に入って柴木《しばき》を採取する際には、炭山村と協議して杭を打つのが慣例となっており、この何年間はそれが途絶していたところに、伏見側にこの動きがあったからである。

しかしこの紛争は、先例によって杭が打たれ、柴木を採取することで円満に解決をみたが、永享《えいきょう》五年（一四三三）四月には伏見の地下人が炭山に押しかけ、ついに三人の郷民を殺害するところとなった。張本人を差し出すように求められた伏見荘の沙汰人《さたにん》は、「土一揆所行の間、誰を張本とも申しがたし」と、特定できないと拒否している。

翌永享六年に、幕府は延暦寺《えんりやくじ》の強訴《ごうそ》に備えて、京の郊外の村に軍勢の動員をかけたが、このときに伏見荘の鎮守《ちんじゅ》の御香宮《ごこうぐう》に集まった村の軍勢は、侍七人とその下人《げにん》五〇人のほか、荘園を構成する山《やま》村・舟津《ふなつ》村・石井《いしい》村・森《もり》村・三木《そうぎ》村・野中《のなか》村などから二二八人にのぼったという。村は武力を備えており、幕府もその武力を期待していたのである。

その村の祭りを眺めてみよう。正月と七月の盂蘭盆《うらぼん》のときには、各村は親王のいる伏見殿《ふしみどの》に参上し、仮装や作り物をして囃《はや》子《し》・舞踊をする「松拍《まつばやし》」を演じた。鎮守の御香宮は、境内から香り高い名水が湧《わ》き出ることにちなんでその名が付けられ、酒づくりの里・伏見を象徴する社であるが、ここの九月の大祭は、神が御旅所《おたびしょ》に遷《うつ》ったあと数十番に及ぶ相撲《すまい》が、近郷からも多数の参加を得て行なわれて始まる。神が還《かえ》る日は神幸《しんこう》の行列

5

の先頭をさまざまな模型を載せた風流笠《ふりゅうがさ》（山笠《やまがさ》）と風流《ふりゅう》踊りのグループが行き、続いて神輿《みこし》を囲んだ神官、さらに祭りの費用を負担する頭人《とうにん》が数十人の随兵《ずいひょう》を引き連れて進んだ。行列の最後尾も風流笠と風流踊りであるが、これらは村々が用意したものであった。

こうして結束を固めた村人は、猿楽《さるがく》などの芸能を楽しむとともに、危急のときには早鐘によって集合し「地下寄合《じげよりあい》」を行なった。嘉吉《かきつ》三年（一四四三）に伏見荘の近くにある深草《ふかくさ》と竹田《たけだ》との間に堤相論があったときには、伏見は深草に合力《ごうりき》して竹田の在家《ざいけ》を焼き払う武力行使をしている。周辺の郷との間に連携・連帯が生まれていたのである。

これらの記事を『看聞日記』の記主の貞成親王は事細かく記すとともに、好奇心が人一倍強いだけに、うわさ話もこまめに記している。そのひとつに嘉吉三年九月に洛北《らくほく》で起きた一事件がある。美作《みまさか》の守護山名《やまな》教清《のりきよ》が鞍馬《くらま》に参詣《さんけい》するにあたり、家人《けにん》らが途中の市原野《いちはらの》で主人の坂迎えの準備をしていたところ、そこに鹿狩りをしていた市原野の郷民の射た鹿が突っ込んできた。双方でこの鹿の取り合いとなり、口論から喧嘩《けんか》へと発展し、ついに教清の若党が郷民の矢に射抜かれて切腹したほか、山名の家中には死者が五人、手負いが数十人も出たという。京都の近郊の村では、大名と争うほどの武力を擁していたのである。

また伏見荘の近くの山科《やましな》では、近隣の郷が集まって山科七郷《しちごう》という惣郷《そうごう》を形成していた。山科家

●にぎやかな松拍
松拍（松囃子）は、室町時代に盛んだった祝福の芸事。図に見える、頭からかぶっている巨大なものが、風流笠である。（『祭礼草紙《さいれいぞうし》』）

の家礼《けらい》である大沢久守《おおさわひさもり》が記す日記『山科家礼記《やましなけらいき》』によれば、「山科七郷」は野村《のむら》・大宅里《おおやけ》・西山《にしのやま》・北花山《きたかざん》・御陵《みささぎ》・安祥寺《あんしょうじ》・音羽《おとわ》の七郷であるが、郷ごとに領主や知行主が異なっていた。

応永《おうえい》年間の後小松《ごこまつ》天皇のころに、郷は皇室御料として大きくくくられるようになったが、各郷は自治組織をもち、年老《おとな》・中臈《ちゅうろう》・若衆《わかしゅ》などの組織をもち、寄合が毎年定期的に開催されていた。長禄《ちょうろく》元年（一四五七）一〇月、徳政の要求とともに土倉《どそう》・酒屋などから質の請け出しが始まったので、大沢久守が現地に赴いて徳政を禁じたことがある。しかし一一月二日に、七郷として同心することを各郷は決めて、「山科七郷土一キ、京中《きょうちゅう》へ東山《ひがしやま》より入り候なり」と京に入ったのち、六日には清水寺《きよみずでら》から郷に戻ったという。

応仁《おうにん》の乱《らん》では山科も大きな影響を受けた。応仁二年（一四六八）六月二〇日、畠山義就《はたけやまよしひろ》の山城国守護《やましろのくにしゅご》就任に際して、「七郷々民野寄合在之《のよりあいこれあり》」と臨時に七郷の野寄合を開き、各郷から住人が具足《ぐそく》をつけ参加している。六月二八日には「近日、合戦あるべきの上は、山科七郷々民を馳《は》せ催す」と、幕府からの出兵の要請で動いており、七月には再三にわたって山科の通路の遮断を命じられている。文《ぶん》明《めい》一二年（一四八〇）八月に土一揆《つちいっき》が起こると、山科七郷でも九月一八日に「七郷の土一揆おこり」と、土一揆を起こしている。

こうして村は連合し、武力をもって蜂起《ほうき》したのであったが、その動きは畿内近国だけでなく、各地にも認められる。

守護に抵抗する新見荘の百姓

新見荘《にいみのしょう》（岡山県新見市）は中国山地と吉備《きび》高原の中間の新見盆地に位置する、東寺《とうじ》の重要な荘園《しょうえん》であった。その新見荘の名主百姓《みょうしゅひゃくしょう》四一名は、寛正《かんしょう》二年（一四六一）に連署《れんしょ》して代官の安富智安《やすとみちあん》の罷免を東寺に要求してきた。それは長禄《ちょうろく》三年（一四五九）頃から始まった天候異変がいまだ終息していないなかでのことである。そこで東寺は使者を送って現地の情勢を調べさせたところ、その報告はつぎのように荘園の環境をよく語っている。

新見荘は南北七里、東西は一里で総じて山家であり、中央に川（高梁川《たかはしがわ》）が流れ、その南と西は東寺領、東は地頭方《じとうかた》領である。守護所《しゅごしょ》へは一五里の位置にあり、一里を隔てた多治部《たじべ》という在所に国衙《こくが》の政所《まんどころ》がある。管領《かんれい》（細《ほそ》川勝元《かわかつもと》）の指示があれば守護方が当荘へ打ち入るとの風聞があったが、三職《さんしき》・地下人《じげにん》らの一族が集まれば四〇〇から五〇〇名になるので、三か国から攻めてこようとも当荘は落ちない。当荘には市場《いちば》があり、半分は領家《りょうけ》方、半分は地頭方であって、国衙・守護方の商人たちが入り交じっていて、弓矢の争いに及ぶときがあるとすれば、このあたりからと思われる。将軍の下知《げち》や管領の介入で東寺が安富と契約を結ぶようなことになれば、地下一同は他国への逃散《ちょうさん》を辞さないことを、一味神水《いちみしんすい》で定めて

●山間に発達した新見荘
新見荘は、岡山県の西北端に位置する。多くの関係史料や、鎌倉時代の検注《けんちゅう》（土地調査）の台帳類が残っている。

いる。

これをさかのぼる応永《おうえい》五年（一三九八）四月、新見荘の百姓は旱魃《かんばつ》・大風・洪水などが続いて大不作であったとして年貢の損免を要求し、このときに東寺は代官に国人《こくじん》の新見氏や山伏《やまぶし》の宣深《せんしん》を起用したが、「当庄御百性等、誅罰《ちゆうばつ》の鬱憤《うつぷん》により逃散せしむ」などと、その代官支配に百姓が抵抗しつづけたことがあった。また応永三四年には、新見荘の百姓が上洛《じようらく》して訴状を捧げ、細川氏の家臣である代官の安富宝城《ほうじよう》を訴えている。こうした代官支配と百姓の抵抗が繰り広げられてきたなかで、先の連署の訴えとなったのである。

東寺は報告を得て、代官に祐清《ゆうせい》を起用すると、祐清は年貢を納めない百姓の名田《みようでん》を没収するなど強硬な姿勢で臨んだ。これに対し、高瀬《たかせ》・中《なか》奥《おく》の百姓らは、八月以降の長雨・冷夏に加えて大霜《おおしも》が降り、刈り入れ前の稲が被害を受けたとして検見《けみ》と減免を要求した。この百姓と祐清との対立の結果、年貢の未進を続ける名主豊岡《とよおか》を祐清が上意と称して成敗したのをきっかけに、地頭方百姓の横見《よこみ》・谷内《たにうち》が祐清を殺害し、また領家方百姓がこの犯人の逃げ込んだ地頭方の政所屋《まんどころや》に放火したのであった。

このような不穏な情勢において、応仁《おうにん》の乱《らん》の起きた応仁元年（一四六

6
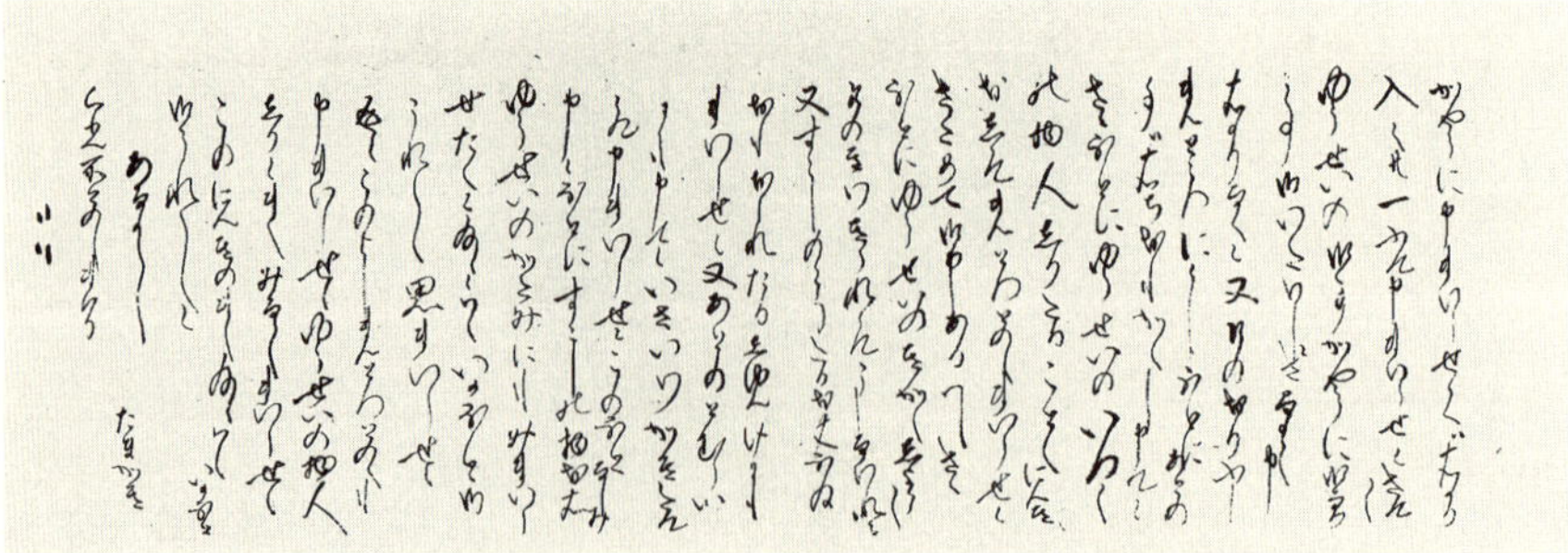

七）、六月の日照りに続き、八月の台風、九月の大霜と天候不順が続くなかで、国衙《こくが》領の百姓は「大寄合」を開いて、代官大林《おおばやし》氏を細川氏の本拠である讃岐《さぬき》へ追却したのである。それに対して守護方から「国々しやう（城）こしらへ候《そうろう》。人夫出候へ」と、城郭をつくるための課役が新見荘に賦課されてくると、応仁二年に新見荘では守護の命には従わないことを申し合わせたとして拒否している。さらに文明《ぶんめい》元年（一四六九）九月に守護細川氏の被官寺町《てらまち》氏が代官に任命されると、ふたたび「大寄合」を江原八幡宮《ごうばらはちまんぐう》の境内で開いて、守護方の入部を阻止するため土一揆《つちいっき》の気勢を上げたのである。

◉祐清の遺品を求めた書状
代官祐清が殺害されたのは寛正《かんしょう》四年（一四六三）のこと。祐清と親交のあった「たまかき」という女性が、祐清の遺品を形見として求めた手紙が残っている。

和泉の日根野荘の村々

守護の勢力との対決をも辞さない村々がこのように各地に生まれてくるなかで、その力に頼って京都から逃れて村に住んだ貴族のひとりが、摂関《せっかん》家の九条政基《くじょうまさもと》である。文亀《ぶんき》元年（一五〇一）三月二九日に和泉《いずみ》の日根野荘《ひねのしょう》（大阪府泉佐野《いずみさの》市）の日根野村にある無辺光院《むへんこういん》に到着した政基は、これ以後、日根野荘に滞在し、そこで起きた出来事を日記『政基公旅引付《まさもとこうたびひきつけ》』に記している。

九条家領の日根野荘は、東北院《とうほくいん》領長滝《ながたき》荘の東部から北東部にかけて存在した広大な荒野であったが、天福《てんぷく》二年（一二三四）に九条道家《みちいえ》が荒野の開発を申請し、官宣旨《せんじ》で認められて成立した、鎌倉時代生まれの荘園《しょうえん》である。鶴原《つるはら》・井《い》原《はら》・入山田《いりやまだ》・日根野の四か村からなっていたが、南北朝《なんぼくちょう》の動乱を経て、半済《はんぜい》などによって日根野村と入山田村のみが九条家の領有となっていた。しかもそのうちの日根野村は、守護《しゅご》や国人《こくじん》領主日根野氏が勢力をのばしていた。そのため政基は現地に到着すると、日根野村の西方・東方の番頭百姓らに無辺光院で対面したのち、翌日にはその奥の入山田村に入って、大木《おおき》の長福寺《ちょうふくじ》を居所と定めている。

この入山田村もさらに土丸《つちまる》・大木・菖蒲《しょうぶ》・船淵《ふなぶち》の四か村からなっており、毎年七月には鎮守の滝宮《たきのみや》で風流念仏《ふりゅうねんぶつ》踊りや能を演じていた。四つの村は共同で雨乞《あまご》いの祈禱《きとう》を行なったり、外部の勢力に対処したりしていたが、その結びつきの場がこの滝宮であり、こうした村人の結びつきの上に乗って、政基は滞在したのである。

政基は、日根野に勢力を張る守護や日根野氏の影響を排除するために、幕府や細川《ほそかわ》氏と交渉しており、また入山田村の領主としてさまざまな村の動きにそれなりに対処していった。しかし大きな問題は、南の紀伊《きい》の根来寺《ねごろでら》（和歌山県岩出市《いわでし》）の衆徒《しゅと》の動きにあった。というのも、明応《めいおう》八年（一四九九）に根来寺の閼伽井坊秀尊《あかいぼうしゅうそん》を日根野・入山田両村の代官職に補任《ぶにん》したことがあって、その勢力への対応が大きな問題となっていたからである。

政基は応仁《おうにん》の乱《らん》で京都を出て近江坂本《おうみさかもと》に滞在した際に、その滞在費を家司《けいし》（家政を切り盛りする役）

7

◉日根野村の絵図
政基が訪れる約一世紀前の、一四世紀前半の日根野村を描いたもの。図の中央上部、木に囲まれた奥が、政基の訪れた無辺光院である。

の唐橋在治《からはしありはる》から一八〇貫《かん》借りており、その返済にあてるために文明《ぶんめい》四年（一四七二）から在治とその子在数《ありかず》に入山田村の領家《りょうけ》職を与えたことがあるが、そのときに在数が閼伽井坊から二〇貫の借金をしていたのである。そうした事情が伏線となって、明応五年正月に政基は在数を九条邸《くじょうてい》で殺害すると、やがて京を逃れてきたのだった。

案の定、根来衆《ねごろしゅう》は文亀《ぶんき》二年に泉南《せんなん》一帯に侵攻してきた。和泉守護方と戦い、永正《えいしょう》元年（一五〇四）七月一九日に両者の和平が成立すると、日根野村に入ってきて、守護方と半済の協議に入っている。これを契機に、ついに政基は閼伽井坊明尊《みょうそん》による日根野・入山田両村の代官職の請負を認めるところとなり、一一月五日に契約が成立すると、政基は京に戻っている。

このように、都市や町が気候・政治・経済の変動にみまわれて、大きな曲がり角を迎えていたのに対し、村は厳しい環境の変化に耐えて、実力を蓄えて大きく成長していった。

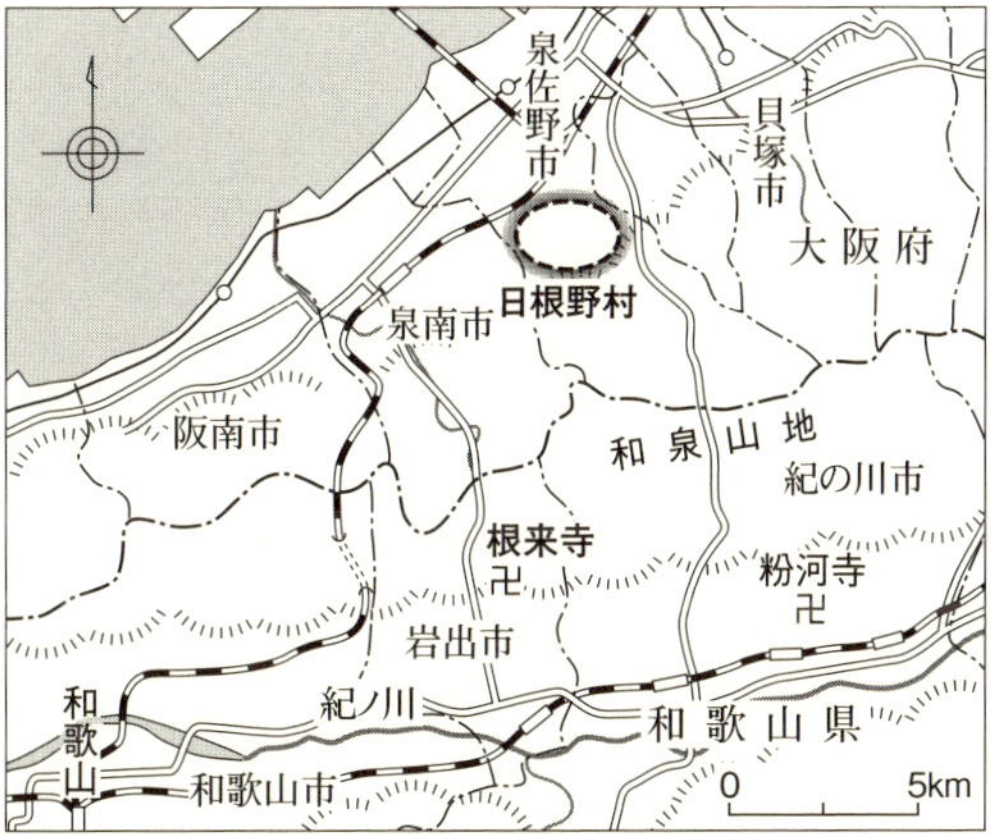

●日根野村と根来寺

日根野村と根来寺は、直線距離は近いが、両者を隔てる山は険しかった。僧兵集団である根来衆の活動は、一五世紀後半から盛んになった。

宗教都市と山岳寺院

根来寺の経済力

一五世紀を通じて村が武力を有して他の村々と連携を強めてゆくなか、その周辺でも新たな動きが始まっていた。そのひとつが、日根野荘《ひねの》に侵攻してきた根来寺《ねごろでら》のような寺院の動きである。

和泉《いずみ》山脈の南麓に位置する根来寺の基礎は、院政期に鳥羽《とば》院の信任を得た覚鑁《かくばん》が伝法院《でんぼういん》（大伝法院）を高野山《こうやさん》内に建立したことで築かれた。しかし高野山の大衆《だいしゅ》との争いから、紀伊《きい》の根来の地に円明寺《えんみょうじ》と神宮寺《じんぐうじ》が建立され、やがて鎌倉時代後期になって頼瑜《らいゆ》が大伝法院と密厳院《みつごんいん》をその根来に移転して以来、根来寺はこの地において発展を遂げることになった。

本堂である大伝法堂には大日如来《だいにちにょらい》像、金剛薩埵《こんごうさった》像、尊勝仏頂《そんしょうぶっちょう》像が安置されているが、これらは嘉《か》慶《けい》元年から応永《おうえい》一二年（一三八七～一四〇五）にかけてつくられていたことが知られており、大師堂も本尊の造立銘から明徳《めいとく》二年（一三九一）頃の建立と推定されている。室町《むろまち》時代になって盛んな宗教活動を行なっていたことがわかる。

そうしたなかでも注目されるのは、長禄《ちょうろく》四年（一四六〇）五月に近くの粉河寺《こかわでら》との間の水樋《すいひ》相論から、粉河寺方を支援する守護《しゅご》の畠山義就《はたけやまよしひろ》勢と争って、紀ノ川《きのかわ》で一〇〇〇人余の畠山軍勢を溺死《できし》させた事件である（『碧山日録《へきざんにちろく》』『大乗院寺社雑事記《だいじょういんじしゃぞうじき》』）。この時期にはすでに強大な武力を備えていたことになる。
根来寺は、周辺の荘園《しょうえん》や所領に介入するのみならず、土地集積を展開し、和泉や南河内《みなみかわち》にまで勢力をのばしていった。すでにみたように、九条《くじょう》家領の和泉の日根野荘では根来寺閼伽井坊《あかいぼう》が日根野・入山田《いりやまだ》両村の代官に補任されている。根来寺にはこの閼伽井坊をはじめとして多くの坊舎が存在し、その軍事集団は根来衆《ねごろしゅう》と称され、そのうちの杉之坊《すぎのぼう》と泉識坊《せんしきぼう》が指導的役割を果たしていた。

昭和五三年（一九七八）から始められた根来寺の発掘調査によって、その規模は三〇〇万平方メートルにも及ぶことが判明した。遺跡は谷部と平野部とからなり、谷部には雛壇《ひなだん》状の方形区画が多数認められ、平野部でも方形区画の地に土器や石垣が認められており、これらは坊・子院《しいん》と考えられている。さらに周辺の発掘によって、間口《まぐち》八メートルほどの区画割をもつ建物群が広範囲に確認され、漆器《しっき》工房や鍛冶《かじ》場と考えられる遺構も存在する。

遺跡からは元《げん》・明《みん》代の染付《そめつけ》、白磁《はくじ》・青磁《せいじ》や「三石」の刻名を

8

◉根来寺の伽藍図
豊臣秀吉《とよとみひでよし》に攻められる前の、一六世紀後半の根来寺の伽藍を描いた絵図。図の中央やや右寄りが、伽藍の中心の金堂大伝法院《こんどうだいでんぼういん》。

もつ備前焼大甕《びぜんやきおおがめ》、擂鉢《すりばち》・壺《つぼ》、常滑《とこなめ》焼・丹波《たんば》焼などの内外の遺物が多数出土しており、時期は一五世紀後半からのものが多く、中国産の陶磁器や高麗《こうらい》・朝鮮・ベトナム産の製品なども出土する。特筆すべきは、坊や子院の建物内に大きな甕を数列ないし一列に埋めていることで、その多くは備前焼である。さらに木の桶《おけ》も出土しており、貯蔵施設がさまざまに工夫されていたことがわかる。

　こうしたことから考古学的にみても、根来寺とその周辺が宗教都市の様相を示すようになったのは一五世紀後半からであったことが裏付けられた。

　イエズス会のフランシスコ・ザビエルが日本に上陸したのは天文《てんぶん》一八年（一五四九）だが、その年の一一月五日の書簡で、都に近い四つの学校のひとつとしてあげられるほどに、根来寺は文化的にも広く知られる存在となった。『鉄炮記《てっぽうき》』によると、天文一二年八月のポルトガル人種子島《たねがしま》漂着の際、「紀州根来寺に杉之坊某なる者有り。千里を遠しとせず、我鉄砲を求めんことを欲」すとあって、杉之坊はいち早く鉄砲を入手していたという。

9

◉土蔵地下の木の桶
天正一三年（一五八五）、豊臣秀吉の根来攻めで焼失した土蔵跡。深さ約一・五mの地下室には、焼けた木桶が壁ぎわに九つ並んでいた。

ポルトガル人の宣教師ルイス・フロイスも、根来衆について「彼らの本務は不断に軍事訓練にいそしむことであり」「日本の武将や諸侯は互いに交戦する際、ゲルマン人のようにこれらの僧侶を傭《よう》兵《へい》として金で雇って戦わせた」と、その武力のあり方に注目している（『日本史《にほんし》』）。

天正《てんしょう》一三年（一五八五）に豊臣秀吉《とよとみひでよし》に攻められてその大半が焼失してしまったが、彼らは戦国大名と対峙《たいじ》し、それと拮抗《きっこう》する技術力と経済力を備えていたのであった。

平泉寺の石の技術

根《ね》来寺《ごろでら》の場合は山のふもとの谷や平場に展開していたが、谷筋に沿って山場に展開していたのが越前《えちぜん》の平泉寺《へいせんじ》である。福井県勝山《かつやま》市平泉寺町に所在するこの寺は、三頭山《みつがしらやま》の南西部に位置して、霊峰白山《はくさん》への越前側からの登拝口にあたっている。伝承では養老《ようろう》元年（七一七）に「越《こし》の大徳《だいとく》」泰澄《たいちょう》によって創建されたというが、発掘されている遺物は九世紀からのものである。

白山信仰の展開とともに、白山登山口には三つの中核施設である馬場《ばば》が構えられた。加賀《かが》馬場の白山宮寺《はくさんぐうじ》、美濃《みの》馬場の長滝寺《ちょうりゅうじ》、そして越前馬場の平泉寺である。このうち平泉寺は一二世紀に延暦《えんりゃく》寺《じ》の末寺となって、ふもとの九頭竜川《くずりゅうがわ》流域に勢力を広げていた河合斎藤《かわいさいとう》氏が代々長吏《ちょうり》を出すようになった。鎌倉時代になってからは、白山宮への初穂《はつほ》である平泉寺神物《しんもつ》を貸し付ける金融活動によって、大きく発展した。比叡山《ひえいざん》の山僧《さんそう》や熊野《くまの》三山の御師《おし》と同じようなかたちで、越前地域に勢力をのばしていったのである。

室町《むろまち》時代成立の『義経記《ぎけいき》』では、幕府の追及を受けて逃亡する源義経《みなもとのよしつね》が寄り道をしてわざわざ平泉寺に赴いているが、これも都にも知られた平泉寺の繁栄をよく物語っていよう。その平泉寺がもっとも繁栄をみたのは、やはり一五世紀後半から一六世紀初めにかけてであった。そのころには境内に四八社、三六堂、六〇〇〇もの坊舎があったという。

そのことをよく伝えているのが発掘の成果である。平成元年（一九八九）度から勝山市教育委員会による発掘が始まり、多くの成果が上がっている。それによれば、境内は東西が一・二キロメートル、南北が一キロにも及んでおり、僧坊は寺の本堂と白山宮がある中谷《なかだに》を挟んで南谷《みなみだに》と北谷《きただに》に分布している。とくに女神川《おながみがわ》の右岸地域にあたる南谷では、僧坊跡がいく段にもわたって存在し、それらが幅三メートルほどの石畳の幹道の左右に並び、堅固な石垣によって整然と区画されている。

こうした石積みは一五世紀中ごろから始まり、一六世紀初めには石の積まれないところがないほどに、谷全体が石で築かれるようになったらしい。屋敷を囲む石垣の前面や一部に巨石が使われているなど、ここには石の文化が根づいていることが知られる。僧坊群の外側には交易の場を示す市《いち》の地名が残っており、ここには宗教都市が形成されていたとみてもよいだろう。

10

◉平泉寺の石畳と石垣
平泉寺の南谷坊院跡の石畳と石垣。石積み技術の高さがうかがえる。最盛期には、南谷だけで三六〇〇の坊舎があったという。

各地につくられた山岳系の寺院

これらの寺院は戦国大名の城郭の先駆をなすものであり、その寺院に蓄積された技術力が、やがて戦国大名の城郭の形成をもたらしたのではなかったか。

このことは、同じ越前の戦国大名である朝倉《あさくら》氏が一乗谷《いちじょうだに》（福井市）に拠点を構えるに際して、石をふんだんに使っていることからもうかがえる。しかしその朝倉氏と結びついて武力を擁した平泉寺《へいせんじ》も、天正《てんしょう》二年（一五七四）の一向一揆《いっこういっき》との戦いに敗れて、灰燼《かいじん》に帰してしまった。

根来寺《ねごろでら》や平泉寺を見て気づくのは、ともに紀ノ川《きのかわ》や九頭竜川《くずりゅうがわ》の河口に開けた湊《みなと》町と深い関係があって、その大河に流れ込む小さな川の谷筋に展開していることである。

そこでさらに同じような僧坊を探ってゆくと、日本海沿岸の山陰地方には伯耆《ほうき》の大山寺《だいせんじ》（鳥取県大山町）がある。これは中国地方の最高峰である大山《だいせん》の山腹に造営され、修験《しゅげん》の地として始まった。院政期には中門院《ちゅうもんいん》・南光院《なんこういん》・西明院《さいみょういん》の三院が形成されており、承安《じょうあん》二年（一一七二）にこの地域の武士「海六成盛《かいろくなりもり》」（紀成盛《きのなりもり》）が寄進した鉄製の厨子《ずし》には「一山三院議定」と記されている。

その僧坊跡は、四地区からなるが、注目したいのは本堂の北に広がる寂静山《じゃくじょうざん》地区の僧坊群である。江戸時代の絵図にはまったく描かれていないが、緩やかな斜面を段状に掘削し、三〇か所以上の平坦面が造成されており、その各僧坊の区画は石積みによってなされている。ここは明らかに中世にさかのぼる僧坊の跡である。

目を四国に向けると、伊予《いよ》の等妙寺《とうみょうじ》（愛媛県鬼北《きほく》町）がある。愛媛県と高知県の境の鬼ケ城《おにがじょう》連山の一角をなす郭公岳《かっこうだけ》の中腹の谷部に面して、二〇か所あまりの平坦部に僧坊が分布している。もっとも広い本坊跡では数か所に礎石建物跡が認められ、遺物は一四世紀から一六世紀末まであるが、量的には一五世紀前半ごろから一六世紀前半ごろのものがもっとも多いという。

この寺は元応《げんおう》二年（一三二〇）に創建され、すでに元徳《げんとく》二年（一三三〇）には一二坊を備えるほどに発展したという。後醍《ごだい》醐《ご》天皇に仕えた天台律宗《てんだいりつしゅう》の恵鎮《えちん》によって、関東鎌倉の宝戒寺《ほうかいじ》などと並んで遠国四《おんごくし》箇戒場《かかいじょう》として位置づけられた寺である。

さらに九州に目を移すと、肥後《ひご》黒川《くろかわ》の阿蘇山古坊中《あそさんふるぼうちゅう》（熊本県阿蘇市）がある。標高一〇〇〇メートルの、阿蘇山噴火口への参道の入り口に本堂などの主要な伽藍《がらん》があり、その下の参道を中心に九二の僧坊があったという。また東国《とうごく》に目をやれば、武蔵《むさし》の慈光寺《じこうじ》（埼玉県ときがわ町）や信濃《しなの》の戸隠山顕光寺《とがくしやまけんこうじ》（現在の戸隠神社・長野市）などでは僧房跡が今に残っていて、その繁栄ぶりがしのばれる。

11

◉等妙寺の石積み
本坊跡に残る、高さ約六m、長さ約二五mの石積み。等妙寺は天正《てんしょう》一六年（一五八八）に火災により全焼し、江戸時代に再興された。

足利学校に学ぶ人々

フランシスコ・ザビエルが記す天文《てんぶん》一八年（一五四九）一一月五日の書簡には、「都の大学の外に、なお有名な学校が五つあって、そのなかの四つは、都からほど近い所にあるといふ。それは高野《こうや》・根来寺《ねごろでら》・比叡山《ひえいざん》・近江《おうみ》である。どの学校も、凡《およ》そ三千五百人以上の学生を擁しているといふ。しかし日本に於《お》いて最も有名で、最も大きいのは坂東《ばんどう》であって、都を去ること最も遠く、学生の数も遙《はる》かに多いといふ」と見える（『イエズス会士日本通信』）。高野山や根来寺・比叡山・近江三井寺《みいでら》などの学校が収容していた三五〇〇人をはるかにしのぐ学生数を、坂東下野《しもつけ》の足利《あしかが》学校が擁していたというのである。

足利学校は、室町《むろまち》幕府を形成した足利氏の本貫《ほんがん》の地に設けられた教育機関であり、その形成に尽力したのは鎌倉の関東管領《かんれい》上杉憲実《うえすぎのりざね》であった。南北朝《なんぼくちょう》期には関東の各地に談義所《だんぎしょ》が生まれており、常陸《ひたち》の正宗寺《しょうじゅうじ》（茨城県常陸太田《おおた》市）のような儒学を学ぶ場も生まれていた。足利の学問所が当初から足利学校と呼ばれていたかは明らかでないが、遅くとも応永《おうえい》年間（一四世紀末から一五世紀初め）には禅宗《ぜんしゅう》にかかわる学問所となっており、経・史の基礎的学問を学ぶ場であったのを、憲実が復興したのであろう。憲実は、鎌倉永安寺《ようあんじ》にこもった鎌倉公方《くぼう》の足利持氏《もちうじ》を攻めて自刃《じじん》させた永享《えいきょう》一一年（一四三九）に、漢籍を足利学校に寄進しており、校長にあたる庠主《しょうしゅ》には鎌倉の円覚寺《えんがくじ》の僧快元《かいげん》を招いたとされる。

それは鎌倉府の立て直しもにらんでの学問の復興であったろう。『鎌倉大草紙《かまくらおおぞうし》』は「足利は京都並びに鎌倉御名字《おんみようじ》の地にて他に異なりと、かの足利学校を建立して種々の文書を異国より求め納めける」と記している。さらに「さればこの比《ころ》、諸国大名みだれ学道も絶たりしかば、西国・北国よりも学徒悉《ことごと》く集まる」と、戦乱とともに広く日本中から学生が集まったという。また、連歌師《れんがし》の宗長《そうちょう》は、「足利に立ち寄侍れば、孔子《こうし》・顔回《がんかい》（中国の儒聖）、この肖像をかけて、諸国の学徒かうべを傾け、日ぐらし居たる体はかしこく、且《かつ》あはれに見侍り」と、足利学校に立ち寄ったときの風景を日記に記している。

憲実は文安《ぶんあん》三年（一四四六）に学校の規則三か条を定め、そこでは儒学以外の学問を教えるのを禁じている。しかしさまざまな要請から広く学問が講義されていったと考えられる。ルイス・フロイスの『日本史《にほんし》』は、日本の学生について問答形式で学習することを指摘したあと、「全日本でただ一つの大学であり、公開の学校が、坂東地方の足利と呼ばれる所にある」と記しており、広くオープンな学校としての性格が顕著だったことがわかる。集まった学生は、遠く九州や琉球《りゅうきゅう》にも及んでいた。

12

●栄えた足利学校
江戸時代の状態に復元された方丈（手前）と庫裡《くり》（奥）。方丈は、禅宗で住職の居間を指すが、ここでは講義などを行なう中心的建物をいう。

そうであれば、たんに学ぶだけでなく、学生同士の情報の交換もさまざまになされたことであろう。永禄《えいろく》三年（一五六〇）に小田原《おだわら》の北条氏政《ほうじょううじまさ》は、金沢文庫の宋版《そう》『文選《もんぜん》』を足利学校に寄進したが、そのころの学校では、儒学を中心に易学・兵学・医学などが講義されており、田代三喜《たしろさんき》・曲直瀬道三《まなせどうさん》などの医師が育って医学の発展に尽くしていたという。足利学校が新たな技術を入手する機縁になったことは十分に考えられる。

これだけの学生を抱え、発展していったことを考えると、周囲には多くの宿舎や寄宿する家、それを援助する在家《ざいけ》が成立したものと考えられる。現在、足利学校跡は足利市昌平《しょうへい》町にあるが、古くは渡良瀬《わたらせ》川《がわ》の近く小字十念寺《じゅうねんじ》にあって、足利荘の代官の長尾景人《ながおかげひと》が応仁《おうにん》元年（一四六七）に現在の場所に移したという（『鎌倉大草紙』）。

足利学校の成立と発展は、一五世紀の社会が何を求めていたのかをよく物語っている。厳しい環境を克服してゆく人材の育成である。足利学校で学んだ多くの学生たちは、決して儒学のみで身を立てたわけではない。儒学という基礎的な学問によって時代を生きてゆく術を学び、情報の交換によって新たな技術を取り入れ、あるいはもたらすことで、彼らは戦国の社会において大いなる役割を果たしたことであろう。

列島の各地での戦乱

関東の戦乱と城郭の発展

応仁《おうにん》の乱《らん》が起こる前から日本列島では兵乱がしばしば起きていた。足利《あしかが》学校のある関東ではとくに兵乱が広がっていた。そのたび重なる兵乱の対立の軸は、足利尊氏《たかうじ》の子基氏《もとうじ》の子孫が世襲してきた鎌倉府の鎌倉公方《くぼう》と、これを補佐した上杉《うえすぎ》氏が代々つとめる関東管領《かんれい》との対立にあるが、そもそもの背景には鎌倉公方と幕府との対立があった。

最初の紛争は応永《おうえい》二三年（一四一六）に起きた上杉禅秀《うえすぎぜんしゅう》の乱《らん》で、これは前関東管領上杉氏憲《うじのり》（禅秀）が鎌倉公方の足利持氏《もちうじ》に背いたのを、持氏が滅ぼした事件である。続いて関東管領上杉憲実《のりざね》を討伐しようと軍を起こした持氏を、将軍足利義教《よしのり》が永享《えいきょう》一一年（一四三九）に討った永享《えいきょう》の乱《らん》が起き、その後、義教が実子を鎌倉公方として下向《げこう》させようとしたのに対し、結城氏朝《ゆうきうじとも》などの関東の武士が持氏の遺児の春王丸《はるおうまる》・安王丸《やすおうまる》を奉じて翌年に挙兵した、結城合戦が起きている。

こうした兵乱を経て、関東では幕府との連携によって管領の上杉氏が支配を固めたのだが、将軍義教が赤松満祐《あかまつみつすけ》に殺害される嘉吉《かきつ》の乱《らん》（一四四一年）が起きると、幕府は鎌倉府の再興を願い出た関東の武士団の要求にこたえて、持氏の子永寿王丸《えいじゅおうまる》（足利成氏《しげうじ》）を公方に立てることを認め、鎌倉府が再興された。再興後の鎌倉府では、憲実の子憲忠《のりただ》が関東管領となって成氏を補佐することになる。

しかし成氏が、父持氏を支えてきた結城氏や里見《さとみ》・小田《おだ》氏を重用して上杉氏を遠ざけはじめたため、これに憲忠が反発し、山内《やまのうち》上杉家の家宰《かさい》長尾《ながお》景仲《かげなか》や、扇谷《おうぎがやつ》上杉家の家宰太田《おおた》資清《すけきよ》（道灌《どうかん》の父）は、結城氏らの進出を阻止しようとして、宝徳《ほうとく》二年（一四五〇）に成氏を攻めた（江《え》の島合戦《しまかっせん》）。合戦はほどなく終わって和議が成立したが、成氏が景仲方の武士の所領を没収したことから、ふたたび成氏と憲忠との対立が深まって、享徳《きょうとく》三年（一四五四）一二月、景仲が下野国《しもつけのくに》に行った留守をねらった成氏は、憲忠を屋敷に招いて謀殺したのである。これによって憲忠の弟房顕《ふさあき》が上野国《こうずけ》平井《ひらい》城（群馬県藤岡《ふじおか》市）で挙兵し、こうして享徳《きょうとく》の乱《らん》が勃発《ぼっぱつ》し、長い関東の大乱が始まることとなった。

成氏は武蔵《むさし》国分倍《ぶばい》河原《がわら》（東京都府中《ふちゅう》市）の戦いで房顕・景仲らの軍を破り、さらに逃れた常陸《ひたち》の小《お》栗《ぐり》城（茨城県筑西《ちくせい》市）をも落としたが、成氏征討の要請を受けていた幕府の派遣した駿河守護《するがしゅご》今川範《いまがわのり》忠《ただ》が、成氏の転戦していた留守中に鎌倉を占拠したため、成氏は下総国《しもうさ》古河《こが》（茨城県古河市）に入る。これ以後、成氏は古河城を本拠地とし、古河公方《こがくぼう》と呼ばれた。また幕府は長禄《ちょうろく》元年（一四五七）に鎌倉公方として関東に将軍義政《よしまさ》の弟政知《まさとも》を送ったが、関東の武士たちの支持や協力が得られなかったため、鎌倉に入れずに伊豆《いず》の堀越《ほりごえ》（静岡県伊豆の国市）に入って、堀越公方《ほりごえくぼう》と称された。

戦乱は各地に広がったが、房顕の跡を継いだ上杉顕定《あきさだ》が、有力家臣の長尾景春《かげはる》が離反したため（長尾景春の乱）、文明《ぶんめい》一〇年（一四七八）になって成氏と和睦《わぼく》し、翌年に成氏は幕府とも和議を申し出たことにより、文明一四年に至ってようやく幕府と成氏との「都鄙《とひ》合体」、すなわち和睦が成立した。これによって成氏が引き続き関東を統治する一方で、伊豆国の支配権については政知に譲ることになり、古河の成氏と堀越の政知という二人の公方が並存する状態が続くことになった。

このようにめまぐるしく勢力の交替や対立関係の変化、合戦があったが、そのなかで発展を遂げたのが築城技術である。長禄元年に太田資長《すけなが》（道灌）が築城したという江戸《えど》城と川越《かわごえ》城について、『松陰私語《しょういんしご》』は「江戸・川越両城堅固也。彼城は道《どう》真《しん》・道灌父子、上田《うえだ》・三戸《みと》・荻野谷《おぎのや》関東巧者之面々数年秘曲を尽くし相構」と記し、きわめて堅固な城であったという。

川越城は上杉氏と古河公方足利氏の勢力の接触点であったため、足利氏の勢力に対抗する目的で上杉持朝《もちとも》の命により築かれたものである。また武蔵寄居《よりい》の鉢形《はちがた》城（埼玉県寄居町）は、荒《あら》川《かわ》と深沢川《ふかざわがわ》の間に広がる扇状の地上の、北側は荒川が蛇行し河岸段丘を削り断崖《だんがい》となった要害の地に築かれたが、これは文明八年に長尾景春が上杉顕定に背いて拠点としたところである。

こうした堅固な城郭の形成のいずれにも上杉氏がかかわっているのは、足利学校の影響もあったのではないかとも思われる。越後《えちご》の中条《なかじょう》氏が江上館《えがみやかた》から鳥坂《とつさか》城（ともに新潟県胎内《たいない》市）

13

の城郭に拠点を移したのが一五世紀後半のことであることを考えると、山の上に城郭を求める動きは、東国ではこの一五世紀後半に一気に広がったものらしい。

◉『江戸図屏風』に描かれた川越城
川越城は、一七世紀なかばに松平信綱《まつだいらのぶつな》によって大幅に改修されているが、『江戸図屏風』の川越城は、改修前の姿を示すといわれる。

蝦夷地での新たな展開

関東の戦乱の影響は、西に及んで応仁《おうにん》の乱《らん》を引き起こしたが、北にも及んでいった。その現われが長禄《ちょうろく》元年（一四五七）のコシャマインを中心としたアイヌの蜂起《ほうき》である。

一四世紀から和人はアイヌとの交易を求めて、北海道に進出していった。余市《よいち》町にある大川《おおかわ》遺跡は、長い期間にわたって遺物・遺構が残っている稀有《けう》な遺跡であるが、一四世紀後半から一五世紀前半にかけて全盛期を迎え、そこでは和人・アイヌが混住していたようである。

道南地域では和人が館を築いて「道南十二館《どうなんじゅうにたて》」と称される城郭を形成したが、そのひとつに箱館《はこだて》（函館）があり、また函館市の東部に志苔館《しのりだて》がある。その志苔の地で和人の鍛冶《かじ》屋と客のアイヌ少年との間に諍《いさか》いが起きた。すなわちアイヌの少年が鍛冶屋に小刀（マキリ）を注文したところ、トラブルが生じ、怒った鍛冶屋がその小刀でアイヌ少年を刺殺した。この事件がきっかけとなって族長のコシャマインを中心にアイヌが蜂起し、長禄元年五月に和人に向けて戦端を開いたのである。

戦闘は広い範囲で行なわれたが、志苔に結集したアイヌ軍は小林良景《こばやしよしかげ》の志苔館を攻め落とすと、進撃を続け、道南の十二館のうち、一〇までを落とした。しかし翌年に武田《たけだ》（蠣崎《かきざき》）信広《のぶひろ》によってコシャマイン父子が弓で射殺され、アイヌ軍は崩壊し、良景は志苔館に復帰した。

この志苔館は、函館空港の滑走路のすぐ南側にあり、津軽《つがる》海峡に面した標高二五メートルの海岸段丘上の南端に位置する。ほぼ長方形で、四方に土塁を築いて郭内は東西七〇～八〇メートル、南北五〇～六五メートル、土塁は郭内からの高さが北側で四メートル、南側で一メートルほど、土塁の頂には幅約二メートルの平坦部がある。郭外は北側が堀、東側が渓沢を挟んで段丘の平坦部につながり、西側は二重堀と土塁が続いて志《し》苔川《のりがわ》河口に面している。南側は海に面して急傾斜地となり、海岸線へ続く。この地に立つと、晴れた日には下北《しもきた》半島がうっすら見えるほどの距離である。

発掘調査の結果、掘立柱《ほつたてばしら》建物跡が六、礎石建物跡がひとつあり、出土したのは青磁《せいじ》・白磁《はくじ》、瀬戸《せと》・越前《えちぜん》・珠洲《すず》系などの陶磁器類や金属製品・石製品・木製品で、館の築かれたのは一四世紀末ごろとみられる。一五世紀を通じて存在しており、本州の館の影響を強く受けていて、出土遺物に共通するものが多い。さらに注目されるのが、志苔館の直下約一〇〇メートルのところから三

14

◉豊かな富を誇った志苔館
写真右手には津軽海峡が広がる。この付近は古くから昆布の産地として有名で、三七万枚の古銭に象徴される富の源は、海産物と思われる。

七万余枚の古銭が三つの甕《かめ》に入ったまま発見されたことである。その多くは中国銭で、もっとも新しいものが一三六八年の洪武《こうぶ》通宝《つうほう》で、甕は越前古窯《こよう》が二つと珠洲窯ひとつであった。

豊かな富をよく物語るものだが、興味深いのは、志苔館の城主の小林良景の祖先が上野国《こうずけのくに》に住み、祖父重弘《しげひろ》のときに関東から蝦夷《えぞ》地に渡ってきたといわれている点である。またコシャマインの蜂起を平定した武田信広・光広《みつひろ》親子も関東から渡ってきたという。信広は若狭《わかさ》国小浜《おばま》の後瀬山《のちせやま》の城主の子で、下野《しもつけ》の足利《あしかが》を経て陸奥《むつ》の田名部《たなぶ》に至り、享徳《きょうとく》三年（一四五四）に安藤政季《あんどうまさすえ》らと蝦夷地に渡ったというのである。ならば信広は足利学校に学んだことがあったと考えられる。

これ以前、嘉吉《かきつ》三年（一四四三）六月に若狭から蝦夷地に渡った蠣崎季繁《すえしげ》は、下国《しものくに》安藤政季の女婿《じょせい》となり蠣崎修理大夫《しゅりのだいぶ》と号して、檜山《ひやま》地方の上ノ国《かみのくに》町にある花沢館《はなざわだて》に拠《よ》っていた。信広はその副将となり、コシャマインの蜂起を平定すると、蠣崎家を継いで、上ノ国を流れる天ノ川《あまのがわ》の北側に新たに洲崎館《すざきだて》を築いて居を構え、寛正《かんしょう》三年（一四六二）には洲崎館に毘沙門堂《びしゃもんどう》を建立し、さらに文明《ぶんめい》五年（一四七三）には、近くの「上国館《かみのくにだて》」に八《はち》幡宮《まんぐう》を造立して、これを館神《たてがみ》と称したという。

この上国館が現在上ノ国町の市街地西方の八幡《はちまん》岳の東端、夷《い》

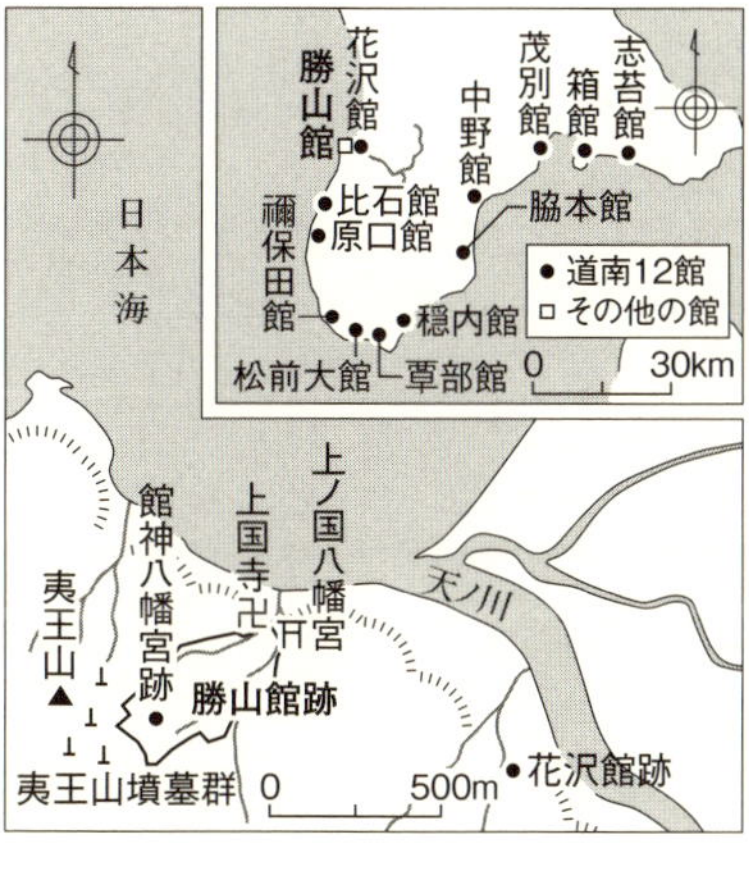

◉道南十二館と勝山館
勝山館は、道南十二館の成立以降の館であるため、十二館には含まれない。蠣崎光広らが永正一一年に松前大館に移ってからも、勝山館は近世初頭まで存続した。

王山《おうざん》山麓の寺ノ《てらの》沢《さわ》川と宮ノ《みやの》沢《さわ》川に挟まれた台地に所在する勝山館《かつやまだて》である。その館は幅最大一〇〇メートル、長さ約四〇〇メートルの台地に、標高一一〇メートルの館神八幡宮跡から北東へと低くなって段状に郭が設けられており、その途中に荒神堂館《こうじんどうだて》や井戸・空堀などがある。台地の先端には四段の削平地があり、館神八幡宮跡の背後には空堀と土塁が巡らされ、東方の華《はな》の沢《さわ》を挟んだ台地にも段状に削平地が設けられ、これは侍屋敷跡と推定されている。

勝山館は、東西を自然の谷に、南北を堀や土塁・切岸に囲まれた堅固な城郭をなしていて、花沢館や志苔館などの館とは明らかに様相を異にしている。信広や子の蠣崎光広は、関東で獲得した技術を築城に用いた可能性もある。光広は長子義広《よしひろ》とともに永正《えいしょう》一一年（一五一四）に松前大館《まつまえおおだて》に移ったが、この松前大館も勝山館と同じく城郭の機能が高くなっている。

アイヌ・琉球と大陸の関係

勝山館《かつやまだて》では、青磁《せいじ》・白磁《はくじ》・染付《そめつけ》の舶載陶磁器や、瀬戸《せと》・美濃《みの》・志野《しの》などの国産陶磁器、鉄製品・銅製品・石製品・古銭・木製品などが大量に出土しているが、とくに注目されるのが、アイヌの人々がこの館に住んでいた形跡がみられることである。

アイヌの使う小刀（マキリ）や丸木船、鏃《やじり》や銛《もり》先などの骨角器《こっかくき》、魚網の錘《おもり》、アイヌの印とみられる刻印のある白磁皿、イクスパイという儀礼

◎アイヌとの交流の痕跡
写真右が、アイヌの人々がみずからの道具に入れる「シロシ」（所有印）と思われる刻印の入った白《はく》磁《じ》皿（勝山館出土）。写真左は、発掘で見つかった隣り合うアイヌ墓（両端）と和人墓（中央）。

具などが出土している。勝山館の背後の段丘から夷王山《いおうざん》中腹にかけて夷王山墳墓群があるが、そこにはアイヌの墓も存在している。松前《まつまえ》藩の家譜『新羅之記録《しんらのきろく》』は、アイヌと和人の戦いの記録をつぎつぎに記しているが、両者は戦うだけでなく、じつはこのように同居したり、交易を活発に行なってもいたのである。

こうしたアイヌの動きに大きな影響を与えたのは、明《みん》が一四〇九年にアムール川（黒竜江《こくりゅうこう》）下流のチルに奴児干都司《ヌルガントシ》を置き、その下の衛所を統轄して支配の強化を図ったことである。樺太《からふと》（サハリン）にも三つの衛所が設けられ、アイヌは明に朝貢し服属することになったのである。

一方、列島の南に位置する琉球《りゅうきゅう》では、明との接触がこれよりも早かった。一三六八年に建国した明は、その四年後に使節を琉球に送っている。使節の名は楊載《ようさい》、その三年前に日本に派遣されたのと同じ人物で、浦添《うらそえ》城にいた中山王《ちゅうざんおう》の察度《さつと》に面会し、臣として入貢するように勧めた。王はこれを了承し、弟の泰期《たいき》を使節として中国に派遣することになると、続いて一三八〇年には琉球の南部を支配する「山南王承察度《さんなんおうしょうさつと》」が、一三八三年には北部を支配する「山北王帕尼芝《さんほくおうはにし》」が、それぞれ中国に使者を送って入貢し、琉球は明の冊封《さくほう》体制下に入っている。

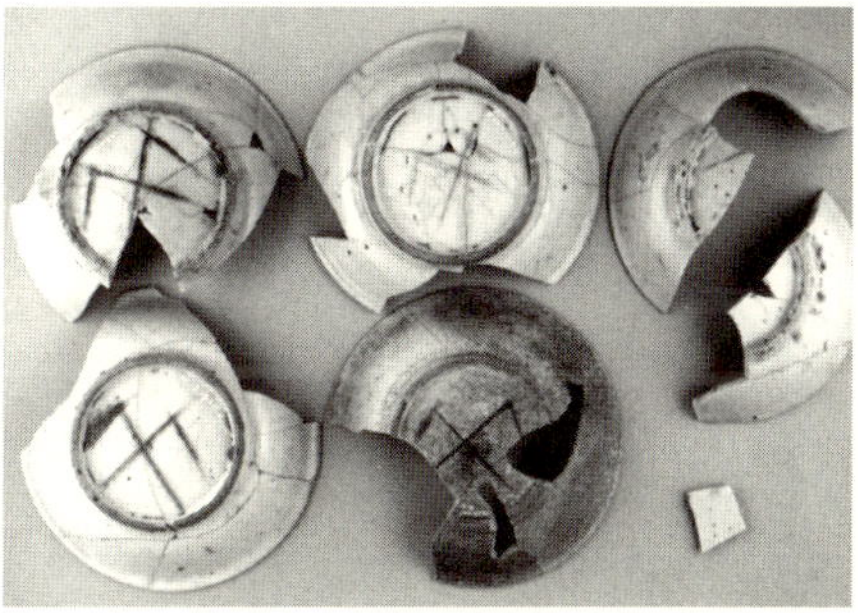

15

これに伴って琉球の情勢は急速に変化していった。そのことを物語るのがグスクの変遷である。山北の今帰仁《なきじん》グスクは、はるか下に海を見渡せる城郭で、北海道の勝山館と同じような景観をとるが、当初は石造りの城壁はなく、掘立柱《ほったてばしら》の建物の周囲に柵列が巡らされていた程度であった。しかし一四世紀中期になって石積みの城壁が登場し、基壇が造成されて正殿が南向きに建ち、廻廊《かいろう》が取り囲むような配置になった。さらに一五世紀にかけては、礎石立ち柱の立派な正殿も構えられるようになっている。

このようなグスクの成長は、琉球の戦乱の始まりを意味していた。その第一弾が南部の東海岸の佐敷《さしき》グスクを拠点とした按司《あじ》の尚思紹《しょうししょう》とその子尚巴志《しょうはし》とが、一四〇六年に中山の拠点である浦添城を襲って武寧《ぶねい》を滅ぼした事件である。思紹は武寧の子として明から冊封されると、本拠を浦添から首里《しゅり》に移し、首里城を整備するとともに琉球での覇権を確立させる動きに出た。足利《あしかが》将軍との間にも交渉をもち、一四一五年には将軍義持《よしもち》から「りうきう国のよのぬし（世の主）」への仮名の書状が届いている。その二年後に今帰仁グスクが陥落し、遅れて一四二九年に島尻大里《しまじりおおざと》グスクに拠《よ》

16

る山南を滅ぼして、ここに三山《さんざん》を統一した琉球王国が形成されたのである。

明が海禁政策をとり、中国人の海外渡航を禁じたことから、それに応じて琉球は中国貿易の窓口となって、中継貿易により栄えた。琉球は蘇木《そぼく》や胡椒《こしょう》、乳香などの東南アジアの物資を明にもたらしたが、明もそのために船を提供したり、外交文書の作成や船の運航に必要な人材を提供し、毎年、明に進貢船を送ることを許可した。朝鮮やベトナムでも進貢船は三年に一回、日本は一〇年に一回ほどであったから、その有利な条件から貿易を拡大していき、生糸や絹織物、陶磁器などの中国製品を、南方のみならず、日本や朝鮮にもたらした。一四五八年に首里城の正殿に掛けられた梵鐘《ぼんしょう》は「万国津梁《ばんこくしんりょう》の鐘」と称され、つぎのような銘文が刻まれている。

琉球国は南海の勝地《しょうち》にして、三韓《さんかん》の秀を鍾《あつ》め、大明《だいみん》を以《もっ》て輔車《ほしゃ》となし、日域《にちいき》を以て唇歯《しんし》となし、この二中間に在《あ》りて湧き出づる蓬萊《ほうらい》島なり。舟楫《しゅうしゅう》を以て万国の津梁《しんりょう》となし、異産至宝は十方の刹《せつ》に充満せり。

（琉球国は南海の景勝の地であり、三韓〔朝鮮〕の優れたところを集め、明国や日本とは密接な関係にあって、この日明の間にあって湧き出た理想の島である。船を万国の架け橋となし、めずらしい重宝がいたるところに満ちている）

●大規模なグスク
写真右が、山北王の拠点今帰仁グスク。曲線を描く石垣が、本土と異なる特徴である。写真左は、今帰仁グスク出土の陶磁器類。中国産だけでなくタイやベトナム産も含まれる。

ここには琉球の繁栄と海上中継国家としての自負とが示されていよう。一四七一年に完成した朝鮮の地理書（『海東諸国記《かいとうしょこくき》』）は、奄美《あまみ》大島や喜界島《きかいじま》が琉球に属すと記しており、この時期までに琉球王国は奄美方面をもみずからの版図《はんと》に組み込んでいたのである。

朝鮮と琉球・日本

中山王家《ちゅうざんおうけ》の墓所である「浦添《うらそえ》ようどれ」の発掘の結果、ここからは一三世紀の高麗《こうらい》系の瓦《かわら》が出土しているが、その原材料は琉球《りゅうきゅう》の土であり、高麗の技術者が琉球にやってきて焼いたものと考えられている。グスクの石積みの技術も高麗から入ってきたのかもしれない。古代に朝鮮半島から西日本に広がって存在した朝鮮式山城《やまじろ》の技術とも関連していよう。

その高麗は一三世紀に元《げん》に服属して、元の冊封《さくほう》体制に組み込まれたが、従来にはないほどに王朝の内部の奥深くに取り込まれ、忠誠心が求められた。王の名には忠烈王《ちゅうれつおう》のように「忠」の字が配され、元の帝室との間に婚姻関係が結ばれ、また日本を攻めるために置かれた元の征東行省《せいとうこうしょう》の長官には高麗国王が任命されたのであった。

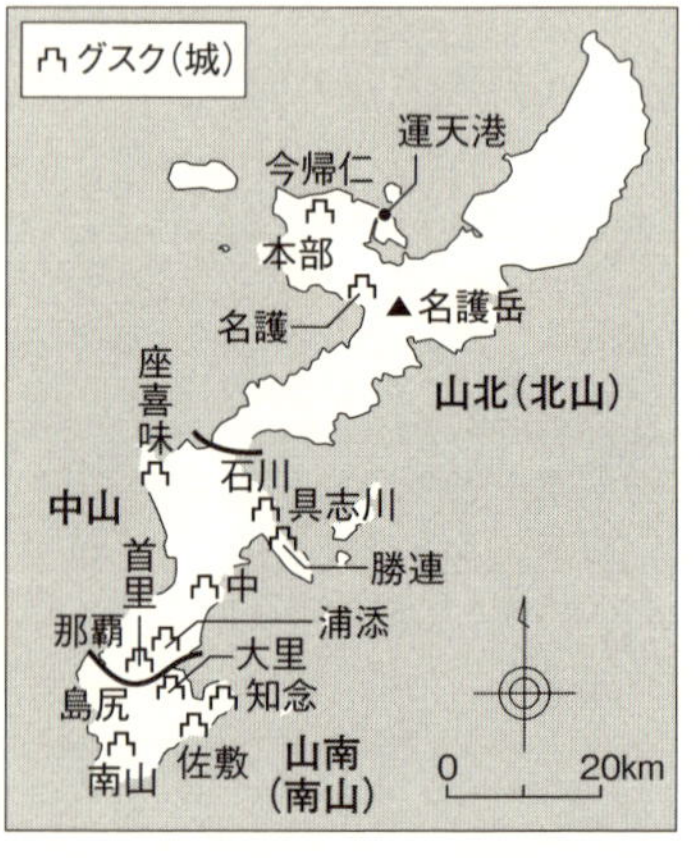

◉琉球三山とおもなグスク
琉球三山を統一した尚氏が拠点としたのが首里城であった。首里城は明治時代の琉球処分まで、琉球王国の中心として栄えた。

この元との深い関係のなかから、学問では朱子《しゅし》学《がく》が学ばれ、これが思想的な支柱となっていった。科学技術の面では金属活字の実用化を達成した。一三世紀の崔允儀《さいいんぎ》による『詳定古今礼《しょうていここんれい》』の印刷は世界最古の金属活字によるものである。「高麗大蔵経《こうらいだいぞうきょう》」も刊行され、のちに日本からの使者の多くはこの大蔵経の賜与《しよ》を願って朝鮮にやってきたのである。

綿花は、一三六四年に文益漸《ぶんえきぜん》が元から木綿種を持ち帰ったことから、その栽培が始まり、綿布の製造と使用とによって衣服が大きく変化していった。これもまた日本に一六世紀には入ってきて、衣服革命が起きたのである。

火薬や火器もまた、その製造技術が導入され、一四世紀前後から朝鮮半島沿岸で盛んになっていた倭寇《わこう》の撃退に用いられたが、これが日本に伝わるころには、ヨーロッパから鉄砲が流入し、日本での鉄砲の使用を早めている。

高麗にかわった朝鮮王朝では、太宗《たいそう》が政治的混乱を脱して王朝支配体制の基礎を確立したが、そのつぎの世宗《せそう》は儒教による政治を標榜《ひょうぼう》し、政治を学問的に支える集賢殿《しゅうけんでん》、金属活字のための鋳字所、また天文観測所を設け、さらに一四四三年には新し

17

●高麗系瓦と大和系瓦
「浦添ようどれ」出土の瓦。高麗系が主だが、日本の技術でつくられた大和系も出土しており（左下）、広範囲の技術交流が想定される。

い文字である訓民正音《くんみんせいおん》（のちにハングルと称された）を制定した。これは母音一一字と子音一七字から文字をつくり、それらを組み合わせて一音節を表わす合理的な方式からなり、民衆が利用しやすいものとして工夫されていた。

その世宗の初期に起きたのが応永《おうえい》二六年（一四一九）の応永の外寇《がいこう》である。これは倭寇の取り締まりを積極的に行なっていた対馬《つしま》の宗貞茂《そうさだしげ》が病没し、幼少の宗貞盛《さだもり》が跡目を継いだことや、朝鮮では世宗が即位したものの実権を太宗が握っているという不安定な状況から起こった事件であり、太宗が倭寇撃退を理由に、「古書によれば対馬は慶尚道《キョンサンド》に隷属」していたということを根拠に、対馬へ二二七隻からなる軍船を派遣したのであった。

この事件は蒙古《もうこ》襲来の再来として幕府には伝わったものの、幕府はこれに直接の対応を示さないまま戦況が対馬側の反撃によって膠着《こうちゃく》し、損害の大きくなった朝鮮側が対馬側の和平提案を受け入れて、七月三日に巨済島《コジェド》へ全面撤退して終わっている。朝鮮側の被害は、日本の史料では死傷者二五〇〇人以上、

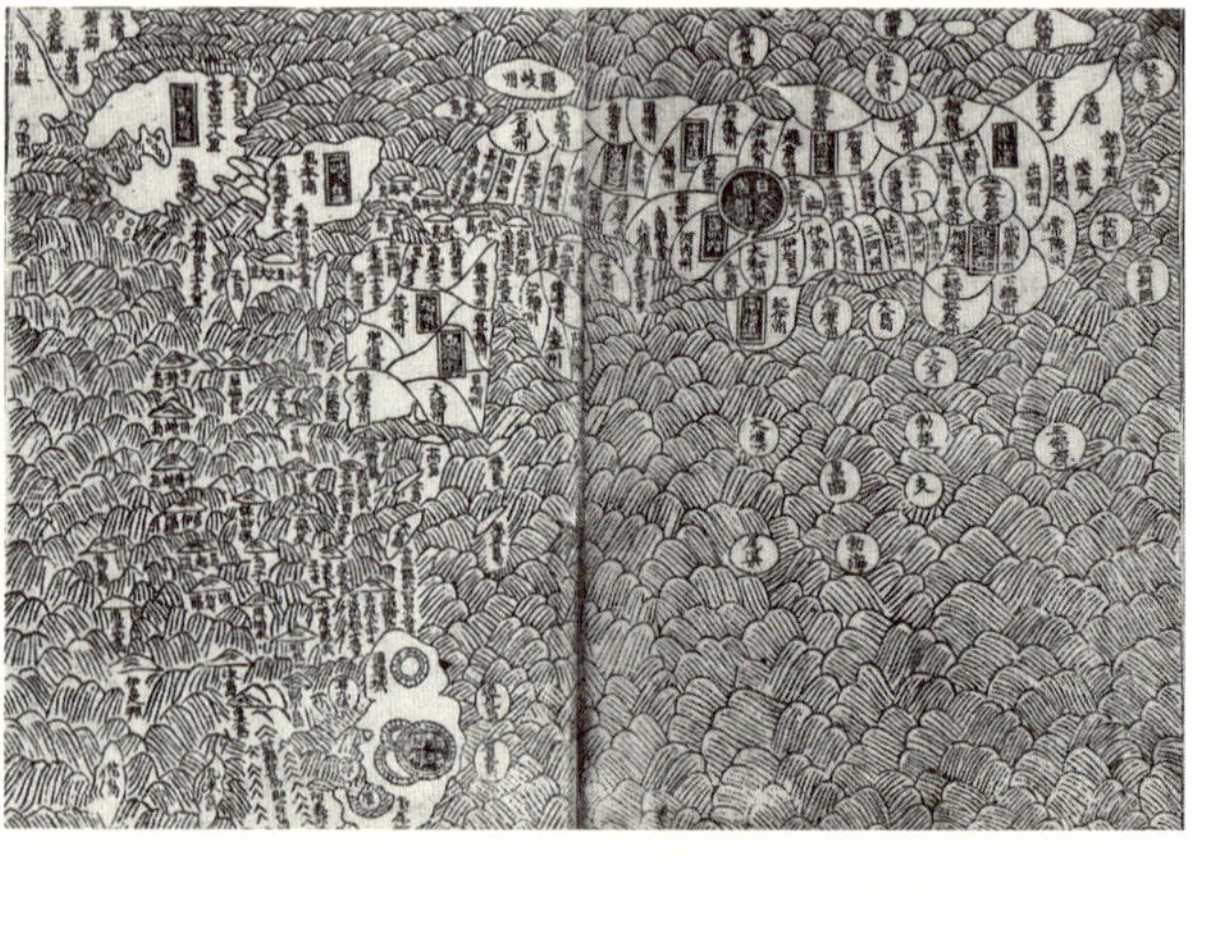

18

◉朝鮮が描いた日本地図
一四七一年につくられた、朝鮮の地理書『海東諸国記《かいとうしょこくき》』に掲載された日本地図。壱岐《いき》・対馬《つしま》・琉球といった島々がことさらに大きく描かれているのが特徴である。朝鮮との関係の深さがうかがえる。

『世宗実録《せそうじつろく》』では一八〇人とされている。

翌年には日本と和解して、回礼使《かいれいし》として宋希璟《そうきけい》が派遣されたが、そのときの記録が『老松堂日本行録《ろうしょうどうにほんこうろく》』であり、当時の日本の社会を異国の目から記した貴重な記事に満ちている。この事件によって対馬や北九州の諸大名の取り締まりは厳しくなり、「倭人《わじん》」の交易地は乃而浦《ないじほ》・釜山浦《ふざんぽ》・塩浦《えんぽ》の三つの浦に限定されることになった。これとともに倭寇は衰退していき、その後は安定した日朝貿易が展開した。なお九州、瀬戸内海、日本海沿岸の各地から朝鮮との貿易を求めて船が渡ったが、その多くは偽使であった。たとえば「夷千島王遐叉《えぞちしまおうかしゃ》」の使者と名のり、一四八二年に大蔵経の賜与を求めてきた例がある。

このように蒙古襲来以後、朝鮮半島では日本とは違ったかたちで文化や政治が展開していったが、その影響を直接・間接に受けながら、日本列島の社会は新たな動きを示していったのである。朝鮮から派遣された宋希璟は、帰路に安芸《あき》の蒲刈島《かまがりじま》で会った海賊の首領について、その振る舞いが同郷人と変わることがなく、言葉も通じたとし、「朝鮮からの船には銭物はなく、琉球からの船に宝物が多いので、それを奪い取ろう」という話をしていたという。朝鮮の人々の活動も、直接に日本列島に及んでいたことがわかる。

戦国期の文化

各地に花開く都市の文化

朝鮮との交流を積極的に進めたのが大内《おおうち》氏である。鎌倉時代に周防《すおう》の有力な在庁官人《かんじん》であった大内氏は、貞治《じょうじ》二年（正平《しょうへい》一八年（一三六三））に大内弘世《ひろよ》が周防・長門《ながと》の守護《しゅご》に任じられたのを契機に、山口盆地の中央に居館を移してその後の発展の基礎を築いた。弘世は翌年に上洛《じょうらく》した折、将軍の側近に数万貫《かん》の銭貨や唐物《からもの》を贈っている。

この弘世の時代に京都の祇園社《ぎおんしゃ》と北野《きたの》天神が山口に勧請《かんじょう》されたと伝えられており、のちに続く居館の原形ができたと考えられる。大内氏は着実に勢力を広げ、義弘《よしひろ》のときになると、康暦《こうりゃく》元年（一三七九）に高麗《こうらい》の使者を迎えて、日朝関係にかかわるようになり、明徳《めいとく》の乱《らん》（一三九一年）で山名《やまな》氏の勢力が衰えると、六か国の守護となった。

さらに九州探題《たんだい》の今川了俊《いまがわりょうしゅん》の失脚によって朝鮮との交渉を行ない、日朝貿易の基礎を築いた。応《おう》永《えい》六年（一三九九）には、その世系《せいけい》が百済《くだら》の後裔《こうえい》であるとして、朝鮮に縁故の地を譲ってほしいと要求している。すなわち大内氏は、百済の聖明王《せいめいおう》の第三子の琳聖太子《りんしょうたいし》が周防の国に着岸したのち、聖《しょう》徳太子《とくたいし》から大内邑《おおうちむら》を拝領し、多々良《たたら》氏の姓を賜わって今日に及んでいると主張したのである。しかしこの年に起きた応永《おうえい》の乱《らん》で、大内氏は幕府からの追討にあって義弘は滅ぼされることになった。

日朝貿易の利がからんでの戦乱であったともいえよう。

義弘ののちは弟の盛見《もりみ》が跡を継いで、大内氏の栄華を取り戻すと、山口は都市として整えられていった。応永二七年二月の国清寺《こくしょうじ》条々には「僧達市町《いちまち》に徘徊《はいかい》せらるべからず」と、国清寺の僧が市町を徘徊することが禁じられており、市町が生まれていたことがわかる。大内教弘《のりひろ》のときには、館の北隣にさらに別の一画が設けられ築山館《つきやまやかた》と称されたという。

長禄《ちょうろく》三年（一四五九）の大内氏壁書《かべがき》では「夜中に大路往来のこと、辻《つじ》ずまう（町の広場での相撲）の事」などが禁じられ、寛正《かんしょう》二年（一四六一）の同壁書では「山口より御分国中における行程日数の事」が定められ、山口から防長《ぼうちょう》国内のほか豊前《ぶぜん》・筑前《ちくぜん》・安芸《あき》・石見《いわみ》・肥前《ひぜん》などに至る行程の日数が決められ、本格的な政治都市の形成が進んでいたことがわかる。

居館の西側には南北の大きな街路が設けられ、その竪小路《たてこうじ》の南方には町を東西に貫いて東方にのびる石州《せきしゅう》街道がある。館の周辺や一《いち》の坂川《さかがわ》沿いに大内氏一族や重臣の屋敷が配置され、石州街道は西方に大市《おおいち》、東方に円政寺《えんせいじ》町・金古曾《かなこぞ》町が、竪小路の南端に太刀売《たちうり》町があって、これらの町に町人が集住していたとみられている。

19

◉瑠璃光寺の五重塔
もともとは嘉吉《かきつ》二年（一四四二）に、大内盛見が兄義弘の菩提寺である香積寺《こうしゃくじ》に建てた塔だった。のちに香積寺は廃絶し、その地に瑠璃光寺《るりこうじ》が移転してきた。高さ三一・二m。

応仁《おうにん》の乱《らん》後は京都の兵乱を避けて山口に下る貴族や学者・僧侶・芸能者なども多く、天文《てんぶん》二〇年（一五五一）に山口に布教に来たザビエルは、「日本国内にて頗《すこ》ぶる繁盛なる山口の城下に赴きたり。この地戸数一万以上にして皆材木の構家なり」と記している。

応仁の乱後に京都を逃れた九条政基《くじょうまさもと》は和泉《いずみ》の日根《ひね》野荘《のしょう》に滞在したが、同じ摂関家の一流である一条教房《いちじょうのりふさ》は、応仁二年（一四六八）九月に奈良の成就院《じょうじゆいん》を出発すると、一〇月には土佐《とさ》の中村《なかむら》に到着している。ここは一条家の荘園《しょうえん》であって、教房は「土佐波多《はた》中村館」に住み、在荘するうちに京都に倣って町づくりを行なった。その中村御所は一条神社のある小森山付近にあり、京町筋などの名が残る。渡川《わたりがわ》と後川《うしろがわ》は京都の桂川《かつらがわ》と鴨川《かもがわ》、東の山は東山《ひがしやま》、石見寺《いしみじ》は比叡山《ひえいざん》になぞらえられ、須賀《すが》神社はもと祇園《ぎおん》社といい、中心部には碁盤の目状の町割りの名残がみられる。

こうした各地の守護大名や都を逃れた貴族たちによって、「小京都」ともいうべき政治都市が形成されるようになったが、それとともに発展したのが港湾都市である。

和泉・摂津《せっつ》の境にあって港湾都市として成長した堺《さかい》は、列島各地での政治都市や宗教都市の成長とともに発展し、さらに日明《にちみん》貿易の展開やヨーロッパ人の渡来もあって国際貿易港として飛躍的な

20

◉雪舟の風景画
雪舟は、列島各地を訪れて独特の風景画を残した。図は、名勝天橋立《あまのはしだて》を描いた『天橋立図』。

発展をみた。同様に博多《はかた》や豊後《ぶんご》の府内《ふない》なども国際都市としての様相を示すようになっていた。

各地に都市文化の花が開いたのだが、その文化を伝えたのは、都を逃れた貴族だけではなかった。禅僧や連歌師《れんがし》も地方に下っていった。はじめ京都の東福寺《とうふくじ》に入り、相国寺《しょうこくじ》に移って周文《しゅうぶん》に絵を学んだ雪舟《せっしゅう》は、周防の大内氏に迎えられて山口に拠点を移し、遣明船《けんみんせん》に乗って中国に渡っている。それは応仁元年のことである。

連歌師の心敬《しんけい》は紀伊国《きいのくに》で寛正四年に『ささめごと』を著わしており、応仁元年には関東に下ってその地で没している。同じく宗祇《そうぎ》も文正《ぶんしょう》元年(一四六六)以降、各地を旅して『新撰菟玖波集《しんせんつくばしゅう》』や『竹林抄《ちくりんしょう》』などの多くの書を著わし、文亀《ぶんき》二年(一五〇二)に箱根《はこね》の湯本《ゆもと》で没している。その弟子宗長《そうちょう》には各地を旅した日記『宗長日記《そうちょうにっき》』がある。

一方、真宗の布教を行なっていた蓮如《れんにょ》は、山科《やましな》の本願寺《ほんがんじ》が寛正五年に山門《さんもん》(延暦寺《えんりゃくじ》)の衆徒《しゅと》によって破却されると、北陸に下り、越前《えちぜん》の吉崎《よしざき》(福井県あわら市)に赴いて伝道した結果、多数の門徒が集まった。その門徒がやがて、加賀《かが》で一向一揆《いっこういっき》を形成するようになるのである。

京都の復活

長禄《ちょうろく》二年(一四五八)に企画された遣明船《けんみんせん》は、「日本衰微」のため「銭《ぜに》」を求める目的であったが、その派遣も延期が繰り返され、明の都に入ったのは応仁《おうにん》二年(一四六八)のことである。そのころの幕府は行事を行なおうにも資金が集まらず、唐物《からもの》のコレクションである「東山御物《ひがしやまごもつ》」を支払いにあてていたほどであった。皮肉にも、この幕府の窮乏から新たな展開をみたのが、いわゆる「東山文化」である。

寛正《かんしょう》五年（一四六四）、足利義政《あしかがよしまさ》は京の七条《しちじょう》の禅仏寺《ぜんぶつじ》に遊ぶと、その無双亭《むそうてい》にあって梅を眺めながら、「この亭は四面の竹樹深密にして山中の趣」があると語ったが、この市中の草庵《そうあん》という考えは、すでに『徒然草《つれづれぐさ》』の住居論に萌芽《ほうが》的に見え、『慕帰絵《ぼきえ》』にも覚如《かくにょ》の竹杖庵《ちくじょうあん》が描かれているものの、この時期から本格的に展開してゆくようになる。それらは楽人の豊原統秋《とよはらのむねあき》の山里庵《さんりあん》や茶人の村田宗珠《むらたそうじゅ》の茶室「午松庵《ごしょうあん》」に典型的にみられるようになった。義政の東山の山荘（現在の慈照寺銀閣《じしょうじぎんかく》）はいささか立派すぎるものの、それでも義満《よしみつ》の金閣《きんかく》と比較すれば、枯淡《こたん》の美が表現されている。

やがて明応《めいおう》九年（一五〇〇）、幕府は京の町の要望を受けて、応仁の乱により衰退していた祇園祭《ぎおんまつり》の山鉾《やまほこ》を復活することになった。この時期までに京都は、上京《かみぎょう》と下京《しもぎょう》の二つの地域を中心にして町人による町連合が生まれており、そのうちの下京の町人の要望で復活したのである。

戦国期の京都を描いた上杉《うえすぎ》本の『洛中洛外図屛風《らくちゅうらくがいずびょうぶ》』には、祇園祭の山《やま》や鉾《ほこ》が描かれており、今に続く長刀鉾《なぎなたぼこ》や船鉾《ふなぼこ》などもこの時期から繰り出されていたことがわかる。道の両側の家々が町を形成し、この町が祇園社の祭礼に山や鉾を出す母体である山鉾町となっていたのである。

また、家々の前の道は重要な生活の場でもあった。道にある井戸は生活用水で、道の真ん中を流れる小川も多様に使われていた。トイレも道にあり、遊びも道で行なわれていた。治安のため町の出入り口には木戸（釘貫《くぎぬき》）が構えられていた。道こそは町の共同性をもっともよく示している。今でも京都の家は、道に沿った間口《まぐち》が狭く、奥行きが長いが、これは中世以来のものであり、さまざまな賦課《ふか》が家の間口の長さに応じて課されたことによる。

こうして小道の両側に家々が密集してできた町がいくつも集まって集合体をなしたのが惣町《そうまち》であり、その惣町は町の代表の集まりである町衆《まちしゅう》や会合衆《えごうしゅう》などにより運営され、都市の自治が行なわれていた。祇園祭が再興したのは彼らの力によっていたのである。

中世都市における自治や自由の問題といえば、網野善彦《あみのよしひこ》が無縁《むえん》・公界《くがい》・楽《らく》という自由の論理を指摘し、それを原始からの自由、本源的な自由の問題としてさかのぼってとらえてきた。はたしてそういえるであろうか。無縁・公界・楽という語にはたしかに「自由」にかかわる一面は存在するのだが、それらの共通項を指摘するだけではなく、それぞれの語の違いにも目をもっと向ける必要があろう。

たとえば京都のような政治都市の場合は、公界の論理がその自由や自治とかかわるとみられる。肥後《ひご》の戦国大名相良《さがら》氏の法度《はっと》には「公界の論《ろん》定《てい》」という語があって、それは大名権力を規制する「所衆の談合」を意味していた。これは、政治権力を支えると同時に規制する「談合」の組織的特性であり、周防《すおう》の大内《おおうち》氏の掟書《おきてがき》には「公界往来人」や「公界の

21

◉生活の場だった道 図の右側、道の中央にあるのが井戸で、その左の壁沿いの小さな建物がトイレである。（『洛中洛外図屛風』歴博甲本）

道」といった語が見える。

また「楽」は、伊勢の桑名《くわな》が「十楽《じゅうらく》の津」と称され、美濃《みの》の加納《かのう》や近江《おうみ》の安土《あづち》が「楽市場《らくいちば》」と称されたことなどを考えると、湊《みなと》や市《いち》などの交流の場に認められる論理といえよう。さらに無縁は俗縁を切って異界の場に入ることを考えるならば、宗教都市における自由や自治の論理を物語っている。それぞれ中世都市の展開のなかから生まれてきた論理であった。

竹の文化

都市の自由や自治を担った町衆《まちしゅう》《ちょうしゅう》は、それまでの時期の経済力を支えた土倉《どそう》や酒屋の系譜とは断絶しており、新たに同業者の組織を形成し、唐物《からもの》の目利きの同朋衆《どうぼうしゅう》の文化を継承した新興の商人である。その代表的存在が、皮屋と称された堺《さかい》の豪商武野紹鷗《たけのじょうおう》である。

紹鷗は連歌《れんが》から入って、連歌師心敬《しんけい》の「連歌の仕様、枯れかじて寒かれ」という言葉を愛用し、村田《むらた》珠光《しゅこう》の侘《わ》び茶《ちゃ》を継承して茶の湯の基本的スタイルを確立した人物として知られる。名物の茶道具は、「当代千万の道具は、みな紹鷗の目明きをもって召し出さるるなり」とあるように、この紹鷗の鑑定になったといわれ、「茶の湯の果てはかくのごとくありたきものを」と弟子たちに語っていたという（『山上宗二記《やまのうえのそうじき》』）。古典学者の三条西実隆《さんじょうにしさねたか》から藤原定家《ふじわらのさだいえ》の歌論書『詠歌大概《えいがたいがい》』の伝授を受け、大徳寺《だいとくじ》の大林宗套《だいりんそうとう》に参禅して茶禅一味の茶を追求し、今井宗久《いまいそうきゅう》や千利休《せんのりきゅう》などの門人を育てたことなども時代の傾向をよく物語っている。「中ごろは南北の堺、紹鷗といひしもの、昔の作法をやはらげ、上中下あひかなひぬる様になせり」（『喫茶《きっさ》雑話《ざつわ》』）とあるように、大衆的な茶を広めていった。分権化の著しい深まりに対応した存在である。

戦国時代の文化の性格を絵画の面でよく示しているのが、小栗宗湛《おぐりそうたん》と雪舟《せっしゅう》の画風の違いである。ともに周文《しゅうぶん》から絵を学んだ二人であったが、宗湛は足利義政《あしかがよしまさ》に仕えて平明な画風を特徴としたのに対し、中国に渡ってさまざまな画法を身につけてきた雪舟は、各地を遍歴して『天橋立図《あまのはしだてず》』や『山《さん》水長巻《すいちょうかん》』などの傑作を描き、力強い画風を特色としている。

こうした分裂の傾向は、都と地方の文化の分裂にとどまらず、さまざまな領域に及んでいた。たとえば、一方では神仏の呪縛《じゅばく》からの解放の側面があった。山門《さんもん》や南都《なんと》、石清水八幡宮《いわしみずはちまんぐう》などの強訴《ごうそ》があっても、もはや有効なものとはなりえなくなっていた。そうかと思えば、他方では神秘主義的な考え方も生まれており、秘事口伝が宗教性を帯びて伝えられている。天皇に「神秘御伝授」を行ない、唯一神道《ゆいいつしんとう》を提唱した吉田兼倶《よしだかねとも》の出現はその最たるものである。純化が求められるかたわらで、混沌《こんとん》へと突き進んでゆくなど、双方向の動きがあって、そこに戦国期の多様な文化が形成されていったのである。

しかしこうした文化の大きな変化は、たんに日本列島だけに起きていたものではなかった。ひとつは、一五世紀後半に始まるヨーロッパ世界

22

◉紹鷗が用いた茶碗
紹鷗から弟子の千利休に受け継がれたといわれる、「本手《ほんて》利休斗々《とと》屋《や》茶碗」と呼ばれる高麗《こうらい》茶碗。この茶碗は利休から古田《ふるた》織部《おりべ》、さらに小堀遠州《こぼりえんしゅう》へと伝わった。

に生まれた大航海時代の波動が東アジア世界に及んできたことであり、もうひとつは、東アジア世界における明《みん》の海禁秩序が弛緩《しかん》したことである。それに伴い「唐人《とうじん》」が列島の各地にやってきて、続いてヨーロッパ人も到来し、そこから文化のあり方も大きく変わっていったのである。

中世後期の文化はモノで象徴される。佐々木導誉《ささきどうよ》の婆娑羅《ばさら》の文化に始まり、続いて世阿弥《ぜあみ》などの花の文化があったが、この戦国期の文化は何に象徴されていようか。紹鷗の師匠で、侘び茶を始めた村田珠光が好んでいた竹がそれに相当するように思われる。珠光が禅を学んだ大徳寺の一休《いっきゅう》の漢詩集『狂雲集《きょううんしゅう》』に「斑竹《はんちく》」（斑模様《まだら》のある竹）を詠んだ詩があるように、一休もまた終生竹を好んでいた。同じく一休に禅を学んだ能役者の金春禅竹《こんぱるぜんちく》は竹を好んだ末に、高じてついに自分の名前にも竹をつけている。

茶の道具に用いられる枯れ竹は枯淡《こたん》の味わいを醸しており、竹林は、「竹林の七賢」の図にうかがえるような市井《しせい》の隠遁《いんとん》の場であり、都市の草庵《そうあん》を象徴していた。他方で青竹の生命力は地方文化のたくましい成長を象徴しており、竹は戦闘の武器としても使われた。この時代は竹の時代と表現できるであろう。

23

◉隠遁の場だった竹林
七人の賢人が俗世間を避けて竹林に遊ぶさまを描いた『竹林七賢人《ちくりんしちけんじん》図屏風《ずびょうぶ》』（左隻《させき》）。作者の雪村《せっそん》は、東国を中心に幅広く活躍した画僧で、雪舟に私淑したという。

おわりに

中世社会の五つの特徴

本巻では中世社会の動きを探ってきた。多くの人々が歴史の舞台に登場し、多彩な活動を繰り広げるようになったばかりか、その存在が政治的・経済的に力をもって、政治や経済・文化などを動かすようになり、しかもその姿や活動が文学・絵画作品にも表現されるようになった。端的にいえば、それが中世社会であるが、さらにその特徴をまとめると、つぎの五点があげられよう。

まず特徴の第一点。中世に生きた人々は、ほかの時代の人と大きく違って、さまざまな面で神仏への信仰を根底に有していた。疫病や飢饉《ききん》がつねに襲いくるなか、神仏への信仰が広がって民衆にも及び、そこから神仏にひたすらすがる他力による救済を求め、また逆に自力による救済へと進む動きもあった。この神仏への信仰の広がりが文学や美術、芸能などの文化活動を盛んにし、人々の精神世界を豊かなものにしたのである。

そして第二の特徴には、内的・外的交流を経て、各地に地域社会が形成され、村や町といった、今日の地域社会の原型がつくられたことがあげられる。当時はまだ日本という領域には入っていなかったが、独自の交易世界を築いた北の蝦夷《えぞ》地の社会や、貿易国家を形成していった南の琉球《りゅうきゅう》の社会も形成されたのである。

第三に、イエ（家）を媒介にした多様な人間関係や社会が形成された点である。貴族や武士、庶民などさまざまな身分の諸階層にイエが形成され、そこでは主従関係を柱にしつつも、それには限定されない、イエを媒介とするさまざまな人間・社会関係が形成されてきた。

第四の特徴としては、権力が統合されておらず、分権化の傾向が著しかったことである。古代の律令国家における権力統合が弛緩し、中央では寺社や権門《けんもん》が独自の組織を形成して分立する状況が生まれ、地方の各地では自立した拠点をもつ地域権力が形成された。中央集権に対する分権が大きな特徴であるが、そのなかで、第三章で詳しくみてきたように、現代につながる政治の型がつくられてきたのである。

最後の第五の特徴は、人々が権力に頼らず、自力による救済を求めたことである。中世の権力は生命や権利を全面的に保障するような存在ではなく、人々は権利や生命をみずからが守らねばならなかった。訴訟を起こす際にも、権利を裏付ける証拠の文書はみずからが提出する必要があった。それだけに権力はその存在の意味をつねに問われたので、民衆を慈しむ撫民《ぶみん》を心がけ、徳政を実施したが、強訴《ごうそ》や一揆《いっき》の力、神仏の力などが動員され、それらへの対応に苦しんだのである。

こうした中世社会はその後、戦国の動乱を経てふたたび統一政権構築の道をたどってゆくことになる。中世社会の第四の特徴としてみた分権的社会から、集権的社会を形成してゆくわけである。そのためには権力は、第一の特徴である神仏の力を封じ込め、第五の特徴である自力による救済を克服する必要があった。戦乱を経て「平和」をもたらすべく動いていったのである。

そうした動きのなかで、特徴の第二・第三として指摘した地域やイエの動きは、より社会のなかに根を下ろしてゆき、根底から社会を規定してゆくことになる。イエというと、家父長制の論理でのみ理解されがちであるが、イエは集合することによって町や村などの共同体を形成し、また武家や寺家といった権力を形成したのである。イエは抵抗の拠点となるとともに、支配の拠点ともなっていた。

列島に刻まれた時間

こうしてみてくると、二一世紀という時代に生きるわれわれにとって、中世は遠くてしかも近い時代であったことがわかるであろう。そこでつぎに、中世と現代とを結ぶ時間について考えてみたい。第五章で列島の身体という問題を考えてみたが、ここでは列島の身体に刻まれた時間を考えてみよう。

古代・中世・近世・近代という時期区分を前提にしてこれまで語ってきたが、この時期区分は現代からみて設定されたものであり、それも歴史学の視点からなされたものである。現在のように自然環境が大きな問題となっており、環境学・人類学・考古学などの長いスケールではかる学問との協業を考えるときには、共通した時間を設定したほうがよい。

しかしだからといって、単純に西暦の一〇〇年刻みにしたのでは、われわれが住む列島に即した歴史の時間をとらえることはできない。そこで意味ある区切りを探ってゆくと、浮かんでくるのが、一〇六八年（治暦《じりゃく》四年）の後三条《ごさんじょう》天皇即位による延久《えんきゅう》の国政改革の始まりから、一四六七年（応仁《おうにん》元年）の応仁《おうにん》の乱《らん》の開始による戦国時代の到来までが、ちょうど四〇〇年となることである。

そこでこの四〇〇年を割り切って中世とし、それ以後の四〇〇年を近世と考えてみると、応仁の乱の四〇〇年後の一八六八年（明治《めいじ》元年）は明治維新ということになり、近代の始まりと見なすことができる。またそれ以前の四〇〇年を古代とするならば、六六八年（天智《てんち》七年）に天智天皇が即位し、天智・天武《てんむ》による律令国家の形成が始まっている。

表に掲げたのは、その四〇〇年を約二〇〇年ごとに、さらにまた一〇〇年ごとに区切って、その変化を調べてみたものである。西暦でいえば各世紀の六七年・六八年あたりを境にした区切りにゆき

列島の社会の100年ごとの変化

時期区分		西暦（年号）	政治的事項	国家・社会の動向
古代Ⅰ	1	六六八（天智七）	天智天皇即位	律令国家の形成
	2	七六六（天平神護二）	道鏡法王	律令国家のゆらぎ
古代Ⅱ	3	八六六（貞観八）	摂政藤原良房	前期摂関政治
	4	九六七（康保四）	関白藤原実頼	後期摂関政治の開始
中世Ⅰ	5	一〇六八（治暦四）	後三条天皇即位	延久の国政改革
	6	一一六七（仁安二）	平清盛太政大臣	平氏～鎌倉の武家政権
中世Ⅱ	7	一二六八（文永五）	蒙古の国書到来	東アジア世界の流動
	8	一三六八（応安元）	応安の半済令	公武統一政権の成立
近世Ⅰ	9	一四六七（応仁元）	応仁の乱の開始	戦国時代の到来
	10	一五六八（永禄一一）	織田信長の上洛	統一政権の成立
近世Ⅱ	11	一六六七（寛文七）	東・西廻り海運の完成	幕藩体制の確立
	12	一七六七（明和四）	田沼政治の展開	近代国家の胎動
近代	13	一八六八（明治元）	明治維新	近代国家の成立
	14	一九六八（昭和四三）	学生運動・公害	国民国家のゆらぎ

あたる。もちろんこの時期区分は、便宜的なものであって、古代から中世にすぱっと変化したわけでもなく、同じく中世から近世への転換についてもそうである。表の4、8、12の時期は、それぞれ転換期として、前後の時代の動きが交錯している時代としてとらえるのがよいであろう。

おもしろいのは、それぞれの時期の変化の様相を探ると、日本列島の変化が大陸の変動と連動していることである。たとえば六六八年の律令国家の形成の少し前には白村江《はくそんこう》の戦い（六六三年）で敗れており、九六七年（康保《こうほう》四年）の後期摂関《せっかん》政治の開始の時期の直前の九六〇年には、中国で宋《そう》王朝が成立しており、一二六八年（文永《ぶんえい》五年）の蒙古《もうこ》（モンゴル）の国書到来の直前の一二六〇年には、フビライが即位している。さらに、一三六八年（応安《おうあん》元年）の公武統一政権の成立と同じ年に明《みん》王朝は成立しているのである。これらは、大陸の変動が日本列島の時間として刻み込まれてきたことによるのであろう。

こうした目でみると、歴史の違った一面が浮かび上がってくるではないか。われわれが今いる現在とは、時間的にはどういう位置にあるのかが見えてこよう。時間には大きな時間と小さな時間の流れがあるが、これまでは通史というとあまりに小さな時間を問題にしてきた。現在のような急激な変化の時代にあっては、逆に大きな時間を問題にしてゆく必要があるように思う。

歴史を探るということは、言うまでもなく現在を考え、将来を見据えることにある。今のわれわれは多くの問題に直面しており、そうした問題を考える手がかりや、解決する道筋を探る際に、歴史を探ることは大きな意味をもっている。過去にさかのぼってみてこそ現状がわかるというものである。そのときにはわからない複雑な経済や社会関係も、時間がたつとともに見えてくるように、過去と現在と未来とをつないでいるのが歴史である。本巻はそのような視点から中世社会のあり方を探るべく、空間・身体・環境をキーワードに中世社会の動きをみてきたのである。

しかし本巻で記してきたのは、じつは中世のほんの一端にすぎない。つぎの巻からは、中世の時代をさらに詳しく探ってゆくことになる。違った角度から見ると、また違った新鮮な中世の像が見えてくる。ぜひとも、期待してほしい。

• 小川剛生『二条良基研究』笠間書院、2005 年
• 笠松宏至『徳政令』岩波新書、1983 年
• 五味文彦『藤原定家の時代』岩波新書、1991 年
• 佐藤進一『日本の歴史9　南北朝の動乱』中央公論社、1965 年
• 鈴木康之『中世瀬戸内の港町　草戸千軒町遺跡』シリーズ「遺跡を学ぶ」040、新泉社、2007 年
• 瀬田勝哉『洛中洛外の群像』平凡社、1994 年
• 脇田晴子『中世京都と祇園祭』中公新書、1999 年

第七章

• 網野善彦『無縁・公界・楽（増補）』平凡社ライブラリー、1996 年
• 今谷明『日本の歴史9　日本国王と土民』集英社、1992 年
• 小野正敏・萩原三雄編『戦国時代の考古学』高志書院、2003 年
• 勝俣鎮夫『戦国法成立史論』東京大学出版会、1979 年
• 北川浩之「屋久杉に刻まれた歴史時代の気候変動」吉野正敏・安田喜憲編『講座文明と環境6　歴史と気候』朝倉書店、1995 年
• 阪口豊『尾瀬ヶ原の自然史』中公新書、1989 年
• 田中克行『中世の惣村と文書』山川出版社、1998 年
• 藤木久志『豊臣平和令と戦国社会』東京大学出版会、1985 年
• 峰岸純夫『中世　災害・戦乱の社会史』吉川弘文館、2001 年
• 山本武夫『気候の語る日本の歴史』そしえて、1976 年

全編にわたるもの

• 網野善彦・石井進編『日本の中世（全 12 巻）』中央公論新社、2002 ～ 2003 年
• 榎原雅治編『日本の時代史 11　一揆の時代』吉川弘文館、2003 年
• 小野正敏編集代表『図解・日本の中世遺跡』東京大学出版会、2001 年
• 筧雅博『日本の歴史 10　蒙古襲来と徳政令』講談社、2001 年
• 菊池勇夫編『日本の時代史 19　蝦夷島と北方世界』吉川弘文館、2003 年
• 久留島典子『日本の歴史 13　一揆と戦国大名』講談社、2001 年
• 五味文彦『中世の身体』角川学術出版、2006 年
• 五味文彦編『日本の時代史8　京・鎌倉の王権』吉川弘文館、2003 年
• 近藤成一編『日本の時代史9　モンゴルの襲来』吉川弘文館、2003 年
• 桜井英治『日本の歴史 12　室町人の精神』講談社、2001 年
• 佐藤信・吉田伸之編『新体系日本史6　都市社会史』山川出版社、2001 年
• 下向井龍彦『日本の歴史 07　武士の成長と院政』講談社、2001 年
• 豊見山和行編『日本の時代史 18　琉球・沖縄史の世界』吉川弘文館、2003 年
• 新田一郎『日本の歴史 11　太平記の時代』講談社、2001 年
• 村井章介編『日本の時代史 10　南北朝の動乱』吉川弘文館、2003 年
• 元木泰雄編『日本の時代史7　院政の展開と内乱』吉川弘文館、2002 年
• 山本幸司『日本の歴史 09　頼朝の天下草創』講談社、2001 年

参考文献

第一章

- 網野善彦『日本中世土地制度史の研究』塙書房、1991年
- 石井進『鎌倉武士の実像』平凡社、1987年
- 石母田正『中世的世界の形成』岩波文庫、1985年
- 大山喬平『日本中世農村史の研究』岩波書店、1978年
- 北村優季『平安京——その歴史と構造』吉川弘文館、1995年
- 五味文彦『梁塵秘抄のうたと絵』文春新書、2002年
- 佐野みどり『風流　造形　物語』スカイドア、1997年
- 戸田芳実『日本領主制成立史の研究』岩波書店、1967年
- 西山良平『都市平安京』京都大学学術出版会、2004年

第二章

- 大庭康時・佐伯弘次・服部英雄・宮武正登編『港湾都市と対外交易』(『中世都市研究』10号)新人物往来社、2004年
- 小野正敏・萩原三雄編『鎌倉時代の考古学』高志書院、2006年
- 川添昭二編『よみがえる中世1　東アジアの国際都市博多』平凡社、1988年
- 五味文彦『王の記憶』新人物往来社、2007年
- 五味文彦編『交流・物流・越境』(『中世都市研究』11号)新人物往来社、2005年
- 高橋秀樹『日本中世の家と親族』吉川弘文館、1996年
- 中世都市研究会編『都市と宗教』(『中世都市研究』4号)新人物往来社、1997年
- 藤島亥治郎『平泉建築文化研究』吉川弘文館、1995年
- 吉井敏幸・百瀬正恒編『中世の都市と寺院』高志書院、2005年

第三章

- 石井進『日本中世国家史の研究』岩波書店、1970年
- 石母田正『古代末期政治史序説(上・下)』未来社、1956年
- 上横手雅敬『鎌倉時代政治史研究』吉川弘文館、1991年
- 朧谷寿『日本の歴史6　王朝と貴族』集英社、1991年
- 黒田俊雄『日本中世の国家と宗教』岩波書店、1975年
- 五味文彦『院政期社会の研究』山川出版社、1984年
- 五味文彦『武士と文士の中世史』東京大学出版会、1992年
- 五味文彦『平清盛』吉川弘文館、1999年
- 五味文彦『吾妻鏡の方法(増補)』吉川弘文館、2000年
- 五味文彦『中世社会史料論』校倉書房、2006年
- 佐藤進一『日本の中世国家』岩波書店、1983年
- 佐藤進一『日本中世史論集』岩波書店、1990年
- 高橋昌明『清盛以前』平凡社、1984年
- 村井章介『アジアのなかの中世日本』校倉書房、1988年

第四章

- 黒田俊雄『日本中世の社会と宗教』岩波書店、1990年
- 五味文彦『「春日験記絵」と中世』淡交社、1998年
- 五味文彦『大仏再建』講談社、1995年
- 五味文彦『明月記の史料学』青史出版、2000年
- 末木文美士『鎌倉仏教形成論』法蔵館、1998年
- 土谷恵『中世寺院の社会と芸能』吉川弘文館、2001年
- 松岡心平『宴の身体』岩波書店、1991年

第五章

- 網野善彦『日本中世の非農業民と天皇』岩波書店、1984年
- 黒田日出男『龍の棲む日本』岩波新書、2003年
- 五味文彦『平家物語、史と説話』平凡社、1987年
- 五味文彦『「徒然草」の歴史学』朝日新聞社、1997年
- 五味文彦編『芸能の中世』吉川弘文館、2000年
- 安田次郎『中世の興福寺と大和』山川出版社、2001年
- 脇田晴子『女性芸能の源流』角川書店、2001年

第六章

- 網野善彦『日本の歴史10　蒙古襲来』小学館、1974年
- 網野善彦『異形の王権』平凡社、1986年
- 今谷明『室町の王権』中公新書、1990年

スタッフ一覧

本文レイアウト	姥谷英子
校正	オフィス・タカエ
図版・地図作成	蓬生雄司
写真撮影	西村千春
索引制作	小学館クリエイティブ
編集長	清水芳郎
編集	田澤泉
	阿部いづみ
	宇南山知人
	水上人江
	一坪泰博
編集協力	青柳亮
	木全英彦
	小西むつ子
	髙橋美香
	林まりこ
月報編集協力	㈲ビー・シー
	関屋淳子
	藤井恵子
制作	大木由紀夫
	山崎法一
資材	横山肇
宣伝	中沢裕行
	後藤昌弘
販売	永井真士
	奥村浩一
協力	株式会社モリサワ

所蔵先一覧

所蔵先と写真提供者、撮影者が異なる場合は、（　）内にその旨を明記した。

カバー

厳島神社（提供：奈良国立博物館）

口絵

1 宮内庁三の丸尚蔵館／2 知恩院（提供：京都国立博物館）／3 西本願寺／4 東京国立博物館（提供：TNM Image Archives）／5 武蔵御嶽神社／6・7 妙法院／8 妙法院（提供：京都国立博物館）

はじめに

1 出光美術館／2 東京国立博物館（提供：TNM Image Archives）／3 米沢市上杉博物館

第一章

1・3 田中家（提供：中央公論新社）／2・11 東京国立博物館（提供：TNM Image Archives）／4 奈良国立博物館／5 個人蔵／6 出光美術館／7 宮内庁三の丸尚蔵館／8・9 石山寺／10 粉河寺／12 東大寺（提供：奈良国立博物館）／13 平等院／14 室戸市

第二章

1・6 東京国立博物館（提供：TNM Image Archives）　／2・11・12・13 宮内庁三の丸尚蔵館／3 会津坂下町教育委員会／4 富貴寺／5 京都市歴史資料館／7 沖縄県立博物館・美術館／8（右）岩手県教育委員会（左）平泉町／9 平泉町教育委員会／10 九州大学大学院人文科学研究院考古学研究室（福岡市博物館展示、撮影：藤本健八）／14 朝護孫子寺

第三章

1 京都市埋蔵文化財研究所／2 静嘉堂文庫美術館／3 林原美術館／4 建長寺／5 宮内庁三の丸尚蔵館／6 四天王寺／7 国立歴史民俗博物館／8 厳島神社（提供：奈良国立博物館）／9 ジオグラフィックフォト／10 撮影：原田寛

第四章

1 賀茂御祖神社／2 文化庁／3 京都国立博物館／4 国立公文書館／5 大阪狭山市教育委員会／6 新薬師寺／7 東大寺（提供：美術院）／8 知恩院（提供：京都国立博物館）／9 両足院／10 本法寺／11・12・13・14・15・16・18 清浄光寺／17 東京国立博物館（提供：TNM Image Archives）／19 根津美術館／20 四天王寺／21 長安寺

第五章

1 石山寺／2・3・4・5・11 東京国立博物館（提供：TNM Image Archives）／6 西本願寺／7 真光寺（提供：京都国立博物館）／8・15（右）宮内庁三の丸尚蔵館／9 京都市埋蔵文化財研究所／10・12 撮影：渡辺良正／13 円覚寺（提供：鎌倉国宝館）／14 栃木県教育委員会／15（左）松浦市教育委員会／16 仁和寺／17 五所川原市教育委員会／18 読谷村教育委員会／19 浦添市教育委員会／20 鎌倉市教育委員会／21 新潟県埋蔵文化財調査事業団／22 上田市教育委員会／23 浄土寺

第六章

1 水無瀬神宮／2 陽明文庫／3（右）神護寺　（左）善光寺／4 金刀比羅宮／5 埼玉県立歴史と民俗の博物館／6 清浄光寺／7 出雲大社／8 京都国立博物館／9・16 広島県立歴史博物館／10 個人蔵／11 鹿苑寺／12 東福寺（提供：京都国立博物館）／13 法政大学能楽研究所／14 西日本企画／15 東京大学史料編纂所／17 奈良国立博物館

第七章

1 宮内庁三の丸尚蔵館／2 広島県立歴史博物館／3 石川県立歴史博物館／4 菅浦区（滋賀大学経済学部附属史料館保管）／5 前田育徳会／6 京都府立総合資料館／7 宮内庁書陵部／8 根来寺／9 岩出市教育委員会／10 勝山市教育委員会／11 鬼北町教育委員会／12 足利市教育委員会／13・21 国立歴史民俗博物館／14 市立函館博物館／15 上ノ国町教育委員会／16 今帰仁村教育委員会／17 浦添市教育委員会／18 東京大学史料編纂所／19 瑠璃光寺／20 京都国立博物館／22 藤田美術館／23 畠山記念館

ま行

や行

ら行

わ行

な行

は行

た行

さ行

索引

000—詳しい説明のあるページを示す。
000*—写真・図版のあるページを示す。

あ行

か行

全集　日本の歴史　第5巻　躍動する中世

2008年4月30日　初版第1刷発行

著者　五味文彦
発行者　八巻孝夫
発行所　株式会社小学館
〒101-8001 東京都千代田区一ツ橋2-3-1
電話　編集　03(3230)5118
販売　03(5281)3555
印刷所　凸版印刷株式会社
製本所　株式会社若林製本工場

Printed in Japan ISBN978-4-09-622105-1